www.tredition.de

Erwin Sittig

Kein Fall
von Normalität

© 2020 Erwin Sittig

Verlag & Druck: tredition GmbH,
Halenreie 40-44, 22359 Hamburg

ISBN
Paperback: 978-3-347-11854-6
Hardcover: 978-3-347-11855-3
e-Book: 978-3-347-11856-0
Illustration: Erwin Sittig

Kein Fall von Normalität

Marita starrte auf die Fensterscheibe. Der Regen hatte sie mit hunderten von Regentropfen übersät. Ein seltsames Rennen begann. Die Schwere der Tropfen zog diese hinunter. Auf halbem Weg trafen sie Gleichgesinnte, die scheinbar willenlos dem Gesetz der Schwerkraft folgten und zu fragen schienen, ob der Weg zu zweit nicht viel schöner wäre. Und als ob es tatsächlich so ist, beschleunigten sie nach der Vereinigung ihren Schritt, um die gleiche Frage ein weiteres Mal zu stellen, sobald sich ein Artgenosse in den Weg stellte.

Wer sagt, die Regentropfen hätten keinen Verstand, sie können ihren Weg nicht selbst wählen, irrt. Ohne ersichtlichen Grund änderten sie plötzlich abrupt ihren Weg, als ob der Partner linker Hand ein besserer wäre, als jener, der auf direktem Wege gewartet hat. Marita war fasziniert. Dieses Spiel wurde erst interessant, als der Regen aufgehört hatte. Jetzt entstanden Zeiträume für die Tropfen, die das Überlegen gestatteten. Kein Zwang mehr, schnelle Entscheidungen zu fällen, die aus der Not geboren wurden und doch nur im Sande versickern.

Die frischen Wölbungen der Tropfen hatten etwas Belebendes. Sie verteilten den Glanz in alle Richtungen, so dass auch Marita ihren Anteil bekam. Sie kroch näher an die Scheibe heran, um zu prüfen, ob sie ihr Spiegelbild im Regentropfen sehen könne, das sie in einer lustigen Verzerrung zeigen müsste. Sie war enttäuscht. Ihr erwählter Tropfen warf kein Bild zurück. Weder ein verzerrtes, noch ein realistisches. Sie war sich nicht einmal sicher, welches Bild ihr lieber gewesen wäre.

Die Sonne klomm an den Wolken empor und schob ihr freundliches Gesicht darüber hinweg. Sofort wurde die Landschaft der Scheibe zu einem funkelnden Teppich, der Freude in ihr Herz pflanzte. Vergessen waren die Ärgernisse der letzten Stunden, die, allein durch die lebendigen Wasserspiele vor ihren verzückten Augen, schon an Schärfe verloren hatten. Doch nun brannte die Sonne den letzten Rest der belastenden Erinnerungen weg und gab den Weg vollends frei, um alles Schöne in sich aufzunehmen. Die Tropfen wurden zu Kristallen und verteilten die Strahlen über ihr ganzes Gesicht, das sich überglücklich darstellte und nichts mehr wahrnahm, als dieses befreiende Schauspiel der Natur, von dem sie selbst ein Teil geworden war.

Diese Freude, hervorgerufen, durch eine Banalität, die viele Menschen nicht einmal wahrnehmen, beherrschte ihre Gesichtszüge und legte ein kindliches Grinsen hinein, das ihre Mitmenschen nicht anders, als abartig bezeichnet hätten.

Der offene Mund hatte sich zum Lachen entschlossen und verharrte auf halbem Wege, um auch dem Staunen noch etwas Spiel zu lassen. Die weit aufgerissenen Augen hatten sich geweitet und in Verbindung mit der zaghaft gefurchten Stirn mehr Fragen, als Antworten parat. Sie wiegte sacht den Kopf und tanzte sich in einen Tagtraum hinein, der sie endlich zu einem glücklichen Menschen machte, fernab von dem Bösen, von den Menschen.

Und genau in diesen verzückten, schwebenden Blick huschte ein Schatten hinein und zwang ihre Augen die Brennweite zu ändern, um diese Störung zu analysieren. Es war das Gesicht ihrer Nachbarin, Frau Jaffel.

Frau Jaffel starrte sie an, als hätte sie eine Geisteskranke entdeckt, der der Wahnsinn mit gewaltiger Kraft aus den

Augen sprang. Sie las in Frau Jaffel Abscheu, Entsetzen und Unverständnis, wie es nicht intensiver sein könnte. Dieselbe Intensität, die Marita in die Betrachtung der Wasserspiele gelegt hatte, fand sich in Frau Jaffel's Blick, als sie ihre Nachbarin betrachtete. Auch sie stand mit geöffnetem Mund da und vergaß, vor Überraschung, weiterzugehen. Marita war für sie der Wassertropfen, jedoch ein Tropfen, der nicht fließen wollte, der nicht in ihre Welt passte und glücklicherweise hinter dieser Scheibe steckte.

Erst als Marita sich dem Blick stellte und beide Frauen sich staunend ansahen, begriff Frau Jaffel, dass sie stehengeblieben war und diesem Wesen mehr Aufmerksamkeit bekundet hatte, als ihr lieb war. Irritiert lief sie weiter. Einem solchen Blick konnte sie nicht standhalten. Er war nicht vom Geist beseelt und drohte in sie einzudringen, um Besitz von ihr zu ergreifen.

Es war mehr eine Flucht, als ein Weitergehen.

Traurig weitete sich Maritas Blick und suchte ein Ziel in der Ferne, das sie niemals finden würde, nachdem diese Frau ihre Welt zerstört hatte. Sie hatte die Regentropfen zu normalem, bedeutungslosem Wasser degradiert, das hinunterfällt und im Einerlei verschwindet.

Marita hasste diese Wohnung, die ihr Leben der ganzen Welt präsentierte, weil sie sich zu ebener Erde an einer belebten Straße befand. Sie hasste es ebenso, die Verschläge zu schließen, um sich fremden Blicken zu entziehen. Das Licht benötigte sie mehr als die visuelle Abschirmung vor dem Bösen, vor den Menschen.

Sie hatte sich daran gewöhnt und würde sich doch nie daran gewöhnen, dass sie nicht ganz dazugehörte. Sie war eine Außenseiterin, die nach getaner Arbeit in ihre

Zelle zurückwich. Nur, wenn es der Selbsterhaltungstrieb forderte, unternahm sie ein paar Gänge in dieser ihr fremden, bedrohlichen und rätselhaften Zone. Jeder Einkauf war eine Qual, jedes Gespräch eine Provokation, jede Bekanntschaft ein Angriff.

Marita hatte die 36 überschritten. Ihr Leben endete mit 17 und es begann mit 17 Jahren. So gesehen, war sie erst 19 Jahre alt.

Sie war nicht immer so. Sie war nicht immer so verschlossen, so misstrauisch. Sie war nicht immer so verängstigt, so irre. Sie war einmal ein ganz normaler Mensch.

Ein Verbrechen hatte für ihre Geburt gesorgt und ihr altes Leben ausgelöscht - von einer Sekunde auf die andere. Das Leben vor ihrer Geburt war für sie ein Traum, den sie schon erstickte, wenn sie ihn kommen sah. Er war unreal und darum nicht lebensfähig. Viel realer war hingegen ihr Geburtsvorgang. Er schickte sie in eine Welt, die sich krass von ihrem verlogenen, unterdrückten Traum abhob. Er schickte sie in die Welt des Bösen, zu den Menschen.

Frau Jaffels Herz pochte wie wild. Sie hatte in diese Augen gesehen - diese Augen, die versuchten, sie von innen aufzufressen. Welcher Teufel hatte sie getrieben, vor dem Fenster dieser wahnsinnigen Hexe stehenzubleiben? Sie hat den bösen Blick. Bei diesem Gedanken bekreuzigte sie sich. Sie war erleichtert, als ihr die Knoblauchzehen ins Blickfeld gerieten, die sie vorsorglich über die Eingangstür gehängt hatte. Sicherheitshalber kontrollierte sie ihr Kopfkissen, ob ihre Nähnadel noch an der Unterseite steckte, das dritte Auge, das sie vor dem Schlimmsten beschützen würde, da es Hexen irritiert.

Nie hatte Frau Jaffel verstehen können, dass so eine gemeingefährliche Person frei herumlaufen darf. Was hatte sie verbrochen, dass sie Tür an Tür mit ihr wohnen musste?

Anfangs hatte sie Marita für ein normales Mädchen gehalten. Sie war freundlich, aber abweisend. Irgendwann ertappte sie die junge Frau im Hausflur. Sie hielt einen Brief in den Händen und schaute durch ihn hindurch, ohne ihn zu öffnen. Heute war sich Frau Jaffel sicher, dass sie diesen Brief, so wie er war, gelesen hatte. Durch den geschlossenen Umschlag hindurch. Sie hatte nicht auf ihren Gruß reagiert, nur gestarrt. Sie hatte sich in ihn hineingebohrt mit ihrem Blick. Erst als Frau Jaffel ihren Gruß lautstark wiederholte, schreckte das Mädchen zusammen. Sie zerknüllte den Brief in ihrer Hand und jagte ihre Blicke wie ein gehetztes Wild durch den Hausflur. Ihr Kopf zuckte dabei herum, als würde sie aus immer neuen Ecken Stimmen hören, die sie zu orten suchte. Frau Jaffel war für sie nicht existent. Endlich rannte sie davon, steckte zitternd ihren Schlüssel in die Wohnungstür und verschwand hinter der hallend zuschlagenden, schweren Eichentür.

Die darauffolgende Stille war gespenstisch. Es war, als wären diese Stimmen zurückgeblieben, um sich auf Frau Jaffel zu stürzen. Die Stille hämmerte auf sie ein und trieb sie ebenso panisch voran, wie zuvor das junge Mädchen mit dem irren Blick.

Auch ihr Blick hatte etwas von der Unruhe angenommen und hätte einem zufälligen Besucher, eine gewaltige Portion Verwunderung aufgeladen.

Erneut knallte eine Eichentür und schwer atmend lauschte Frau Jaffel in den Flur hinaus, hoffend, dass diese Tür genug Schutz bietet.

Diese beängstigende Szene, war in diesem Moment auferstanden. Damals wurde Frau Jaffel bewusst, dass sie an der Schwelle eines neuen Lebens stand, eines Lebens voller Angst und Gefahren, die nach ihr greifen werden. Aber sie würde wachsam sein und darauf zu reagieren wissen.

Bisher war ihr das gelungen, nicht zuletzt wegen der Knoblauchzehen und des dritten Auges unter dem Kopfkissen. Doch dieser Blick heute, traf sie ungeschützt. Obwohl sie gehört hatte, dass Glasscheiben, für böse Blicke, unüberwindlich wären.

Seit diese Marita hier wohnt, hatte sich ihr Leben gewandelt. Ständig ereilten sie Missgeschicke und das Verhältnis zu ihrem Mann spannte sich mehr und mehr. War er etwa schon in ihrem Bann?

Erschöpft setzte sie sich. Sie hatte noch ihren Mantel an und stellte die Einkaufstaschen neben den Stuhl, ohne sie loszulassen. Der Mund hing apathisch herab und ihre Gedanken schweiften ab. Vergeblich hatte sie bisher versucht, die anderen Hausbewohner vor der drohenden Gefahr zu warnen. Sie war eher belächelt worden, als ernst genommen zu werden.

Irgendwann werden sie ihr nochmal dankbar sein, für ihre Wachsamkeit.

Wie viel Zeit vergangen war, wusste Frau Jaffel nicht. Ein Schlüssel drehte sich schreiend im Schloss. Ängstlich zog sie die Einkaufstaschen an sich und starrte auf die Tür, die bisher eine sichere Barriere für das Böse dargestellt hatte. Sie hörte das Schloss schnappen. Verzweifelt bereute sie, so tief in Maritas Augen gesehen zu haben. Dabei war sie bisher immer sehr vorsichtig gewesen. Sie grüßte Marita zwar, um sie nicht zu provozieren, aber sie sah nur flüchtig zu ihr hoch. Heute hatte sie die Kraft dieses Blickes gespürt, diese übernatürliche Kraft, die vielleicht sogar Schlösser bewegen kann.

Es gab genügend Beispiele, dass die Besessenen die Telekinese beherrschten. Sie war zu keiner Bewegung mehr fähig. Sie hatte die Taschen schon soweit unter das Kinn gezogen, dass sie ihren gesamten Oberkörper schützten. Die Augen weiteten sich und drückten ihr Falten in die Stirn. Langsam öffnete sich die Tür. Eine dunkle Gestalt schob sich herein und verharrte, sobald sie die Schwelle überschritten hatte.

„Was starrst du mich so an", wunderte sich Herr Jaffel „ist dir ein Gespenst über den Weg gelaufen oder machst du Yogaübungen?"

Schlagartig entspannte sich Frau Jaffel und ging einem geschäftigen Treiben nach, indem sie die Taschen auspackte und ein paar Sachen in den Kühlschrank legte.

„Mache dich nur lustig", empörte sie sich „wenn du aufwachst, wird es zu spät sein".

Mit steigender Erregung wurden ihre Bewegungen hektischer.

„Ist dir etwa wieder unsere kleine Nachbarin begegnet, dass du so schlotterst?"

„Ich schlottere nicht. Ich bin nur vorsichtig, was ich dir übrigens auch raten würde. Du lässt dich doch nur von der hübschen Larve täuschen. Du scheinst überhaupt nicht zu bemerken, wie es bei uns immer kälter wird und dass alles von der Nachbarwohnung ausgeht. Oder tust du nur so?"

Sie hielt inne, um ihren Mann anzusehen.

„Die Kleine tut niemandem etwas an. Die Kälte bringst du hier rein, durch dein ewiges Misstrauen."

„Sie hat dich schon völlig in ihrem Bann. Du bist blind Herbert. Du würdest nicht mal etwas bemerken, wenn sie, direkt neben dir, ihr Unheil über die Leute bringt."

Herr Jaffel sah nachdenklich aus dem Fenster. Wie konnte er seine Frau nur zur Vernunft bringen? Alles drehte sich nur noch um ihre Nachbarin.

Er sah Marita aus dem Haus treten. Wie immer schaute sie sich unsicher um. Erst dann marschierte sie los, wobei sie nur selten den Kopf hob. Ein junger Mann betrachtete sie versonnen und sah ihr lächelnd nach.

Es war Marita nicht entgangen. Ihr Kopf flog herum und sah ihn erzürnt an. Ihre Lippen zitterten dabei. Das Lächeln im Gesicht des Mannes erstarb. Schüchtern wendete er sich ab und beschleunigte gleichzeitig seinen Schritt, um der peinlichen Situation zu entfliehen. Ihm blieb nicht genug Zeit, sich neu zu orientieren. Im letzten Moment konnte er einem Radfahrer ausweichen, indem er zur Seite sprang. Ein Auto erfasste ihn und schleuderte seien Körper empor, so dass er mit dem Kopf auf den Bordstein aufschlug. Sofort umringten ihn Menschen, um ihm aufzuhelfen. Herr Jaffel streckte sich besorgt, um mehr sehen zu können. Sein Blick wanderte zu Marita, die genüsslich lächelnd den Unfall beobachtet hatte und beschwingt ihren Weg fortsetzte, als sei nichts geschehen.

Das Auto war weitergefahren. Die Sorge um den jungen Mann hatte das zweitrangig werden lassen. Der Mann erhob sich, von Passanten gestützt und hielt sich ein Taschentuch an die Platzwunde. Er schien die Helfer zu beschwichtigen, worauf sich die Ansammlung langsam auflöste. Leicht schwankend setzte er seinen Weg fort.

Wenn das seine Frau gesehen hätte, dachte Herr Jaffel, müsste er sich stundenlange Vorträge anhören. Und doch war ihm Maritas Blick noch gegenwärtig, der keine Spur von Mitleid aufgewiesen hatte. Bald hatte er den Vorfall vergessen und widmete sich seinen Tagesgeschäften.

Marita kannte solche Männer, die sie mit den Augen bedrängten und ihre unheilvollen Wünsche an den sabbernden Lippen hängen hatten, um sie bei nächster Gelegenheit an ihr abzuwischen. Dieser Kerl war nicht anders. Sie waren alle nicht anders. Sie freute sich über jede Strafe, die sie ereilte. Es meldete sich eine vage Hoffnung, dass es einen Hauch Gerechtigkeit gibt, als sie den Mann stürzen sah.

Beflügelt von dieser Vision schritt sie weiter voran. Ein schwerer Weg lag vor ihr. Es war ihr Arbeitsweg. Der Zwang, sich zu stellen, an einen Ort gefesselt zu sein, Menschen ertragen zu müssen, sich von ihrer vertrauten Welt zu lösen, ihr zu entsagen, für die Dauer vieler Stunden, das war es, was sie mit dieser Arbeit verband.

Ihr psychisch labiler Gesundheitszustand erlaubte es ihr nicht, einer Arbeit nachzugehen, die ihren Vorstellungen entsprach. Spätestens beim Einstellungsgespräch war ihr Traum zu Ende. Das hatte dafür gesorgt, dass sie noch abweisender, noch verschlossener wurde.

Eine Schwester der psychiatrischen Abteilung, wo sie in Behandlung war, hatte ihr diesen Job vermittelt. Sie war froh, dass sie die Schwester an ihrer Seite hatte, als sie sich beim Chef dieses Unternehmens vorstellte. Den überwiegenden Teil des Gesprächs hatte diese bestritten, so dass sie sich lediglich zu ihren fachlichen Kenntnissen äußern musste.

Es war keine Arbeit, die sie ausfüllte. In dem mittelständischen Handelsunternehmen hatte sie lediglich ein paar Hilfsarbeiten zu verrichten. Rechnungen und Mahnungen waren zu verschicken, unwichtige Korrespondenzen zu erledigen, die Wichtigen übernahm eine der Buchhalterinnen, Bestellung von Büroartikel, gelegentlich die Betreuung kleinerer Werbemaßnahmen und die Reinigung der Räumlichkeiten gehörten zu ihren Aufgaben.

Auch hier galt sie als sonderbar, verschlossen und etwas unheimlich, aber ebenso bezeichnete man sie als arbeitsam und zuverlässig, falls sie nicht gerade von einem ihrer Tagträume überfallen wurde.

Marita richtete es immer so ein, dass sie in der Mittagspause ihren Dienst antrat, um zunächst allein zu sein. Sie arbeitete halbtags, vom Mittag bis zum Abend. Da sie die Arbeitsräume zu reinigen hatte, verließ sie die Firma gewöhnlich als Letzte. Das Vertrauen, ihr den Schlüssel zu überlassen, brachte man ihr entgegen.

Ihre Kollegin Yvonne war die Erste, die von der Pause, die in einem der Nachbarräume abgehalten wurde, zurückkehrte. Sie begrüßte Marita mit einem Lächeln.

Marita lächelte zurück, wobei sie etwas den Kopf hob, um ihn gleich wieder zu senken.

Yvonne war 23 Jahre alt. Vor Kurzem feierte sie mit den Kollegen ihren Geburtstag. Auch Marita wurde eingeladen. Doch sie lehnte dankend ab, wie immer, wenn es Feierlichkeiten gab. Das Mädchen sprühte vor Lebensfreude. Früher, vor ihrer zweiten Geburt, war Marita ihr sehr ähnlich. Sie war stets gut gelaunt, kleidete sich sexy und freute sich, wenn es ihr gelang, den Jungs ein paar bewundernde Blicke zu entlocken. Und sie liebte die Discos, den Tanz und die Musik.

Besonders an Tagen, wenn Yvonne sich etwas gewagter kleidete, zogen die Erinnerungen an ihr früheres Leben auf. Sie floh dann in ihren bösen Blick, der ihre Stirn in Falten schlug, um nur noch ihre Arbeit zu sehen. Jedes Zurückweichen vor ihre letzte Geburt war schmerzhaft und ließ sich nur durch diesen Scheuklappenblick abwehren.

Mit einem Blick hatte Marita registriert, dass Yvonne heute einen besonders engen, großzügig ausgeschnittenen Pullover trug, der ihren üppigen Busen betonte. Sie sah sofort, dass sie keinen BH trug und ihr Minirock, beim Sitzen, Probleme bereitete.

Sie schob ihre Unterlippe etwas vor und löschte Yvonnes Anwesenheit aus ihrem Bewusstsein. Ihr schlimmster Albtraum trat jedoch gemeinsam mit den anderen Kolleginnen ein - der Hauptbuchhalter Harry Keller. Er war Mitte dreißig und obwohl verheiratet, ständig den Mädchen hinterher. Sein Lieblingsthema war Yvonne, die er besonders gern neckte, da sie vorzüglich dazu geeignet war, seine Blondinenwitze anzubringen.

Bereits beim Eintreten fixierte er Yvonne, was er vermutlich schon den ganzen Tag getan hatte und zog sie förmlich mit seinen Blicken aus. Nebenbei begrüßte auch er Marita, wobei er ihr nur ein paar flüchtige Worte zuwarf. Er wusste, dass sie eine lange Anlaufphase brauchte, um etwas aufzutauen. Später würde er ihr ein paar seiner albernen Witzeleien zukommen lassen, die ihn so unausstehlich machten.

Die Kollegen hatten es sich abgewöhnt, mit Marita eine längere Unterhaltung führen zu wollen. Die Aussicht auf Erfolg war minimal, wenn nicht unmöglich.

Nur Frau Griesbach versuchte es noch hin und wieder. Sie war etwas mollig und verkörperte den mütterlichen Typ, der sich jedoch trotz seiner 52 Jahre modern und farbenfroh kleidete.

Marita war die graue Maus in der Firma und kleidete sich vorrangig in den Farben grau und schwarz. Sie vermied es, Haut zu zeigen, und trug nur lange Röcke und hochgeschlossene Blusen und Pullis. Da auch sie eine Oberweite besaß, die Männer zum Träumen brachte, zog sie luftige Kleidung vor, so dass sie ihre Reize so gut wie möglich verbergen konnte.

Ihr blasser Teint und die halblangen, glatten, tiefschwarzen Haare ließen sie etwas kränklich wirken. Harry fragte sie einmal, ob sie ein Grufti sei und zu Hause mit einer Ratte wohne.

Dass dieser Spaß in die Hose ging, merkte er sehr schnell an dem Blick, der ihn traf. Maritas Kopf schnellte empor und aus ihren zu Schlitzen verengten Augen schoss ihm ein abgrundtiefer Hass entgegen, so dass ihm fröstelte. Er stammelte seine Entschuldigung, während Marita, ohne weitere Regung, ihren Kopf senkte und in der Arbeit das Vergessen suchte.

Heute hatte sie von Harry keine Sticheleien zu befürchten. Yvonne hielt ihn zu sehr in ihrem Bann. Bei jedem Gang durch den Raum folgten ihr seine sehnsüchtigen Augen. Durch den dünnen Rock zeichnete sich ihr Tanga ab und unterstrich die weichen Formen unter dem Gürtel. Sein Blick kreuzte auch Marita und, obwohl er durch sie hindurchging, stach er, als würde er durch eine Linse verstärkt, seinen Brennpunkt auf ihrem Körper finden.

Bilder aus dem Leben vor ihrer Wiedergeburt peitschten sie hoch. Ein schleimiger Blick rutschte auf ihr entlang und versuchte sich an die Klippe ihrer Brüste zu klammern, bevor er in tiefere Regionen abrutschte, um dort einen neuen Aufenthaltsort zu finden. Schwammige, schweißnasse Hände legten sich auf ihre sanften Rundungen, dicht unter die Gürtellinie, um sie im Discogewühl scheinbar beiseitezuschieben, um den Weg freizubekommen. Doch der abtastende Druck verriet die Absicht. Diese abstoßenden Hände würden ihr etwas später wieder begegnen.

„Was ist mit Ihnen?"

Eine leise Stimme drang zu ihr durch.

„Hallo, Marita! Fehlt Ihnen etwas?"

Mühsam drang Frau Griesbachs Gesicht durch den Nebel. Ihre Berührung an der Schulter ließ sie zusammenschrecken und gleichzeitig das Grauen aus dem alten Leben verschwinden. Ihre Lippen zitterten noch, ihre Augen waren noch angstgeweitet.

Yvonne starrte sie mitleidig an und Harry hatte seinen lüsternen in einen fragenden Blick verwandelt, der mit leicht angehobenen Augenbrauen auf ihr ruhte.

Irritiert hetzte ihr Blick durch den Raum, indem sie alle anwesenden Personen ruckartig anvisierte. Ein verstümmeltes Lächeln deutete an, dass sie in die Realität zurückgefunden hatte. Es war nur ein böser Traum.

„Es ist alles in Ordnung", hauchte sie und stürzte sich wieder auf ihre Rechnungen, um sie zu sortieren und abzuheften. Frau Griesbach strich ihr mitfühlend über den Kopf und setzte sich wieder. Als wäre nichts geschehen, ließ sich Marita in ihre Arbeit fallen, ohne dass im Laufe des Tages das Problem nochmal angesprochen wurde. Es war nichts Besonderes. Sie hatten schon Schlimmeres erlebt.

Ein Bote vom UPS brachte eine Sendung herein. Es war immer der gleiche, der diese Strecke fuhr. Yvonne hatte schon herausbekommen, dass er Marcus hieß. Sein dunkles Haar war schon stark ergraut, nahm ihm aber nichts von seiner jugendlichen Frische. Er war, in etwa, in Harrys Alter. Obwohl Yvonne sich alle Mühe gab, mit ihm zu flirten, schien er nur Augen für Marita zu haben. Er versuchte zwar, sein Interesse hinter seiner Schüchternheit zu verbergen, aber ausgerechnet die verriet ihn. Er war froh, dass Marita für den Posteingang zuständig war und hoffte, dass sie ihm einen kurzen Blick und vielleicht ein paar nette Worte widmen würde.

Jedes Mal erfüllten sich seine Hoffnungen nicht, jedes Mal verschloss sich diese schlichte Schönheit hinter ihren Aufgaben und schien ihn nicht zu bemerken.

Es war ihm selbst ein Rätsel, was ihn an ihr faszinierte. War es ihre Art, sich zu kleiden? War es ihre Schlichtheit, die sich in ihrer Zurückhaltung, ja fast Unnahbarkeit ausdrückte und durch die Tatsache unterstrichen wurde, dass sie sich niemals schminkte?

Und doch wirkte sie sinnlich, aufreizend und anziehend. Er war wie in Trance, wenn er vor ihr stand. Er wagte nie ein persönliches Wort. Sein erster Versuch hatte ihm nur kaltes Schweigen und kurz aufblitzende Augen, die ein großes Stoppschild vorantrugen, eingebracht. Er hörte von ihr nie mehr als ein „Guten Tag" oder „Danke" oder „Bitte" und dennoch war er dieser Stimme verfallen, deren Worte sanft und kühl über die sinnlich vollen Lippen schwebten. Schon bei ihrem ersten Wort überkam ihn ein deutliches Kribbeln, als wäre er an einer Schwachstrombatterie angeschlossen. Die Nackenhaare sträubten sich, als wollten sie sich einem leichten Windhauch entgegenstellen, um jede Vibration in sich aufzunehmen.

Yvonne fieberte diesem Schauspiel täglich entgegen und war enttäuscht, wenn sie keine UPS-Sendung erwarteten. Sie hatte kapiert, dass ihre Chancen nicht existent waren, und genoss die schüchterne Verliebtheit des Boten. Zu gern hätte sie erfahren, ob Marita überhaupt ahnte, was in diesem Mann vorging.

Marita registrierte das Zögern des Boten, der unendlich lange brauchte, um wieder zu verschwinden. Sie spürte seine gierigen Blicke und tiefer Abscheu überkam sie. Er konnte sie nicht täuschen, indem er tat, als könne er kein Wässerchen trüben. Es gab nicht den geringsten Unterschied zu all den anderen Monstern, die sich Männer nannten. Seit ihrer Wiedergeburt hatte sie nichts Männliches mehr an sich herangelassen und das war gut so. Das würde für immer so bleiben.

Sie hörte, wie sich seine Schritte schleichend entfernten. Diese lästigen Augen fühlte sie noch beim Hinausgehen. Sie beruhigte sich erst wieder, als sie die Tür ins Schloss fiel.

Marcus Wispa wusste sich keinen Rat, wie es weitergehen soll. Wenn sie wüsste, dass er alles Mögliche anstellte, um die Touren in diese Firma abzufangen, ob sie ihn dann erhören würde?

Sollte er sie einfach nach Feierabend abpassen, um ihr seine Liebe zu gestehen?

Sicher war, bei dem wenigen, was er von ihr wusste, das Wort „Liebe" etwas verfrüht. Aber sein Gefühl hatte ihn gelehrt, dass er auch das Wort „Verstand" vergessen kann, wenn er an sie denkt. Ihr Bild verfolgte ihn, wenn er aß, wenn er fuhr, wenn er schlief.

Obwohl er nicht schlecht aussah, so hatte er doch seine Schwierigkeiten, mit Mädchenbekanntschaften. Er spürte gelegentlich, dass auch er begehrt wurde, doch niemals von den Frauen, die ihn um den Verstand brachten. Oder war es diese unüberwindbare Grenze, die ihn elektrisierte?

Er stieg in seinen braunen Lieferwagen und nahm Verbindung mit seiner Zentrale auf. Wie nebenbei erkundigte er sich, ob wieder etwas für das Handelscenter Kersik anlag.

Enttäuscht nahm er die abschlägige Antwort auf und zum wiederholten Male fragte er sich, womit die eigentlich handeln. Er kannte kein Lager, keine Aktivitäten irgendwelcher Speditionen für diese Firma und keine Produkte, mit denen sie handelten. Wen er auch fragte, sie teilten alle seine Unwissenheit.

Im Grunde wollte er es gar nicht wissen. Er hoffte vielmehr, dadurch ein Gesprächsthema zu haben, wenn er den gefürchteten Schritt wagen würde, Marita anzusprechen. Was blieb ihm sonst? Das Wetter? - ein Thema für Langweiler.

Essen, Musik? - ziemlich abgedroschen und bei ihr schwer einzuschätzen.

Er drehte den Zündschlüssel und war froh, dass ihn das Geräusch des Motors an seine Aufgaben erinnerte. Die nächste Adresse würde ihn in einen trostlosen Vorort der Stadt führen. Wie immer würde er mechanisch die Gänge einlegen, sich instinktiv von Verkehrsschildern und Ampeln leiten lassen, ohne darauf zu achten, was um ihn herum vorgeht. Er hatte sich schon oft gefragt, wie es möglich war, dass er plötzlich am Ziel angelangt war, ohne sich an den Weg dorthin zu erinnern. Er bremste zuverlässig, wenn ein Kind über die Straße lief, oder ein Rowdy ihm die Vorfahrt nahm, aber er war nicht dabei, er war bei Marita.

Der Tag war anstrengend. Harry Keller versuchte, durch seine flachen Witze Yvonne zu begeistern, während er sich durch ihren Pullover fraß. Sie tänzelte durchs Zimmer und führte lange, alberne Telefongespräche und Frau Griesbach belästigte Marita mit ihrer Fürsorglichkeit. Die anderen Kollegen ignorierten sie, was ihr am Liebsten war.

Sie atmete befreit auf, als sie endlich allein war, um die Reinigungsarbeiten auszuführen.

Heute wird sie nur ausfegen. Wischen war für den Freitag vorgesehen.

Sie stellte die Stühle hoch und bei jedem spürte sie den Menschen, der darauf gesessen hatte. Sie saugte muffige Gerüche ein, die aus den Polstern strömten und die sie an jahrelange Ausdünstungen erinnerten, und erholte sich bei wohligen Essenzen, die z.B. dem Stuhl von Yvonne entströmten. Sie hatte niemals primitive Körpergerüche an ihr ausgemacht, die auf mangelnde Körperhygiene schließen ließe. Der Duft war betörend und erinnerte sie abermals an das teuflische Leben vor ihrer Geburt. Sie ertappte sich dabei, wie sie den Stuhl anstarrte und mit ihm erstarrt war. Ein Hauch von Exotik hatte sie erfasst und schlang seine gierigen Arme um sie. Die Versuchung, dem Drang nachzugeben, diese Erfahrung als angenehm zu empfinden, wurde übermächtig. Sie spürte diese Kraft und eine leise Melodie schlich sich hinein, die sie davontrug. Wie in Trance wiegte sie ihren Körper, als wäre dieser Stuhl der ideale Tanzpartner, der sie in ein schöneres Leben führen könnte.

Und plötzlich erwachte sie aus ihrem Traum und warf entsetzt den Stuhl auf den Schreibtisch, wo er pendelnd in seine vorbestimmte Lage floh.

Marita bannte ihn mit ihrem drohenden Blick. Ihre Atemfrequenz erhöhte sich, ihre Stirn umwölkte sich und ihre Hände verkrampften zu festen Fäusten, die ihre Nägel schmerzhaft ins Fleisch drückten. Doch das war ihr recht. Es war die Strafe für einen Moment der Schwäche. Zufrieden betrachtete sie die Spuren, die ihre Nägel im Handballen hinterlassen hatten. Sie waren das Zeichen des Sieges. Diese Welt, die böse Welt der Menschen, konnte ihr nichts anhaben, wenn sie es wollte.

Hasserfüllt wandte sie sich dem letzten Stuhl zu. Es war der von Harry. Die Polster waren vom Schweiß seiner Genitalien und von den stinkenden Winden seiner Gedärme durchtränkt, sie mussten es sein. Mit festen Händen packte sie das Bein des Rollstuhles, wobei sie streng darauf achtete, die Sitzfläche nicht zu berühren, und stampfte es angewidert auf Harrys Schreibtischplatte. Sie war sich sicher, dass das Furnier der Schreibtischplatte schon längst vom Polster des Stuhles zerfressen worden wäre, wenn er nicht diese Plastikschreibunterlage dort deponiert hätte.

Übelkeit überkam sie. Sie riss alle Fenster weit auf. Ein erfrischender, kühler und immer noch etwas feuchter Wind, strich um sie herum. Gierig atmete sie die appetitliche Luft ein, die ihre Nahrung aus dem angrenzenden Park mit dem kleinen, künstlich angelegten Teich bezog. Sie schloss die Augen, um diesen Genuss nicht durch ungewollte Eindrücke trüben zu lassen. Sie wusste, dass zwei Etagen tiefer, Menschen durch diesen Park spazierten. Sie drückte ihre Lider etwas fester zusammen, um sicher zu sein, dass sie nicht zu ihr dringen könnten. Diese Luft war ganz allein für sie. Eine Entschädigung für die gewaltige Menge Gift, die sie gerade eingeatmet hatte.

Marcus konnte sich an diesem göttlichen Bild nicht sattsehen. Die Weinreben erklommen fast flächendeckend die Wand des vierstöckigen Hauses im Park. Sie drängten fordernd über Fensterrahmen hinweg und schlossen sie so in ihre Welt mit ein, ohne sie zum Fremdkörper werden zu lassen. Und mitten in dieser Wand klafften drei hell erleuchtete Löcher, wobei das Mittlere ein wunderschönes Gemälde präsentierte. In schwarzem Leinen gehüllte Arme stützten sich gespreizt an dem oberen Rahmen des Fensters. Ein von schwarzen Haaren umrahmtes, blasses Gesicht lag nach hinten gelehnt, als wolle es die letzten Sonnenstrahlen aufsaugen. Die Augen waren geschlossen und um den Mund spielte ein unruhiges, strahlendes Lächeln, als erzähle es dem Wind eine Geschichte, eine Geschichte vom Glück.

Marcus war froh, hier hergekommen zu sein. Allein dieser winzige Augenblick entschädigte ihn für seine unerwiderte Sehnsucht. Je mehr er diesen Anblick genoss, umso größer wurden seine Ängste, dass ein falsches Wort dieses Gemälde unwiderruflich zerstören könnte. Als sich die drei Fenster schlossen, entfernte er sich gesenkten Hauptes und schlenderte mit seinem heilen Traum nachhause.

Wie immer, wenn Feierabend war, machte sich Harry Keller auf den Heimweg. Er war nicht sonderlich glücklich darüber, wartete doch täglich das gleiche Einerlei auf ihn. Er war immer noch erregt von Yvonnes heutigem Auftritt und nur langsam wich die Spannung aus seiner Hose. Als Hauptbuchhalter hatte er sich im Griff zu haben, wenn die Karriereleiter nicht jetzt schon das Ende erreicht haben sollte. Er musste sich zwingen, seinen Scherzen Zügel anzulegen und seinen Begierden einen Schleier überzuhängen. Zu gern würde er heute mit Yvonne, oder einem anderen Mädchen durchbrennen und seinen Fantasien freien Lauf lassen. Doch da war sein Chef, der mit seinen verknöcherten Moralbegriffen die Linie vorgegeben hatte. Ein leitender Mitarbeiter braucht eine intakte Familie und hat Ausschweifungen jeder Art zu meiden. Harry hatte sich an seinen Lebensstandard gewöhnt und die Aussicht, diesen emporschnellen zu lassen, erleichterte manchen Verzicht. Aber das Leben versprach viel mehr. Es lockte mit süßen Versprechungen und machte ihm das Leben täglich schwerer. Irgendwann würde der Zeitpunkt kommen, da er alles miteinander verbindet. Doch momentan schwoll die Lawine seiner Wünsche, Sehnsüchte und Lüste gefährlich stark an. Sie hämmerte in seinem Kopf, als wolle sie ihn sprengen. Sie drängte hinaus und durfte nicht. Die Zeit war noch nicht reif.

Ein letzter Blick auf die schwingenden Hüften Yvonnes, und das lockende, kleine Dreieck ihres Tangas und er warf sich in das Alltagsgewühl, um zu vergessen.

Für Yvonne hingegen begann ihr Leben erst jetzt. Nicht dass ihr die Arbeit zuwider wäre, aber sie war so eintönig, dass sie ihren Spaß woanders suchen musste. Und Spaß bedeutete Partys, Discos, Jungs und Tanz. Nicht unbedingt in der Reihenfolge aber es gehörte alles dazu. Sie hatte so viel Verstand, dass Drogen für sie nicht infrage kamen und Alkohol nur in kleinen Mengen. Nach diesen Prinzipien wählte sie ihren Freundeskreis.

Sie hatte schon ein paar „One Night Stands", aber die große Liebe, lief ihr einfach nicht über den Weg. Anfangs hatte sie sich stark bemüht, Marcus, von diesem Paketdienst, anzubaggern, doch es war, als würde sie durch ihn hindurchreden. Inzwischen hatte sie sich damit abgefunden, dass er in die verrückte Marita verknallt war. Es war tierisch lustig, die beiden zu beobachten, was immer noch besser war, als sich mit weiteren, vergeblichen Versuchen lächerlich zu machen, so wie es Marcus bei Marita tat. In jeder Pause war das ihr Thema. Es ging so weit, dass sie Wetten abgeschlossen hatten, wann es funken würde. Doch es gab niemanden, der darauf wetten wollte, dass es überhaupt einmal funken würde, und so gaben sie es wieder auf.

Aber was interessierte sie fremdes Leid. Manchmal war sie kurz davor, Marita einen Tipp zu geben, doch wenn sie dann in ihre Augen sah, verging es ihr wieder.

Yvonne war sich nicht sicher, ob Marita verrückt ist. Auf jeden Fall hatte sie einen Schuss weg. Es war ihr unvorstellbar, wie man in dem Alter schon zur Nonne werden konnte. Sie hatte Marita nie herzhaft lachen hören. Vielleicht sollte sie sie mal zur Disco mitnehmen. Aber, wie gesagt, was ging sie fremdes Leid an. Sie würde ihr nur den Abend verderben.

Yvonne genoss es bei jedem Schritt, dass Männerblicke über sie krabbelten und Frauen neidvoll Abscheu demonstrierten. Sie war stolz auf ihren Körper und wo sie auch hinging, für sie war es eine große Show. Es kam vor, dass sie vor dem Spiegel stand und allein, von ihrem eigenen Anblick, sexuell erregt wurde. Dann grinste sie zufrieden und ging optimistischer denn je ihrer Wege.

Auch heute Abend werden wieder unzählige Männer ihre schmachtenden Blicke aussenden, um sie zu erweichen. Ein winziges Zeichen würde genügen, um diese armseligen Kreaturen zu alberne Clowns, zu ergebenem Spielzeug werden zu lassen.

Aber sie suchte keinen Clown, kein Spielzeug. Sie suchte ihn, von dem sie nichts wusste, weder wie er aussieht noch wie er ist. Wenn er da wäre, würde sie es wissen.

Frau Griesbach lenkte ihre Schritte nachhause, an den heimatlichen Herd. Dort würde ihr Mann auf sie warten, während er bei Schnaps und Bier vor der Glotze sitzt. Sie wird sich kurz frisch machen, in den Supermarkt gehen und die schweren Taschen nachhause schleppen. Sie fragte schon lange nicht mehr, ob ihr Mann mitkommen möchte. Er hatte sich seine Ruhe, nach der schweren Arbeit auf dem Bau, verdient, während sie sich im Büro die Zeit vertrieb. Es machte ihr nichts mehr aus, den ganzen Haushalt allein zu bewältigen und jeden Abend ihrem Mann ein warmes Essen zu servieren. Sie war es gewohnt, wenn sie todmüde ins Bett fiel, ihrem Mann für die Freuden der Liebe zur Verfügung zu stehen. Eine Pflicht, die sie nicht mit Freuden verband. Sie hatte nie verstanden, dass dieses Ritual einer Frau Vergnügen bereiten könnte. In einer Männerwelt war es nur natürlich, dass in den Medien diese Illusion erzeugt wurde. Sie wusste es besser.

Dieser Mann war ihre erste Liebe. An ihm war sie hängengeblieben, da das erste und einzige Kind in ihr zu wachsen begann, das sich später von ihnen lossagen würde.

Die Gesellschaft kettete sie aneinander, sie machte den Mann zum Herren und sie zur Sklavin. Doch die Zeiten hatten sich geändert. Oftmals beneidete sie die jungen Dinger, die den Männern das Zepter aus der Hand genommen hatten und sie wie unreife Bubis aussehen ließen. Für Frau Griesbach war es zu spät. Sie hatte die alte Schule durchlaufen, in der alles abgesteckt, alles vorherbestimmt war. Sie war zu alt, um die Welt, die sie nicht verstand, neu zu erobern.

Sie hasste ihr Leben, aber es war ihr Schicksal, eben vorherbestimmt.

Sie verabscheute die Männer, aber sie ließ es sich nicht anmerken. Sie würde ihre Rolle gut spielen. Die Gesellschaft erwartet es von ihr. Dennoch erfasste sie immer wieder eine freudige Unruhe, wenn in den Medien von Unfällen auf dem Bau berichtet wurde, in der Hoffnung, dass es ihren Mann erwischt hat.

Das wäre eine saubere Lösung, die ihre Verhältnisse schlagartig verbessern würde.

Und jedes Mal wurde sie enttäuscht. Ihr Mann hatte ein Alkoholproblem, das nur durch ihre absolute Unterwürfigkeit einigermaßen erträglich war. Sie kannte andere Fälle und wusste, dass ihr Widerstand zu Gewaltausbrüchen führen würde. So gesehen, hatte sie es noch ganz gut getroffen.

Das alles schwirrte durch ihren Kopf, während sie die Bier- und Schnapsflaschen einpackte. Und obwohl ihr bekannt war, dass die meisten Trinker einen Schutzengel haben, hoffte sie, dass gerade diese Flasche ihren Mann zum Stolpern bringen würde. Sie klammerte sich an diesen Gedanken und packte, mit einem optimistischen Lächeln, eine Flasche Korn mehr ein.

In der Ahornstraße 13 schaute unterdessen ein zwölfjähriges Mädchen aus dem Fenster des zweiten Stocks. Ihr Zimmer lag zur Straße hinaus, so dass sie alles verfolgen konnte, was sich in der Gegend abspielte. Das Haus lag an einer großen, belebten Kreuzung und hatte schon viele Jahre auf dem Buckel. Der Putz begann sich vom Mauerwerk zu lösen und die Feuchtigkeit hatte die Kellergewölbe in muffige, gruselige Höhlen verwandelt. Antonia mied diesen Bereich des Hauses und war nur durch Drohungen der Mutter dazu zu bewegen, hinunterzusteigen, um Eingewecktes oder Kartoffeln heraufzuholen. Nicht nur einmal hatte sie eine Ratte hinweghuschen sehen, die sich durch den Geruch und die zum Teil fauligen Kartoffeln angezogen fühlten. Sie nahm stets eine Taschenlampe mit, da sie fürchtete, dass das flackernde Licht im Keller irgendwann seinen Geist aufgibt. Sie hasste es, wenn sie aus Versehen eine matschige Kartoffel anfasste, und wusch sich danach intensiv die Hände. Doch der Geruch war hartnäckig.

Obwohl sie sich bereits zum zweiten Mal gewaschen hatte, wollte der Gestank nicht weichen.

Der Gang in den Keller lag schon eine halbe Stunde zurück und immer noch klopfte ihr Herz so stark, als säßen ihr die Gespenster der Gruft im Nacken. Sie stellte sich vor, wie unheimliche Gestalten in den Wänden eingemauert sind, die durch einen dummen Zufall zum Leben erwachen. Die Jungs machten sich einen Spaß daraus, die Ängste der Mädchen zu schüren, und ergötzten sich an Gruselcomics und protzten damit, die Gruselfilme der Erwachsenen gesehen zu haben. Sie nahm an, dass nicht alles gesponnen war. Ein Stückchen Wahrheit wird schon drinstecken. Sie prahlten damit, wie sie unerschrocken und kaltblütig den Geistern entgegentreten und sie in die Flucht schlagen würden. Sie teilten ihr mit, dass diese dunklen, muffigen und feuchten Keller, wie sie in Antonias Haus zu finden wären, der bevorzugte Aufenthaltsort der grausigen Monster sind. Antonia war froh, dass sie wieder heil oben angekommen war. Den Weg zurück, rannte sie immer, während sie sich auf dem Hinweg nur langsam vortastete und in alle Ecken leuchtete.

Und jedes Mal stellte sie sich hinterher an das Fenster ihres Zimmers und beobachtete die Welt da draußen. Diese unbekannten Personen brachten sie in die heile Welt der Menschen zurück. Dort gab es Hilfe, wenn sie sie benötigt. Auf ihre Mutter war da weniger Verlass. Sie hatte nur selten für sie Zeit. Einer ihrer Freunde, der fast immer auch bei ihnen wohnte, war stets wichtiger. Antonia wurde da eher zum Störfaktor. Sie trauerte der Zeit nach, als ihr Vater noch zu Hause war. Es gab damals zwar auch Streitereien zwischen den Eltern, so wie heute mit den Freunden der Mutter, aber Antonia hatte etwas Liebe bekommen. Heute war von der Liebe nichts mehr zu spüren. Ein Teil wurde den Ersatzvätern geopfert und der Rest wurde von der Unzufriedenheit der Mutter gefressen.

Die Leute da draußen, waren ihr inzwischen genauso nahe, wie ihre Mutter. Nein, sie waren ihr näher. Wenn sie diese Menschen zu Hilfe rief, wäre die Wahrscheinlichkeit wesentlich größer, dass sie erhört wird.

In dieser Gewissheit wichen die Geister langsam von ihr.

Sie schaute sich gern die Menschen an und malte sich ihre Geschichten aus. Keiner glich dem anderen, niemand bewegte sich wie der andere. Sie hängte sich an eine Familie, die mit ihrem kleinen Sohn schmuste und allerhand Späße mit ihm veranstaltete. Keine Bewegung entging ihr. Sie versetzte sich in seine Lage und freute sich über jede Berührung, jedes Lächeln, über jedes nette Wort, das sie jedoch nicht verstehen konnte. Sie war dieser Junge und sie war froh darüber. Erst ein hupendes Auto zerstörte ihre Illusion und nahm ihr Lächeln mit sich fort.

Die seltsame Hausbewohnerin aus der unteren Etage bog um die Ecke. Auch heute war sie fast gänzlich in Schwarz gekleidet. Antonia fand, dass ihr Grau besser stünde. Wenn auch viele diese Frau für verrückt hielten, Antonia mochte sie. Sie hatte mit ihr viel gemeinsam.

Auch sie war allein, einsam und fühlte sich unverstanden. Auch sie hatte keinen, der sie in die Arme nimmt. Niemanden, der ihr Halt gibt.

Sie lief die hölzernen Treppen hinunter und riss die schwere Eichentür zur Straße auf.

Mit gesenktem Kopf kam Marita auf Antonia zu. Es war wie immer. Antonia himmelte die Frau an und grüßte freundlich. Die hob nur zur Hälfte den Kopf, präsentierte ein Lächeln, das sie, noch vor seiner Vollendung, abbrach und erwiderte den Gruß. Dabei beeilte sie sich, im Hausflur zu verschwinden. Aber diesmal hatte sich Antonia vorgenommen, die Frau anzusprechen.

„Frau Kümmel?"

„Ja?"

Marita wandte sich dem Mädchen zu, ohne ihr in die Augen zu sehen. Währenddessen durchsuchte sie ihre Handtasche nach dem Schlüssel.

„Darf ich zu Ihnen mit rein kommen?"

„Warum?" Maritas Blick wanderte unruhig zwischen ihrer Handtasche und dem Mädchen hin und her. Der Wunsch Antonias verunsicherte sie, so dass sie sich nicht mehr auf die Schlüsselsuche konzentrieren konnte.

„Ich möchte Ihre Freundin werden!"

Das Mädchen sagte dies so bestimmt, wobei sie fest in Maritas Augen sah, dass ihr vor Schreck die Handtasche aus der Hand fiel. Deren Inhalt ergoss sich auf die Fliesen. Verstört sammelte Marita den Inhalt wieder ein, während sie immer wieder zu dem Mädchen aufsah.

Antonia schnappte sich den Schlüssel und hielt ihn Marita hin. Zögernd nahm sie ihn.

„Es gibt keine Freunde. Das ist ein Märchen".

Sie nahm den Schlüssel, drehte Antonia den Rücken zu und lief zu ihrer Tür. Ihre Hände zitterten, wie immer, wenn sie auf der Flucht war.

„Doch, es gibt sie!", beharrte das Mädchen.

Erleichtert öffnete Marita die Tür und kurz bevor sie sie hinter sich schloss, sah sie das störrische Mädchen nochmals an.

„Es ist besser, wenn du das schnell lernst. Es gibt keine Freunde und ich mag dich nicht!"

Die Tür knallte zu. Das Echo umkreiste Antonia als würde es ihr sagen, dass dieser Knall endgültig war. Doch Frau Kümmels Augen hatten nicht das Gleiche, wie ihr Mund gesagt. Es sprach Angst daraus und ein wenig Zuneigung. Antonia hatte gelernt, die kleinste Nuance der Körpersprache zu lesen. Ihr Kummer und ihre Zurückgezogenheit hatten sie sensibilisiert. Wenn sie sich manchmal an ihre Mutter kuschelte, während sie fern sahen, spürte sie deutlich, dass ihre Mutter es ernst meinte, wenn sie ihr sagte: „Lass das, ich mag das nicht". Ihre Gesten waren kalt, bestimmt und unmissverständlich, ihr Blick entschlossen und feindselig. Bei Frau Kümmel war das anders. Ihr Blick war unsicher, um Entschuldigung für die Worte bittend. Der Stimme fehlte es an Entschlusskraft, als wenn noch ein „aber" am Ende Platz gehabt hätte. Und die Bewegung stockte, bevor sich die Tür geschlossen hatte. Antonia erkannte, dass sie nur Beharrlichkeit ans Ziel bringen würde.

Das Schild über dem verschnörkelten Klingelknopf, aus alten Zeiten, war nur ein auf Papier geschmierter Name, obwohl Frau Kümmel schon ziemlich lange hier wohnte. Das gab Antonia zusätzlichen Mut. Ihr eigenes Namensschild war protzig, elegant, mit schwungvollem Namenszug, so dass es sofort ins Auge sprang. Doch hinter der Tür gab es nichts Anheimelndes. Ein weiterer Fakt, der ihren Mut steigerte.

Zuversichtlich betätigte Antonia den Klingelknopf.

Besorgt hatte Frau Jaffel die Ankunft Maritas verfolgt. Sie hatte sich hinter der Gardine versteckt, um nicht bemerkt zu werden. Ihr war nicht entgangen, dass die

Kleine, die über ihnen wohnte, auf die Frau gewartet hatte. Sie hatte die Pflicht, das Kind vor diesem Wesen zu schützen. Es war noch dumm und hatte keine Ahnung von den Unheimlichkeiten dieser Welt.

Sie schlich zur Tür und schaute durch den Spion. Eine nützliche Erfindung. Durch die kleine Linse überblickte sie fast den gesamten Flur. Was noch besser war, die hervorragende Akustik des Treppenhauses, ließ sie jedes Wort verstehen.

Frau Jaffel hörte entsetzt, wie Antonia um die Freundschaft mit dieser Hexe buhlte, doch ihr fehlte der Mut einzuschreiten. Sie hatte nicht erwartet, dass sich Frau Kümmel ein so leichtes Opfer entgehen lässt, und war erleichtert, als es geschah. Und nun stand diese dumme Göre vor ihrer Tür und klingelte. Vermutlich hatte sie einen ihrer teuflischen Blicke auf das arme Mädchen geschleudert. Sie musste schnell handeln, wenn sie sie noch retten wollte. Vorsichtig öffnete sie die Tür, doch es war zu spät. Auch auf der anderen Seite bewegte sich der Türdrücker, so dass sich Frau Jaffel ängstlich zurückzog und den Spion ignorierend, verwirrt durchs Schlüsselloch sah.

„Was machst du da?", polterte eine Stimme hinter ihr. Frau Jaffel mühte sich noch um den optimalen Blick. Sie erschrak derart, dass sie hochschnellte und sich den Kopf am Türdrücker stieß, so dass die entstandene Wunde zu bluten begann.

„Siehst du", jammerte sie los „ich bilde mir nichts von all dem ein. Diese Hexe hat mich dazu gebracht durch das Schlüsselloch zu sehen, obwohl ich sonst immer den Spion benutze. Das war ein Attentat, jetzt hast du es selbst erlebt."

Er nahm ihren Kopf zwischen die Hände und schaute sich die Wunde an.

„Wenn du nicht jedem hier im Haus hinterherspionieren würdest, hättest du auch keine Wunde. ... Ist nicht schlimm, soll ich etwas Jodtinktur drauftun?"

„Ist nicht schlimm, ist nicht schlimm", zeterte seine Frau. „Was soll denn noch passieren? Sie bekommt schon Macht über mich. Und das Kind von oben lockt sie gerade zu sich herein. Wer weiß, was sie mit dem alles anstellt."

Herr Jaffel schaute durch den Spion.

„Da draußen ist niemand."

„Na weil sie schon drin ist, du Dummkopf."

„Nun schraub aber mal ne Stufe zurück. Du bist ja richtig krank, von deinem Wahn.

Was tut sie denn schon? Nur weil sie etwas menschenscheu und sie dir unsympathisch ist, kannst du doch keinen Krieg vom Zaum brechen. Was meinst du werden sie über dich sagen, Tratschtante oder Wunderpunzel?"

„Wer sagt das. Ich will sofort wissen, wer so etwas sagt!"

„Niemand sagt das, es war nur ein Beispiel!"

„Mir machst du nichts vor."

Sie begann zu weinen.

„Nicht mal auf den eigenen Mann kann man sich verlassen. Macht mit fremden Weibern gemeinsame Sache. Eine Schande ist das."

„Es reicht Gisela. Du solltest wirklich mal zum Psychiater gehen, vielleicht gelingt es ihm, noch was zu retten."

Er nahm seine Jacke und verließ das Haus, während seine Frau zur Tür schlich, um über den Spion seinen Abgang zu beobachten. Ihre verheulten Augen konnten nicht genau erkennen, wem er auf dem Flur begegnete. Sie wischte sich die Tränen aus den Augen und versuchte es erneut, doch der Flur war leer. Sie rannte zum Fenster, doch auch der Blick über die Straße zeigte ihren Mann nicht. Er war spurlos verschwunden.

Es dauerte eine ganze Weile, bis Frau Kümmel zur Tür kam. Antonia hatte den Schatten am Türspion bemerkt. Dass sie trotzdem die Tür öffnete, war ein gutes Zeichen. Die Tür war erst einen Spalt auf, als ihr gehetzter Blick zu Frau Jaffel's Tür wanderte. Mit einem leisen Geräusch schnappte deren Türdrücker in die Ausgangsposition. Erneut sah Antonia Angst in Frau Kümmels Gesicht. Noch bevor sie darüber nachdenken konnte, wurde sie an ihrem Arm in die Wohnung gezogen. Sofort schloss sich die Tür wieder. Antonia hatte schon viel von dieser Frau gehört, aber das meiste waren alberne Spukgeschichten. Doch jetzt, da sie so überraschend in die fremde Wohnung befördert wurde, erschrak sie heftig.

„Was willst du von mir?", zischte Frau Kümmel im Flüsterton. Als sie sah, wie verängstigt sie wirkte, änderte sie ihr Verhalten. Sie wurde wieder unsicher und mied den direkten Blickkontakt.

„Es ist nur ...", stammelte sie „... ich mag es nicht, wenn sie über mich reden. Die Leute mögen mich nicht und ich mag sie auch nicht."

„Ich mag sie auch nicht", sagte Antonia.

„Du musst mich nicht nachäffen." Marita war empört und noch mehr verunsichert. Sie schaute wieder durch den Spion.

„Nein, ich meine, ich mag die Leute im Haus auch nicht."

„Ach so?" Diesmal kam ein etwas längeres Lächeln zum Vorschein, doch es war ihm nicht vergönnt, zu bleiben.

„Was willst du also?"

„Ich mag dich und möchte deine Freundin werden. Ich habe sonst niemanden."

„Du lügst, du hast deine Mutter!" Sie zog die Stirn wieder in Falten, schaute nur selten auf und gelegentlich durch den Spion.

„Sie mag mich nicht."

„Das redest du dir ein, jede Mutter liebt ihr Kind. Nun geh' wieder." Ihre Hand streckte sich zum Türdrücker, um das Mädchen hinauszulassen.

„Dann hast du es gut, wenn deine Mutter dich mag" und diesmal ließ Antonia den Kopf hängen, als sie Frau Kümmels Hand auf der Schulter spürte, die sie gleich sanft hinausschieben würde.

Doch plötzlich hörte Marita eine Stimme. Sie wusste nicht, woher sie kam, aber sie erkannte sie sofort. Es war die ihrer Mutter.

„Das musste ja so kommen, so wie du herumläufst. Du bist die perfekte Einladung für jeden dreckigen Kerl an der Straße. Die Röcke bis über den Arsch und den Ausschnitt bis zum Bauchnabel und dann willst du mir erzählen, das hast du nicht gewollt? Du bist eine ordinäre Hure. Du bist ganz allein schuld, an dem, was passiert ist, und ich will dir noch eins sagen: Du hast es nicht anders verdient!"

„Mama, bitte sage das nicht! Es ist nicht wahr!"

„Was ist nicht wahr, Frau Kümmel? Bitte sagen sie doch was."

Antonia bekam Angst. Frau Kümmel war ohne Grund starr wie eine Puppe stehengeblieben. Der ganze Körper wurde vom Schüttelfrost erfasst und die geöffneten Lippen zitterten stärker. Sie wirkte noch blasser und ihr Kopf hing hilflos am Hals, als hätte er die Stütze verloren. Ihre Augen waren weit aufgerissen und schienen irgendetwas hinter der Tür zu sehen, was sie lähmte.

Antonia rüttelte sie an den Schultern und ängstigte sich mehr um diese Frau, als um sich selbst.

„Frau Kümmel, was ist passiert. Bitte sprechen Sie mit mir!"

Plötzlich schüttelte sie den Kopf, als würde sie damit die aufdringlichen Geister vertreiben.

Sie erkannte Antonia wieder. Es war ihr peinlich, dass das Mädchen ihre Mutter kennengelernt hat und sie war ihr dankbar, dass sie sie vertrieben hat.

„Es war nett, dass du mich besucht hast, aber jetzt musst du gehen."

„Ich lasse Sie nicht allein. Sie brauchen mich jetzt!"

„Ich brauche niemanden. Lass mich allein. Ihr Menschen seid böse, ich brauche euch nicht."

Sie begann lautlos zu weinen und ließ die Tränen ungehemmt fließen, ohne zu versuchen, sie abzuwischen.

„Das Gleiche sagen einige Menschen von Ihnen, aber ich glaube das nicht. Kommen Sie."

Antonia zog Marita in das Wohnzimmer und drückte sie in das Sofa, um sich dann neben sie zu setzen. Marita wehrte sich nicht mehr. Sie saß schlaff, mit hängenden Armen da und weinte weiter.

„Sie haben vorhin mit Ihrer Mutter gesprochen, war sie auch böse?"

„Ja, sie war auch böse."

„Wo ist ihre Mutter jetzt?"

„Ich weiß nicht. Ich will es auch nicht wissen."

„Ich weiß auch oft nicht, wo meine Mutter ist. Sie ist zwar da, aber sie ist nicht meine Mutter. ... Ich wünschte, du wärst meine Mutter."

Fassungslos schaute Marita das Mädchen an und wurde von neuen Tränenrinnsalen geplagt. Sie legte ihren Kopf in Antonias Schoß und winselte wie ein kleiner Hund, während sie nervös an den Nägeln knabberte. Bald hatten ihre Tränen das Kleid des Mädchens durchnässt. Antonia streichelte ihren Kopf, während eine geheimnisvolle Kraft in ihr aufstieg, die sie glücklich machte.

Marita war eingeschlafen. Antonia war selbst zur Mutter geworden und sie streichelte die verrückte Frau mit noch mehr Leidenschaft. Nun wird alles gut werden. Sie war nicht mehr einsam. Diese Frau war nur so verrückt, wie sie selbst.

In aller Ruhe betrachtete sie das Zimmer von Frau Kümmel. Sie hatte keine konkreten Vorstellungen davon gehabt, doch nun nahm es Besitz von ihr und sie akzeptierte es, so wie es war, mit all seinen Verrücktheiten.

Zuerst sprang ihr das Terrarium mit der Vogelspinne ins Auge. Eine Sandlandschaft, eine kleine Futterstelle, etwas Grün und seltsamerweise ein stark ramponiertes Foto eines Mannes, das einer Zeitung entrissen worden war. Dieses Foto war in eine der Ecken gequetscht worden, als solle es dort büßen. Die Vogelspinne war Bedrohung und Sicherheit zugleich. Instinktiv spürte Antonia, dass von diesem Mann keine Gefahr mehr ausgeht, solange die Vogelspinne ihrer Arbeit nachkommt.

Obwohl sie die Zusammenhänge nicht kannte, erkannte sie das Böse in dem Foto.

Sie setzte die Reise durch das Zimmer, mit den Augen, fort. Der Blick erklomm die altmodische Anbauwand, die mit Fotos übersät war, die sich in alten Rahmen befanden. Aufnahmen, die die alte Zeit in den Krallen hielten. Ein Mädchen, ein kleiner Junge, Männer und Frauen reihten sich aneinander. Hin und wieder war eines der Fotos bemalt. Künstliche Bärte, Locken, Zähne, Hüte und Augenbrauen entrückten sie der Realität und verwischten das frühere Leben ihres neuen Schützlings, dem Antonia immer noch den Kopf streichelte. Maritas Gesicht hatte im Schlaf seinen Frieden gefunden. Diese Fotos konnten ihr nichts mehr anhaben. Nur wenige Personen waren nicht beschmiert worden. Offenbar der Teil der Vergangenheit, den Marita zu bewahren versuchte. Das Mädchen war vermutlich sie selbst, der kleine Junge offensichtlich ihr Bruder und der schmächtige Mann ihr Vater. Warum waren es nur diese drei Figuren, die unbehelligt geblieben waren? Warum bekam Marita von ihnen nie Besuch? Eigentlich wollte Antonia es nicht wissen. Diese Frau wird schon ihre Gründe haben.

An der anschließenden Wand, die auf einfachem Weiß, ein einziges, riesengroßes Porträt beherbergte, blieb Antonias Blick erneut hängen. Ein dunkler, rustikaler Rahmen schloss dieses Porträt ein und verlieh ihm eine Wuchtigkeit, die erneut Gefahr heraufbeschwor. Zweifelsfrei stellte es eine Frau dar, die in dunklem Kostüm, weißer Rüschenbluse und straff nach hinten gebundenen Haaren, Strenge ausstrahlte. Ein leuchtend weißes Oval zeigte sich dort, wo früher das Gesicht herabschaute. Marita hatte es herausgeschnitten und ihm damit die Strenge genommen. Stattdessen entdeckte Antonia, dort wo die Augen sein müssten, zwei Punkte. Doch es waren nicht nur Punkte. Es schien etwas Geschriebenes zu sein. Behutsam schob sie unter Maritas Kopf ein Kissen und näherte sich dem Bild. Es war tatsächlich Schrift. Ein handgeschriebener, zweigeteilter Spruch, dessen Teile je ein Auge ersetzten.

„Glück macht Freunde, das Unglück prüft sie."

Marita hatte sie vorhin mit dem Satz vertreiben wollen, dass es keine Freunde gäbe. Hatte tatsächlich keiner ihrer Freunde die Prüfung bestanden? Dann hatten sie das gleiche Schicksal. Aber dieses Schicksal wird sie jetzt als Freunde zusammenschmieden.

Antonia lächelte das gemaßregelte Bild an, das nur die Mutter darstellen konnte.

Sie schaute noch einmal auf Marita und verließ mit dem gleichen Lächeln die Wohnung.

Die schwere Haustür schlug zu und Herr Jaffel atmete gierig die Luft ein. Wer weiß wie lange er die Macken seiner Frau noch ertragen wird. Er lehnte sich an die Haustür und ließ seine Gedanken wandern. Die breite Türlaibung verwehrte Frau Jaffel den Blick auf ihren Mann. Selbst wenn er von ihren Bemühungen gewusst hätte, ihn zu entdecken, es wäre ihm egal. So wusste er nicht, dass er durch sein spurloses Verschwinden eine weitere Krise bei seiner Frau auslöste, die sie Frau Kümmel zuschrieb.

Er befürchtete, dass er seine Frau nicht mehr ändern kann. Sie waren schon beide Rentner und den Hang seiner Frau, zum Aberglauben, hatte er mitgeheiratet. Doch in all den Jahren war es eine kleine Spinnerei, die er immer belächelte. Erst durch die Bekanntschaft mit Frau Kümmel hatte es Ausmaße angenommen, über die er die Kontrolle verloren hatte. Zu spät begriff er, wie tief dieser Aberglaube saß und welche Macht er über seine Frau hatte. Er litt darunter, wie es ihre Beziehung vergiftete und dass sie sich im Haus lächerlich machte. In seinem Alter stand es nicht mehr zur Diskussion, sich von seiner Frau zu trennen, obwohl er dies in beklemmenden Stunden für die einzig gangbare Lösung hielt.

Sie waren zusammengewachsen, wie ein Baum, den man veredelt hatte. Was half es, wenn der aufgesetzte Teil des Baumes verkümmert, er gehörte dazu und niemand würde das anzweifeln. Es war nicht so einfach, ihn abzustoßen. Ohne ihn wäre er gar nichts mehr Wert - ein Stamm ohne Krone. Die Zimmer wären leer, sein Leben wäre tot. Er fühlte sich zu alt, um eine erneute Veredelung zu ertragen. Sie würde nicht mehr anwachsen.

Diese Frau war sein Leben, blieb sein Leben. Es gäbe nur zwei Möglichkeiten, dass sein Leben wieder normale Formen annähme: Entweder Frau Kümmel zieht aus, oder er spielt das Spiel seiner Frau mit und lässt sich von ihr bekehren.

Während er darüber nachdachte, kam Frau Fritsche und Frau Heulbus auf ihn zu. Sie wohnten ebenfalls im Haus. Ihr Gespräch hatte sie so in Anspruch genommen, dass sie ihn fast nicht bemerkt hätten. Doch er schnappte etwas von „junger Mann" und „tot" auf, so dass er neugierig wurde und sie ansprach.

„Guten Tag die Damen. Ist etwas passiert, dass Sie so erregt sind?"

„Guten Tag Her Jaffel. Ja, haben Sie es denn nicht gehört?"

„Was denn?"

„Heute Morgen wurde vor unserer Haustür ein junger Mann angefahren."

„Ja, das habe ich gesehen."

„Dann müssen Sie sich unbedingt bei der Polizei melden. Der Mann ist tot und es werden Zeugen gesucht."

„Aber er ist doch nach dem Unfall normal weitergegangen."

„Das schon, aber zwei Straßen weiter, soll er seine Hände an den Kopf gepresst, wie ein Verrückter geschrien haben und dann zusammengebrochen sein. Man sagt, er sei gestorben, bevor der Krankenwagen gekommen ist."

„Und was das Stärkste ist", ergänzte Frau Fritsche „Frau Pohl will gesehen haben, wie diese Frau Kümmel, also ihre Nachbarin, dem Mann kurz zuvor einen bösen Blick zugeworfen hatte."

„Ihre Frau hat das ja schon immer gesagt, dass sie den bösen Blick hat. Vielleicht ist ja was dran. Also, so ganz wohl ist mir nicht mehr in meiner Haut."

„Ach, hören sie auf, Frau Heulbus. Sie werden sich doch nicht vom Geschwätz meiner Frau anstecken lassen. Wir leben immerhin im 21. Jahrhundert."

„Aber wenn sie heute den Fernseher anstellen, hören sie immer mehr von solchen außergewöhnlichen Fällen."

„Irgendwie müssen die ja ihr Geld verdienen", erwiderte Herr Jaffel.

„Etwas wird schon dran sein. Wenn sie Zeuge waren, müssten sie Frau Kümmel doch auch bemerkt haben. Hat Frau Pohl denn gesponnen? Hat sie den Mann gar nicht angesehen?"

„Doch, das schon. Aber von einem Blick stirbt niemand."

„Na warten wir mal ab, was die Polizei sagt."
Mit gewichtigen Minen zogen sie an ihm vorbei, während er ihnen die Tür aufhielt.
Er dachte wieder an das Lächeln, mit dem Frau Kümmel den Unfall begleitet hatte. Hat sie vielleicht doch etwas damit zu tun? Sollte er der Polizei davon erzählen?
Mit Sicherheit würde es ihm Pluspunkte bei seiner Frau bringen. Aber welche Folgen hätte es für Frau Kümmel?

Andererseits sollte es tatsächlich mit ihr zusammenhängen ....?

Herr Jaffel hatte bisher nie so viel unsinnige Zweifel in sich gespürt, wie heute. War er dem dauerhaften Bombardement mit den Spukgeschichten seiner Frau erlegen? War es die Tatsache, dass sich nun weitere, bisher vernünftig erscheinende Frauen, der Meinung seiner Frau anschlossen oder hatte dieses unerklärliche Lächeln die Weichen neu gestellt? Er lief hinaus, in den Wind. Vielleicht würde er ihm bei seiner Entscheidung helfen.

Kommissar Fint verstand es selbst nicht, dass er bei diesem Unfall ermitteln musste. Schließlich hatte seine Abteilung nichts mit Fahrerflucht am Hut. Doch die Aussage einer Passantin ließ die Wahrscheinlichkeit eines Tötungsdeliktes, in den Augen seines Vorgesetzten, ansteigen. Er selbst glaubte nicht an solche Märchen, dass Blicke jemanden behexen können und so konzentrierte er sich zunächst auf den Tatbestand der Unfallflucht.

Alle Maßnahmen waren eingeleitet, die Mitarbeiter hatten mit der üblichen Routine begonnen und ihm standen nun die Verhöre mit der Zeugin und der belasteten Frau bevor.

Es widerstrebte ihm, sie wegen einer solchen Belanglosigkeit vorzuladen, und so beschloss er, das Gespräch noch am gleichen Tag zu suchen.

Es war ein altes Haus, das, mit seiner wuchtigen Eingangstür, Sicherheit auszustrahlen versuchte. Er hatte sich oft gefragt, warum man sich zu jener Zeit nicht mit Türen begnügte, die den Körpermaßen der Menschen angepasst waren. War es ein Symbol der Macht, des

Reichtums, der zur Schau gestellt wurde, oder war es der Faktor Sicherheit?

Wie dem auch sei, wenn man den Bewohnern des Hauses Glauben schenkte, nützte diese Sicherheit wenig, da der Gefahrenherd innerhalb ihrer Mauern liegen würde.

Die Namen an den modernen, elektrischen Klingelknöpfen verrieten ihm, wo er Frau Pohl und Frau Kümmel findet.

Er beschloss, mit Frau Pohl zu beginnen, da Erkenntnisse dieser Vernehmung bei Frau Kümmel von Nutzen wären.

Auf sein Klingeln meldete sich die krächzende Stimme der Gegensprechanlage.

Nach seiner kurzen Vorstellung kündigte ein Surren die Freigabe der Tür an. Stöhnend öffnete sich die Tür, während er eintrat. Ein riesiger Flur empfing ihn und begleitete jeden seiner Schritte mit hallenden, ihn umkreisenden Geräuschen. Er war versucht, einem Anflug von Schauder zu erliegen, wenn er an den Grund dachte, der ihn hier her geführt hatte.

Auf dem Weg zu der Zeugin hatte sein Blick die Wohnungstür von Frau Kümmel gestreift. Dunkel, ja bedrohlich leuchtete sie im Schummerlicht und passte sich dem Schachbrettmuster der schwarz-weißen Fliesen an. Instinktiv verband er diesen Fall mit einem Schachspiel, das sich über mehrere Ebenen zog.   Welche   Figur würde sich hinter dieser Tür verbergen und welche würde ihn ein paar Etagen weiter oben erwarten? Während er, die solide wirkende Holztreppe, hinaufging, blieb sein Blick wie gefesselt an der Tür von Frau Kümmel hängen. War es dieser teuflische Bann, von dem man erzählte oder der Wunsch, Außergewöhnliches zu entdecken?

Endlich nahm ihm das Geländer des nächsten Treppenlaufes die Sicht und sein Blick richtete sich frei nach oben. Auch die Tür von Frau Pohl hatte diesen dunklen Teint, wirkte jedoch bei Weitem nicht so bedrohlich. Lag es am einfallenden Tageslicht vom großen Flurfenster, an der etwas frischeren Luft, da der Moder der Kellergewölbe so hoch nicht zu steigen vermochte, oder war es einfach nur die halb offene Tür, die zum Besuch einlud. Er wusste es nicht und hatte auch nicht die Zeit, weiter darüber nachzusinnen, zumal ihm Frau Pohl lächelnd entgegenkam.

Es war eine interessant geschminkte, junge Frau, die trotz allem nicht verbergen konnte, dass dunkle Schatten unter den Augen lagen. Farbenfreudige Kleidung, geschmackvoller Schmuck und ihr freundliches Wesen ließen jedoch den Gedanken nicht aufkommen, dass unter der Schminke Sorgen oder große Probleme lauern könnten.

Herr Fint betrat die bescheiden eingerichtete Wohnung, die zwar sauber wirkte, aber hier und dort kleine Ecken aufwies, wo achtlos Kleidungsstücke und Papierkram herumlagen.

Frau Pohl räumte ein paar dieser Sachen beiseite und bot Herrn Fint einen Platz an.

Ein kleiner Mädchenkopf schob sich neugierig in die Tür und beäugte ihn. Frau Pohl sah seinen fragenden, leicht schmunzelnden Blick, wobei er den Kopf etwas zur Seite neigte. Da er an ihr vorbeiführte, bemerkte sie nun auch ihre Tochter.

„Das ist Antonia, meine Tochter. Sag guten Tag, Antonia und dann lass uns bitte allein, Schätzchen."

Antonia dachte nicht daran, ‚Guten Tag' zu sagen, und zog sich schmollend zurück, wobei sie die Tür nicht vollständig schloss.

„Sie ist etwas schwierig", entschuldigte sich Frau Pohl. „Es liegt vermutlich daran, dass ihr der Vater fehlt."

„Kein Problem. Wenn Sie nichts dagegen haben, möchte ich gleich zur Sache kommen."

„Bitte." Frau Pohl setzte sich nun auch und schlug gekonnt die Beine übereinander, wodurch sie viel Bein zeigte. Sie lächelte, als sie die darauf einsetzende, leichte Nervosität des Kommissars bemerkte, was ihr half, ihre eigene abzulegen.

„Sie haben zwar schon eine Aussage gemacht, aber da der Fall jetzt der Mordkommission zur Überprüfung vorliegt, benötige ich etwas mehr Einzelheiten. Könnten Sie mir den Hergang des Vorfalls nochmal detailliert schildern?"

„Aber gern. Übrigens habe ich gehört, dass auch Herr Jaffel Zeuge des Vorfalls war."

„Danke, ich werde ihn anschließend aufsuchen."

„Also. Ich kam gerade aus dem Haus und bemerkte vor mir diese seltsame Mieterin aus dem Erdgeschoss. Wie immer, hatte sie sich unmöglich angezogen. Andere Farben als schwarz und grau scheint sie nicht zu kennen, was an sich schon unheimlich ist. Immerhin ist sie etwas jünger als ich. Und wie sie so dahinschleicht, sehe ich diesen jungen Mann, der ihr entgegenkam und ihr nachstarrte, als hätte er ein Gespenst gesehen. Ich nehme an, da hatte sie ihn schon in ihrer Gewalt."

„Beschränken sie sich bitte auf die Fakten, Frau Pohl." Antonia presste ihre Ohren in den Türspalt. Was heckte ihre Mutter gegen ihre neue Freundin aus? Sie wird wachsam sein, vielleicht kann sie ihr helfen.

„Jedenfalls starrte er ihr nach und plötzlich warf diese kleine Hexe, Frau Jaffel hatte uns ja schon immer gewarnt, ihren Kopf herum und schleuderte einen bösen Blick auf den Mann. Man hat es richtig knistern gehört. Der Mann war auf einmal wie verändert. Von panischer Angst

45

getrieben, rannte er los, hätte fast noch einen Radfahrer umgerannt, lief auf die Straße und wurde von dem Auto erfasst. Er schlug lang hin und blutete am Kopf. Doch er lehnte die angebotene Hilfe ab und torkelte davon. Als ich später von dem Toten, zwei Straßen weiter, hörte, war mir alles klar."

„Haben Sie sich die Autonummer gemerkt?"

„Nein, bei der Aufregung? Aber den Autofahrer trifft keine Schuld. Er hätte beim besten Willen nicht ausweichen können."

„Aber er hatte die Pflicht, als Verursacher, an der Unfallstelle zu bleiben."

„Er war bestimmt nicht der Verursacher. Das war sie, glauben Sie es mir."

„Eine Absicht des Autofahrers war nicht erkennbar? Fuhr er vielleicht zu schnell?"

„Nein, vergessen Sie es. Es gibt keinen Zweifel. Wenn sie mit ihr sprechen, werden sie es selbst spüren. Sie ist unheimlich."

Antonia kam heraus und schlich zur Tür. Ein hasserfüllter Blick streifte ihre Mutter.

„Wo willst du hin, Antonia?"

„Ich muss nochmal kurz raus."

„Spinnst du? Weißt du, wie spät es ist?"

„Ich meine doch nur, ich will etwas aus dem Keller holen."

„Na gut. Aber beeile dich." Verwundert sah sie ihr nach.

„Ist das alles, Frau Pohl?"

„Eins noch. Als es passiert war, grinste sie ganz hämisch vor sich hin und ging einfach weiter. Sie schien sich darüber zu freuen."

„Das wäre allerdings merkwürdig. Jedoch bringt ein Blick allein, keinen Menschen um."

„Wenn Sie so rangehen, Herr Kommissar, werden Sie den Fall nie lösen. Haben Sie noch nie von Telekinese, von Parapsychologie und solchem Zeug gehört?"

„Frau Pohl das sind alles unbewiesene Theorien, aber wenn es Sie beruhigt, so werden wir auch dieser Möglichkeit nachgehen."

Damit erhob er sich, um das Gespräch zu beenden.

„Wenn Ihnen noch etwas einfällt, melden Sie sich bei mir."

Er gab ihr seine Karte und verabschiedete sich. Er spürte, dass sie ihm nachsah, und fühlte sich erst besser, als er das Schnappen des Schlosses hörte. Im unteren Flur hallten Stimmen, die er nicht verstand und auch dort fiel kurz darauf eine Tür ins Schloss.

Wie war das zu werten? Hatten sie gelauscht? Verfolgte das ganze Haus seine Schritte? Deutlich spürte er die geschäftige Unruhe eines Ameisenhaufens, sobald der einen Eindringling registriert hat. Alles wurde zur Abwehr mobilisiert, obwohl in diesem Fall der Eindringling ein Teil von ihnen war.

Wieder erreichte er die untere Ebene des Schachbrettes. Es waren keine neuen Figuren aufgetaucht. Eine, sehr Angriffslustige, hatte er schon kennengelernt. Wie mochte die nächste Figur sein? War es ein Schachspiel, in dem es nur eine gegnerische Figur gab?

Diese Variante kannte er eher als „Fuchsjagd". Er entschloss sich, keine voreiligen Schlüsse ziehen.

Wieder fesselte ihn die Tür der Beschuldigten. Die Zeitschaltung hatte inzwischen für Dunkelheit im Haus gesorgt, so dass das Licht, das durch den Spion von Frau Kümmel drang, wie ein Positionslicht auf ihn wirkte. Auch aus der anderen Ecke lockte ihn ein solches Licht. Es erinnerte ihn daran, dass er zunächst bei Familie Jaffel klingeln wollte.

Marita öffnete schnell, als sie durch den Spion das kleine Mädchen erkannte, das in ihr längst vergessene Gefühle zaghaft erwachen ließ. Sie hatte Angst davor und doch war es, wie ein rettender Strohhalm. Vielleicht ist bei Antonia noch alles intakt, noch nichts verdorben? Vielleicht hat Antonia das Glück, niemals ein Mensch werden zu müssen. Marita legte ihre ganze Hoffnung in diesen Gedanken, als sie die Tür öffnete. Es war schön, wieder Hoffnung zu haben, wenn sie auch noch zu klein war, um sagen zu können, ob diese Hoffnung überlebensfähig ist.
Ein unsicheres, freudiges Lächeln pulsierte in ihrem Gesicht, als sie das Mädchen ansah.
Sie standen ein paar Sekunden nur so da, bis Antonias Lächeln mit dem von Marita verschmolz und ihm Stabilität verlieh. Erst dann huschte Antonia an der Frau vorbei, als sei sie hier zu Hause.
„Die Polizei wird dich gleich besuchen kommen?"
Sie setzten sich auf das Sofa. Antonia bemerkte, wie die Hände ihrer neuen Freundin zu zittern begannen. Sie hatte wieder diesen leeren Blick. Antonia ahnte, dass sie abermals Stimmen hörte und ihre Gespenster sah. Sie legte ihre Hand auf die von Marita.
„Nun schildern Sie uns einmal ganz genau, wie sich alles abgespielt hat."
Ein schmieriges Grinsen begleitete die Frage und es wabbelte unter dem Uniformhemd, als er sich erwartungsvoll an seine Schreibmaschine setzte. Die Pein der letzten Stunden, die sich gerade in ihre Seele gebrannt hatte, sollte nun auf sein blütenweißes Papier. Alles verkrampfte sich in ihr. Es war

unfassbar, dass sie einem Tier der Gattung Mann ihr Innerstes offenbaren sollte.

Ein verzweifelter, ohnmächtiger Schrei rollte die Kehle empor. Eine warme Kinderhand vernichtete ihn, bevor er sich artikulieren konnte.

Maritas Blick glitt auf diese Zauberhand, die sie vom Grauen zu befreien vermochte. Und dann entdeckte sie Antonia neu und begrüßte sie mit einer Wiederholung des Eingangslächelns.

„Warum?"

„Du sollst einen Mann verhext haben, der gestorben ist."

„Was für einen Mann?"

„Der, der vom Auto angefahren wurde."

„Was kann ich dafür, wenn er nicht aufpasst?"

Marita lächelte wieder.

„Warum freust du dich?"

„Dieser Mann wird niemandem mehr etwas tun", sagte sie versonnen.

„Hast du ihn verhext?"

Maritas Ton wurde barsch. „Nein."

„Hat er dir etwas getan?"

„Er hat mich angeglotzt, als wäre ich ein Wild, das zum Abschuss freigegeben ist."

„Ja, so sind die Kerle."

Maritas Stirnfalten glätteten sich. Verwundert sah sie Antonia an, zu der dieser altkluge Satz nicht passen wollte.

„Was verstehst du denn davon?"

„Unsere Jungs denken auch immer, dass sie uns Angst machen können, wie es ihnen beliebt. Und dann freuen sie sich. ... Sie sagen, in unserem Haus gibt es Geister. Die wohnen gern in so alten Kellern."

Maritas Gesicht entspannte sich vollends. Wie konnte sie nur denken, dass ....

„Die Geister wohnen nicht in Kellern." Marita legte den Arm um Antonia und zog sie näher zu sich heran.

„Sie wohnen in dir. Aber nur, wenn du sie reinlässt."

„Und was passiert, wenn ich sie hereingelassen habe?"

„Dann schmeißt du sie einfach wieder raus."

Antonia wurde nachdenklich und musterte Marita.

„Warum schmeißt **du** deine Geister nicht raus?"

Marita sprang auf. Sie starrte das gesichtslose Bild an.

„Meine Geister gehören zu mir. Sie warnen mich."

„Wovor?"

„Vor den Menschen."

„Aber sie machen dir Angst."

„Ja. .... Aber das ist gut so. .... Sie erinnern mich, wie die Menschen sind, dass ich kein Vertrauen haben darf." Sie ging zum Fenster.

Antonia stellte sich zu ihr. Sie legte den Arm um ihre Hüfte und starrte schweigend mit ihr hinaus. Erfreut spürte sie Maritas Arm, der sich behutsam auf ihre Schulter legte.

Hallende Schritte im Hausflur rissen sie aus ihren Träumen.

„Ich glaube, er kommt", flüsterte Antonia. „Ich muss gehen."

„Nein!" Maritas Atem ging schneller. „Bleib' bitte bei mir."

Es war ein anstrengender Besuch bei Jaffel's. Immer wieder wurde die Befragung durch Einwürfe von Frau Jaffel unterbrochen. Sie trug eine unfassbare Energie in sich, die sich ausnahmslos im Hass an Frau Kümmel zu verbrauchen schien. Er wusste nun, wo etwas über Hexen und ihre Fähigkeiten nachzulesen war und wie er sich verhalten muss, falls er auf eine träfe. Und da er nun eine befragen müsse, hatte ihm Frau Jaffel eine Knoblauchknolle in die Jacketttasche gesteckt, damit er ihrem Bann nicht erliege. Scheinbar dankbar nahm er an, was sie ungemein beruhigte.

Dass Herr Jaffel Frau Pohls Zeugenaussage bestätigt hatte, brachte ihm ein genüssliches Strahlen seiner Frau ein. Dass er jedoch seine Meinung über die Nachbarin mitlieferte und ihr das Bösartige absprach, bestrafte sie mit lautstarken Attacken gegen ihn.

Als Fakt blieb dieses unerklärliche Lächeln, das den Unfall begleitet haben soll.

Endlich hatte er eine Schachfigur gefunden, die nicht zu den Gegnern Frau Kümmels gehörte und ausgerechnet die, bestätigte den stärksten Vorwurf. Herr Fint hatte deutlich die halbwüchsigen Zweifel des Herrn Jaffel gespürt. Er schien eine Art erfolgloser Vermittler zu sein, der tapfer zwischen den Fronten ausharrte und seine Meinung kraftlos unters Volk warf.

Was war das für eine Frau, der er in Kürze in die Augen schauen würde, obwohl ihn Frau Jaffel gerade davor gewarnt hatte. Vor Aufregung schlug ihm das Herz bis zum Hals. Dieser Fall hatte etwas. Er spielte mit dem Gefühl und ließ handfeste Fakten vermissen. Eine Gratwanderung zwischen Realität und Fantasie, der er sich zu stellen hatte. Es war für ihn inzwischen kein reiner Unfall mehr, auch wenn er daran halbherzig festhielt. Er führte eine Art Privatfall nebenher. Ihn faszinierte das Mystische. Die hautenge Berührung damit, ließ ihm den Atem stocken, je näher er der bewussten Tür kam, die durch einen einfachen, abgenutzten Zettel die Bewohnerin verriet.

Dem Klingeln folgte ein Tuscheln und kurz darauf verdunkelte sich der Spion.

Erneutes Tuscheln.

„Bitte öffnen Sie. Ich möchte ihnen nur ein paar Fragen stellen."

Eine weitere Minute verging, bevor ein kleines Mädchen die Tür öffnete. Er erkannte Antonia sofort. Ein neues Rätsel, eine neue Schachfigur, die seine Gedanken auf Trab brachte.

„Kommen Sie herein", flötete die Kleine, als wäre sie die Hausherrin.

„Musst du nicht zurück zu deiner Mutti? Sie wartet doch sicher auf dich."

„Meine Mutti ist hier. Ich kann sie Ihnen gern vorstellen."

Er folgte ihr und erneute Zweifel peitschten seine Aufmerksamkeit in die Höhe. Seine Hand umklammerte ungewollt die Knoblauchknolle. Sie hatte etwas Beruhigendes. Was trieb das Mädchen zu dieser Aussage? War es jener Bann, der sie beherrschte und vor dem auch er sich hüten sollte?

„Mutti, wir haben Besuch."

Herr Fint hatte ein verhärmtes, von Strenge gezeichnetes Gesicht einer jungen Frau erwartet, das einen unbändigen Willen aus den Augen schießen lässt. Überwältigt durchströmte ihn nun dieses Bild, das seinen Vorstellungen vernichtend entgegentrat. Antonia zog an ihrer Hand ein hilfloses Geschöpf herbei, das nicht imstande war, den Blick zu heben, um den Gast würdevoll zu begrüßen. Eine einnehmende Schüchternheit fesselte diesen Blick immer wieder an die altertümlichen Dielen, die ihn nur impulsweise freigaben, um zum Antlitz des Besuchers aufzusteigen. Ihr Mund hatte sich zugespitzt und verkrampft, um ihren Unwillen zu unterstreichen, dass ein Fremdling in ihr Reich eingedrungen war, den sie zu dulden hatte. Ansonsten wirkten ihre Gesichtszüge weich und entspannt und ihre Blässe vermittelte im Zusammenspiel mit ihrer Gestik den Eindruck von Unschuld.

Obwohl Herr Fint sich vorstellte, nickte Marita lediglich, um ihren Teil der Begrüßung abzuschließen.

Antonia spürte ihre Hilflosigkeit und übernahm sofort das Zepter.

„Kommen Sie herein. ... Nehmen Sie bitte Platz.“

Sie schob Marita sanft auf das Sofa, wo auch sie sich niederließ, und deutete auf den Sessel, um dem Kommissar seinen Platz zuzuweisen.

„Sie sind Antonias Mutter?“ Er klammerte sich an ihre Augen, die ihm vermutlich mehr sagen werden, als ihre Worte.

Aus dem Nichts heraus schoss ein sanftes Lächeln auf ihr Gesicht, das sich Antonia zuwendete und versonnen auf ihr liegen blieb.

„In gewisser Weise schon. Sie ist meine Tochter, meine Schwester, meine Mutter, aber sie ist auch meine Sonne. Sie ist der Sturm gegen die Wolken und die Wolke gegen die Hitze der Sonne. Sie ist alles, was sie wollen.“

„Ich meine eigentlich, ob sie Ihre leibliche Tochter ist.“

„Sie ist ein Teil von meinem Leib. Sie ist mein Auge, mein Ohr und mein Gedanke. Sie hat mich erweckt, sie lässt mein Herz fröhlicher schlagen und meine Seele ruhen.“

Marita sah immer noch auf Antonia. Sie mühte sich redlich, ihn nicht in ihre Welt zu lassen. Sie sprach mit sich selbst. Es war eine Sprache, die nicht die seine war und ihn mit Bedauern feststellen ließ, dass sie geistig verwirrter war, als er befürchtet hatte. Doch er wusste, dass diese Frau einer Arbeit nachging, dass sie ohne geistigen Beistand ihre Tagesgeschäfte erledigen durfte. Es wird ein Rest Vernunft in ihr sein, der eine hilfreiche Aussage ermöglichen sollte.

„Frau Kümmel, erinnern Sie sich an den heutigen Vormittag?"

„Ja". Wie abwesend strich sie Antonia übers Haar, die dankbar zu ihr aufsah.

„Ist vor Ihrem Haus etwas Besonderes geschehen?"

„Nein."

„Ihnen ist der Unfall nicht aufgefallen, den ein junger Mann in der Nähe ihres Hauses hatte, während Sie zur Arbeit gingen?"

„Was ist schon ein Unfall bei den vielen Verbrechen, die täglich durch die Straßen hetzen. Sollte das wirklich etwas Besonderes sein?"

„Ich meine schon, dass es etwas Besonderes ist. Besonders, wenn ein Mensch dabei stirbt."

„Was hat schon der Tod Fürchterliches an sich? Für viele wäre er eine Erlösung. Für viele beginnt nach ihm, ein neues Leben und viele können erst durch den Tod eines anderen leben. Der Tod kann Freund und Feind sein. Er ist wahrlich nichts Besonderes."

„Berührt Sie der Tod dieses Mannes gar nicht?"

„Warum sollte er? Ich kannte ihn nicht. Vielleicht hatte er ihn verdient, vielleicht ist damit ein größeres Unheil verhindert worden, wer kann das schon sagen?"

Der Kommissar wurde aus dieser Frau nicht schlau. Warum mied sie so stur den Blickkontakt? Sie war in Antonia eingetaucht. Er war sich nicht einmal sicher, ob sie das Mädchen wahrnahm. Sie schien mit ihrem Geist im Raum zu schweben. Ihr Körper führte weiterhin die stupiden Bewegungen aus, die sich exakt wiederholten und sich im Streicheln von Antonias Haaren erschöpften.

„Sie sollen gelächelt haben, als der Unfall geschah. Warum?"

„Lachen Sie nicht auch über tollpatschige Leute? Freuen Sie sich nicht auch über einen schönen Tag, können sie sich nicht über Kleinigkeiten am Wege freuen? Warum lächelt ein Mensch? Wenn man über jedes Unglück, das irgendwo auf der Welt passiert, betrübt sein sollte, gäbe es kein Lächeln mehr. Was macht es für einen Unterschied, ob es tausend Kilometer weiter oder direkt neben mir geschieht? Warum sollte mich das eine Unglück eines fremden Menschen mehr berühren, als das eines anderen fremden Menschen?"

So ganz konnte er sich dieser Logik nicht versperren. Doch er nahm es ihr nicht ab, dass sie, im Augenblick des Unfalls, eine angenehme Entdeckung auf der Straße gemacht haben wollte. Auch nicht dass ihr Amüsement über die Tollpatschigkeit, die schließlich nur im Herumstolpern bestand, auch während des Unfalls noch Bestand hatte.

„Es gibt Stimmen, die sagen, Sie hätten den Mann behext, ihn getötet."

Blitzartig löste sie sich aus ihrer Lethargie. Ihre Augen schienen ihn erdolchen zu wollen und endlich spürte auch er diese Energie, die ihr zugesprochen wurde und nun unaufhaltsam durch seinen Körper strömte. Er wusste, dass sie diesen Augen entsprang, die gefährlich pulsierten und immer neue Wellen durch ihn hindurchtrieben. Der Hals wurde trocken und seine Finger versuchten fieberhaft, den Binder zu lockern, der ihm bedrohlich vorkam. Das sanfte Gesicht hatte für Sekunden etwas Teuflisches, obwohl es sich nur auf die Augen beschränkte. Nur während des einen Satzes, den sie sprach, unterbrach sie die Streichelbewegungen auf Antonias Kopf, um sie danach in gewohnter Weise fortzusetzen.

„Passen Sie auf, dass ich nicht auch Sie verhexe!"
Ihr Körper hatte sich gestrafft, wie bei einer Katze vor dem Sprung und fiel sofort in die alte Schlaffheit zurück, als es gesagt war.

Eine peinliche Stille entstand. Herr Fint schluckte die trockene Luft hinunter und lauerte regungslos auf ihre nächste Reaktion. Instinktiv presste seine Hand die Knoblauchknolle.

„Es ist so eine Sache mit den Stimmen", fuhr sie monoton fort.

„Es sind bösartige Stimmen. Mit ihren Stimmen töten sie selbst, ohne es zu merken. Sie töten alles Menschliche, bis der Mensch nur noch eine Hülle ist, ein Werkzeug des Bösen. Er, der sich einst durch seine Intelligenz über das Tier erheben wollte, steht nun tief unter ihm. Und alle beten ihn an, weil er die Macht hat über Leben und Tod, über Recht und Unrecht zu entscheiden. Jeder will teilhaben, an dieser Macht und merkt sehr schnell, dass auch er zur Hülle werden muss, wenn er zu ihnen gehören will. Und die Täter werden zu Opfern und die Opfer zu Tätern, da das wahre Menschliche eine Gefahr ist, eine Gefahr für die Macht."

Kommissar Fint wurde es unheimlich. Er war nicht in der Stimmung, diesen wirren Worten etwas Sinnvolles abzutrotzen. Seine Hand umschloss immer noch die Knoblauchzehen.

Aber es war nicht allein die Angst vor Gefahren, die auf ihn lauern könnten, es war auch die Ohnmacht, mit der er den steifen Gefühlsausbrüchen folgte, ohne eine Antwort darauf zu haben, ohne sie richtig verstehen zu können. Eine Welle des Mitgefühls mit dieser Frau mischte sich ein, obwohl dafür kein Grund erkennbar war. Etwas stimmte nicht mit ihr. Sie schleppte offenbar einen Berg von Problemen mit sich herum. Vielleicht sollte er diese ergründen. Unter Umständen könnten die ihn zum Motiv einer möglichen Tat führen.

Dieser Besuch war nicht sehr ergiebig. Er bezweifelte, ob sie ihn überhaupt wahrnahm. Sie hatte zwar seine Stimme erfasst und auf seine Worte reagiert, aber sie war eigentlich nicht da. Er würde sie in anderer Umgebung besuchen müssen, um zu ihr vorzudringen.

Harry Keller hatte inzwischen den letzten Bissen seines belegten Brotes in den Mund geschoben. Langsam kaute er und betrachtete heimlich seine Frau. Er hatte sie einst geliebt, bevor sie in die Breite geschossen war. Hingebungsvoll strich sie sich die Butter aufs Brot und bemerkte bei ihrem geschäftigen Treiben, das sie ganz auszufüllen schien, nicht die abschätzenden, leicht angewiderten Blicke ihres Mannes. Neben ihr saß Yvonne, die jedoch nur für Harry sichtbar war und das schon angeschlagene Bild seiner Frau weiter abwertete.

Linkerhand thronte seine Tochter. Obwohl sie erst neun Jahre alt war, sah man ihr an, dass sie in die Richtung ihrer Mutter schlagen wird. Das Doppelkinn hatte sie schon und auch der restliche Körper konnte einfach den Babyspeck nicht ablegen. Hinzu kam, dass sie mit den Pfunden auch die Zickigkeit der Mutter übernommen hatte. Je länger er den beiden zusah, um so weniger schmeckte ihm sein Bissen im Mund, den er hin und herschob, als wolle er sich weigern, ihn hinunterzuschlucken.

Endlich gab er ihn frei, um ihn seinem, nicht gerade verwöhnten Magen, anzubieten. Er spülte mit einem kräftigen Schluck Bier nach und setzte erneut an, als er spürte, wie der abgestandene Geschmack des Brotes einer gewissen Frische wich. Harry erhob sich, um eine zweite Flasche zu holen.

„Muss das sein, dass du beim Essen aufstehst?", tadelte ihn seine Frau.

„Tut mir leid, aber das Bier kommt nicht von allein zu mir", gab er gereizt zurück.

„Früher bist du mit einer Flasche am Abend ausgekommen. Wer regelmäßig zwei Flaschen trinkt, gehört schon zu den Alkoholikern, habe ich gelesen."

„Ich weiß auch nicht, was du den ganzen Tag für einen Scheiß liest." Er setzte sich mit seiner Flasche, öffnete sie und ließ das Bier provokatorisch in hohem Bogen in sein Glas plätschern.

„Du solltest wenigstens vor dem Kind nicht so ordinär reden." Sie biss kräftig in ihre nunmehr belegte Stulle und starrte ihn vorwurfsvoll an, während ihre fülligen Wangen einen bewegten Tanz aufführten, um die Kaubewegungen zu unterstützen. Das stachelte seinen Ärger weiter an.

„Was ist an Scheiße ordinär? Schließlich bin ich es nicht, der diese Scheiße liest, sondern du. Und für Scheiße gibt es nun mal kein anderes Wort als Scheiße. Vielleicht noch Kacke, aber ich glaube kaum, dass dir das besser gefällt."

Harry genoss es, wie die Zornesröte in ihr Gesicht stieg und die Kaubewegungen abrupt endeten.

Entgegen ihrer sonstigen Gewohnheit hatte sich seine Tochter total eingeigelt und verfolgte ängstlich jede Geste ihrer Eltern. Sie wusste instinktiv, dass das Pulverfass explodiert wäre, wenn sie es gewagt hätte, ihren Kommentar beizusteuern.

Die restlichen Minuten des gemeinsamen Abendmahls verliefen in eiskaltem Schweigen. Drei schweigsame Marionetten, von einer geheimnisvollen Kraft bewegt, stopften die Nahrung mit gesenkten Häuptern in sich hinein. Niemand wäre bei diesem Anblick auf die Idee gekommen, dass es sich hierbei um lebende Wesen handeln könnte.

Erst das Zusammenstellen der Utensilien, das die gemeinsame Sitzung auflöste, brachte wieder etwas Leben hinein.

Harry stand auf und verließ den Raum.

„Du könntest uns wenigstens beim Abräumen helfen".

Die quäkende Stimme seiner Frau lockte ein Lächeln auf sein Gesicht, das sie allerdings nicht mehr sah.

„Tut mir leid. Ich habe noch ‚ne Menge zu tun. Stört mich bitte nicht, ich muss es bis morgen fertig haben. Beschwere dich bei meinem Chef, wenn dir danach is."

Sein Grinsen wurde noch breiter, doch als er die geflüsterten Worte seiner Tochter hörte, flippte er aus.

„Papa wird immer fauler", klang es noch nach, als die Worte schon längst verklungen waren und er wie ein Pavian auf seine Tochter zustürzte. Er stemmte die Fäuste in die Seiten und baute sich in voller Größe vor ihr auf, wobei er ihr scharf in die Augen sah und ihr, mit sich steigernder Lautstärke, eine Standpauke hielt. Er registrierte mit Genugtuung, dass sich ihr Blick sofort senkte und ihr Körper bei jedem Wort in sich zusammenschrumpfte.

„Du kleine Kröte wagst es, deinen Vater faul zu nennen? Wer ackert denn hier wie blöde, damit du deinen fetten Arsch in Designerklamotten stecken kannst, damit du dir kistenweise Schokolade in die hohle Birne stopfen kannst und damit ..."

„Harry, du redest mit einem Kind!", empörte sich seine Frau.

„Halt du dich da raus. Was für sie gilt, kannst du dir auch gleich hinter die Ohren schreiben, oder bildest du dir ein, dass du mit deinem lächerlichen Gehalt hier einen großen Beitrag leistest? Du solltest lieber deine verzogene Tochter auf Vordermann bringen. Ihr liegt mir beide auf der Tasche und kräht hier herum, als hättet ihr das Recht dazu. Wer seid ihr denn schon? Ein paar unförmige Ziegen, die zu nichts zu gebrauchen sind. Mich würde es nicht wundern, wenn euch die Hunde auf der Straße anpinkeln. ... Und jetzt möchte ich kein Wort mehr hören! Ich ... habe ... zu ... tun! Ihr werdet das bisschen Abwasch hoffentlich alleine schaffen, oder könnt ihr das auch nicht?" Zufrieden mit seinem Vortrag und den dadurch entstandenen, bedepperten Gesichtern, drehte er sich um und schritt majestätisch durch die Tür, um sich in seinem Arbeitszimmer niederzulassen. Die Kälte war ihm nachgeschlichen. Reglos saß er vor seinem Computer und starrte den dunklen Monitor an. Die ganze Trostlosigkeit seines Lebens senkte sich auf ihn herab. So leer wie dieser Bildschirm fühlte er sich selbst. Er hatte keine Lust, im Kreise seiner Familie zu sitzen, wo ihm alles, was er hört, sieht oder spürt, zutiefst zuwider ist. Keiner seiner Wünsche, aus jungen Jahren, hatte sich erfüllt. Okay, sie hatten ein eigenes Haus, das ihm zur Hälfte gehörte. Doch er hatte keine bewundernswerte, schöne Frau, zu der er so gern aufgesehen hätte. Eine, die ihn vergöttert. Besonders war er von seiner Tochter enttäuscht, die ihn nicht spüren ließ, dass sie ihren Vater liebt. Vom Äußerlichen war sie nicht gerade eine Vorzeigepuppe, auf die die Nachbarn neidisch schauen könnten. Dabei waren beide einst schlank und ansehnlich. Ja sogar glücklich waren sie eine kleine Weile. Doch es hielt nicht lange vor. Seine Frau entwickelte sich zu einem langweiligen, stets unzufriedenen Hausmütterchen, für die der einzige anstrebsame Höhepunkt der jährliche, gemeinsame Urlaub war. Nie hatte sie Lust wegzugehen, sei es Kino, Theater oder Tanz. Stets hörte er ihr „Nein", sie sei so kaputt und hätte im Haushalt noch genug zu tun. Selbst im Bett war sie langweilig und beschränkte sich auf ihre Standardnummer, während sie sich von ihm, mehr oder weniger, bedienen ließ. Er hatte den Eindruck, dass es schon ein Zugeständnis war, wenn er durfte.

Erneut erwachten seine Träume von Yvonne. Er sehnte die Stunden herbei, in denen er seiner Arbeit mit Yvonne nachgehen konnte. Ihr Anblick war schon Entschädigung genug, wenn er an die Zeit daheim dachte.

Er wusste nicht, wie lange er schon in seinen Gedanken herumirrte. Es war vermutlich viel Zeit verstrichen, als er seine Frau hörte.

„Machst du noch lange? ..."

Er antwortete nicht.

„Ich gehe dann schon schlafen."

Als er auf die Uhr sah, erschrak er. Es war bereits 23 Uhr. Der Monitor war immer noch dunkel und auch das Licht im Zimmer hatte er nicht angemacht.

Aber er hatte ohnehin nichts zu erledigen gehabt. Momentan war im Betrieb nicht so viel aufgelaufen, dass er auch noch zu Hause arbeiten müsste.

So trübte kein einziger Gedanke an Arbeit seine Fantasien mit Yvonne, die er mit in sein Bett trug, wo seine füllige Frau auf ihn wartete.

Sie hatte sich von ihm weggedreht und bereits das Licht gelöscht. Die Zeichen standen auf Sturm, doch er wollte jetzt seine Yvonne. Die Dunkelheit war sein Verbündeter und erhielt ihm seine Illusion, als sich seine Hand dem warmen Körper neben ihm entgegenstreckte. Er zuckte kurz zurück, als er nicht den erwünschten, festen Körper vorfand. Doch die Sehnsucht war größer als sein Ekel. Und schließlich legte sich seine Hand sanft auf die Portion Mensch, die er sich nun zu formen gewillt war, bis sie dem Bild entspräche, das er in sich trug. Doch ein energischer Handstreich wischte seine lüsterne Hand fort und riss ihn ins harte Leben zurück.

„Nun sei doch nicht so", bettelte er. „Du musst mich auch mal verstehen. Bei so viel Stress auf Arbeit, kann ich den zu Hause nicht auch noch gebrauchen. Da reicht eben manchmal schon eine Kleinigkeit, um durchzudrehen."

Erneut suchte seine Hand den Weg und erneut wurde sie ohne Kommentar entfernt. Aus Erfahrung wusste er, dass heute das Eis zu dick war. Er müsste wieder mal in seine Fantasiewelt abtauchen, wenn er nicht komplett unbefriedigt bleiben wollte. Doch sie stellte sich nicht ein. Eine maßlose Wut auf seine Frau hielt ihn davon ab und raubte ihm den Schlaf.

Frank Kilian war Reporter beim „Blickfang", einer kleinen Illustrierten, die hart um ihren Marktanteil zu kämpfen hatte. Dementsprechend war die Forderung nach reißerischen Themen groß. Die Menschen wollten Leid sehen, Gefahr spüren und doch im sicheren Kämmerlein sitzen. Das Gefühl, es besser erwischt zu haben, als andere, war auch ein Stückchen Lebensqualität. Allein dieses Motiv genügte Herrn Kilian, um seine Arbeit zu rechtfertigen, auch, wenn man ihn gelegentlich als Skandalreporter abstempelte.

Und so suchte er nach versumpften Existenzen, nach menschlichen Entgleisungen, nach unerklärlichen Phänomenen, und allem, was vom heilen Leben abwich. Er verstand es, Kleinigkeiten aufzubauschen und Gedanken zu lenken, bis sie in den abnormsten Ecken landeten. Von ihm stammte der Spruch: Gehe einmal durch die Stadt und du stolperst über zwanzig Storys, von denen vierzig Reißer sind.

Er ließ keine Menschentraube aus, wo er sich nicht einmischte. Keinen Menschen ließ er ziehen, der anders wirkte, ohne ihn in ein Gespräch verwickelt zu haben. Kein anrüchiger Ort der Stadt war ihm unbekannt und kaum eine Stammtischrunde gab es, die ihn nicht kannte.

Dementsprechend verlief sein Leben. Er hatte nicht diesen Beruf, er war es selbst. Vom Aufwachen bis zum Einschlafen war er darin verwachsen. Selbst seine kurzen Frauenbekanntschaften ordnete er seinen Zielen unter, bauschte sie unter Umständen selbst zur Story auf. Er war immer offen und lebensfroh, war überall willkommen, zumindest bis zum Erscheinen seines Artikels, bei den Betroffenen gut angesehen. Er besaß die Fähigkeit, sich auf jeden Typ Mensch einzustellen, eine Rolle zu spielen, die zum Schlüssel in die Herzen der Menschen werden konnte.

Was allerdings seine wertvollste Eigenschaft war: Er hatte keinerlei Gewissensbisse, egal welche Tragödie er auch auslöste.

Die Ursachen hatte schließlich nicht er gesetzt. Er hatte sie nur dargestellt, ins rechte Licht gerückt und bewertet. Wozu gab es die Pressefreiheit? Sie war sein

Schutzschild, von dem alles abprallte. Gäbe es sie nicht, er hätte sie erfunden.

Und die Menschen lechzten nach seinen Geschichten. Sie würden Unsummen bezahlen, um sich das Recht auf fremdes Leid zu erhalten.

Das sei krank? Herr Kilian wehrte dementsprechende Vorwürfe immer ab. Nicht er sei krank, sondern die Gesellschaft. Er gäbe dem Kranken nur seine Medizin, die er nachdrücklich fordert und wenn er es nicht täte, gäbe es einen anderen.

Auch die heutige Stammtischrunde lieferte ihm so viel Tratsch, dass er daran tagelang recherchieren konnte. Doch ein Fall hatte es ihm besonders angetan. Ein scheinbar ganz normaler Unfall mit Fahrerflucht und einer Dame mit dem bösen Blick, im Hintergrund. Das waren die Geschichten, die er liebte. Hier konnte er sich ausleben, Berichterstatter und Märchenerzähler sein - eine unglaublich beliebte Kombination. Er bekam sogar mehr, als er erwartet hatte – die Adresse des Hexenhauses. Er selbst glaubte mit keiner Zelle seines Körpers an derartige Geschichten, doch die Menschen liebten sie, warum sollte er sie enttäuschen?

Herr Kilian war nicht der Reporter, der mit der Tür ins Haus fiel. Sein Plan entstand noch in derselben Nacht. Er würde diese Frau zunächst beobachten und erst, wenn er genug über sie wüsste, sich in ihr Vertrauen schleichen, ohne den Reporter zu mimen.

Der Unfall selbst interessierte ihn dabei überhaupt nicht. Der würde im täglichen Einerlei untergehen.

Yvonne drängte sich durch die Rauchschwaden zur Bar. Ihre Freundin verblasste etwas neben ihr, hatte jedoch genug Ausstrahlung, um den Wunsch zu erwecken, mit ihr bekanntzuwerden. Gewöhnlich trennten sie sich während eines Discobesuches nicht, es sei denn für einen kurzen Besuch an einem anderen Tisch, oder wegen eines Tänzchens. Wer mit ihnen näher bekanntwerden wollte, musste sich schon die Mühe machen, zu ihnen zu kommen. Dadurch konnten sie sich bequem über ihre Bekanntschaften austauschen und sie bewerten. Sie legten beide Wert darauf und oft genug wurde dieser Teil, zum Schönsten des Abends.

Sie hatten sich kaum an der Bar eingefunden, als sie schon die erste Einladung zum Drink bekamen. Das war nichts Außergewöhnliches. Für viele Jungs war es die einfachste Art, ins Gespräch zu kommen, da kaum ein Mädchen Wert darauf legte, ihre Getränke selbst zu bezahlen. Dadurch umging man die Anstrengung, besonders geistreich zu sein, um beachtet zu werden. Gespräche entwickelten sich, wegen des hohen Geräuschpegels, nur mühsam.

Sie hatten inzwischen am Tisch Platz genommen und auch den Spendern der Getränke einen Platz eingeräumt. Die beiden Knaben wirkten etwas unbeholfen. Schüchtern wich ihr Blick in die tanzende Menge aus, sobald sie dabei ertappt wurden, dass sie beliebte Stellen der Mädchenkörper taxierten.

Diese Typen waren ihnen immer noch lieber, als die eingebildeten, kraftstrotzenden Machos, bei denen jedes Wort ihre Siegeszuversicht unterstrich. Irgendwann werden die beiden das Interesse verlieren und sich damit zufriedengeben, einen Teil des Abends neben ein paar super Bräuten verbracht zu haben. Das hatte ihnen zumindest neidvolle Blicke der Mitkonkurrenten eingebracht.

Kaum waren sie endlich weg, amüsierten sich die Mädchen prächtig, indem sie die tapsigen Annäherungsversuche der Möchtegerncasanovas kommentierten.

Es dauerte nicht lange und Yvonne spürte eine warme Hand auf ihrer nackten Schulter. Ein angenehmer Impuls durchfuhr sie so stark, dass sie von sich selbst überrascht war. Auch der Blick in die Höhe gefiel ihr. Ein schlanker, schwarzhaariger, junger Mann sah sie an, wobei sein Blick ungeniert in ihren Ausschnitt und dann über ihre langen Beine wanderte, um dann zu den Augen zurückzukehren.

„Darf ich dich um den nächsten Tanz bitten?"

Die Hand ruhte immer noch auf ihrer Schulter und seine Augen hatten beschlossen, in den ihren zu verharren. Eine heiße Welle durchströmte Yvonne. Normalerweise hätte er wegen seiner offenen Blicke, zu Beginn seiner Kontaktaufnahme, schon verloren, doch die Formulierung seiner Aufforderung zum Tanz hob sich wohltuend vom unromantischen Geplapper der anderen Jungs ab. War es aus Berechnung eingeübt, oder hatte er die so genannte alte Schule durchlaufen, von der ihre Mutter immer sprach? Sie nahm sich vor, es herauszufinden. Er stellte sich als Ricardo vor und hatte einen leichten Akzent, von dem sie nicht sagen konnte, welcher Nationalität er entstammte. Es war ihr auch egal. Sie war hier, um den Augenblick zu genießen. Für weit gehende Überlegungen war es noch viel zu früh. Yvonne vermutete, dass Ricardo bewusst gewartet hatte, bis eine langsame Tanzrunde eröffnet wurde. Sie tat ihm den Gefallen, lehnte ihren Kopf an seine Schultern und die Arme um seinen Hals. Sie spürte die elektrisierenden Hände am Hüftansatz und schrieb ihm einen weiteren Pluspunkt zu, als sie nicht weiter hinabwanderten.

Sie sprachen nur wenig miteinander. Woher sie kommen, wie oft sie hier seien und wie lange sie bleiben wollten. Die Einladung zum Tisch schlug er aus. Er würde später wiederkommen.

Yvonne ertappte sich dabei, wie sie im Discogewühl nach ihm suchte, Einladungen anderer Jungs ausschlug und sich diebisch freute, als er sie erneut zum Tanz aufforderte.

Ihre Freundin merkte sofort, was mit ihr los war und meldete ihre Bedenken an.

„Sei nicht so vorschnell mit deinen Gefühlen. Lass dir Zeit, sie abzuklopfen. Etwas komisch finde ich es schon, dass er sich nicht zu uns setzt."

„Vielleicht ist er zu schüchtern."

Das mitleidige Lächeln der Freundin ärgerte sie.

„Oder es ist ihm hier zu laut. Was bringt es, wenn man sich nicht richtig unterhalten kann?"

„Ist ja gut. Ich meine ja nur. Es ist nicht immer alles so, wie es aussieht."

Das Gespräch war beendet. Sie fuhren gemeinsam nachhause, ohne dass sich Ricardo noch einmal sehen lassen hatte. Sie sahen nicht, wie er ihnen heimlich hinterher sah, lächelte und seine halb aufgerauchte Zigarette an der Backsteinmauer ausdrückte, um erneut in der Diskothek zu verschwinden.

Es hatte über Nacht geregnet. Das Kopfsteinpflaster der Straße glänzte belebend im Licht der Straßenlaternen. Marita liebte diese frühen Morgenstunden, wo sich die Nacht verzweifelt gegen den Morgen wehrte. Das alte Spiel der Regentropfen an ihrer Fensterscheibe kam langsam zur Ruhe. Die Straße hatte etwas versöhnlich Ruhiges.

Kein Schatten eines Menschen huschte vorbei, kein Gefährt polterte in ihre Betrachtungen. Es war allein ihre Welt, die gleich durch die Morgensonne eine andere Farbe bekommen würde. Mit jedem Zentimeter, den die Sonne höher stieg, veränderte sich das Bild. Schatten entstanden und verschwanden, veränderten ihre Form und erzählten ihre eigene Geschichte, die nur Marita verstand. In der Ferne hallten Schritte herüber, die von harten Absätzen einer Frau kündeten. Doch sie drehten ab, bevor sie zerstörerisch in ihr Gemälde dringen konnten. Eine Schar Spatzen tummelte sich um eine kleine Pfütze. Sie tranken, plusterten sich auf und nahmen ihr Morgenbad.

Ein langes, lautloses Lachen befiel Marita. Sie war so begeistert, von diesem Treiben, dass sie wie gefesselt daran hing. In ihrem neuen Leben hatte sie noch niemand so unbeschwert Lachen sehen. Sie fühlte sich, für diesen Moment, sowohl drinnen, als auch draußen zu Hause. Diese unscheinbaren Spatzen waren wie sie. Sie scheuten den Trubel der Straße und lebten auf, wenn sie unbeobachtet waren. Doch eines war anders. Sie hatten Freunde. Sie kamen nie allein. Es gab genug Platz, dass jeder seiner Wege gehen könnte. Aber sie taten es nicht. Offensichtlich brauchten sie einander.

Ihr Lachen verschwand. Im ersten Leben hatte sie viele Freunde, viele falsche Freunde.

Die Spatzen waren noch nicht so weit wie sie. Sie müssen noch lernen, die falschen Freunde zu erkennen. Die geliebte Ruhe begann im Innersten zu brodeln. Nervös strich sie sich ein paar Haare aus dem Gesicht. Sofort erhoben sich die Spatzen in die Lüfte und verschwanden.

Marita ärgerte sich. Warum hatten die dummen Spatzen Angst vor ihr? Sie hätten wissen müssen, dass sie eine Freundin ist.

Nein, es war gut so. Sie sollten wachsam bleiben. So wie Marita, mussten sie jeden Millimeter ihres Umfeldes im Auge behalten, um zu überleben. Was würde sie nur tun, wenn ihre Freunde, die Spatzen, eines Tages nicht mehr kämen?

Aber jetzt hatte sie eine neue Freundin, fast so klein wie diese Spatzen. Auch dieses Mädchen gehörte zu ihnen. Antonia gehörte zu ihrem Schwarm. Sie würde nicht weglaufen, wenn sie sich die Haare aus dem Gesicht streicht. Sie würde sie nicht anschreien, wenn sie etwas falsch gemacht hat. Sie würde mit ihr reden, wenn sie nicht mehr weiter weiß. Sie wäre für sie da, wenn es nötig ist. Wieso ist sie sich da so sicher?

Was wäre, wenn auch Antonia sie verrät? Sie würde es nicht überleben.

Warum ist sie es immer, die alle Strafen erhält? Sie musste lernen, sich zu wehren. Antonia hatte ihr gezeigt, wie man mit Menschen spricht. Sie hatte ihre Rolle gut gespielt und Stärke gezeigt. Diese Macht der Stärke hatte sie ebenfalls gespürt, als der Kommissar vor ihren Hexenkünsten scheute, ohne dass sie aktiv geworden war. Es war dieses „Was wäre, wenn"- Gefühl, das die Menschen ängstigt. Es war für sie nicht greifbar, wie ein Gerücht den Verstand ausschalten kann. Der unbarmherzige, selbstsüchtige Mensch war plötzlich hilflos und ließ sie wachsen. Das war ihre Stärke, das Nichtfassbare.

Wenn sie schon wieder zum Opfer werden soll, obwohl sie sich in ihre Welt zurückgezogen hatte, so würde sie das nicht mehr hinnehmen. Sie wird jeden strafen, der sie verrät, jeden, der versucht, sie ans Licht zu zerren. Und sie schoss einen giftigen Blick auf das gesichtslose Bild ihrer Mutter.

Ein Auto fuhr vor und beanspruchte ihre Aufmerksamkeit. Man lud etwas ab und ließ einen Mann zurück, der sich damit beschäftigte, ein Zelt aufzubauen. Es war ein Zelt, wie es die Straßenbauer verwendeten. Sie hoffte, dass diese Arbeiten schnell vorüber gehen, denn solange es da ist, gäbe es für sie kein Fenster mehr. Es war tabu, da es jeden Augenblick eines dieser Monster ausspucken könnte, das in ihre Welt glotzt, um ihr den Glanz zu nehmen.

Es war Zeit für die Schule. Sie hatte schon ewig nicht mehr, einen so schönen Tag vor sich. Obwohl schwere Regenwolken die Sonne verdeckten, schien sie heller denn je. Lag es daran, dass sie ab heute von unten schien? Sie strahlte aus der Wohnung im Erdgeschoß, wo eine Freundin lebt. Antonia freute sich schon auf den Augenblick, wo sie auf die Straße treten und an Maritas Fenster klopfen würde. Aber momentan hingen auch Wolken im eigenen Zimmer, die sich bemühten, ihr den Tag zu vermiesen.

„Beil dich, Antonia", hörte sie ihre Mutter. „Klaus will auch noch ins Bad!"

Was interessierte sie dieser blöde Kerl ihrer Mutter, der sich neuerdings als ihr Vater aufspielte. Er wäre nicht der Erste, der sich an ihr die Zähne ausbeißt. Ein Wunder, dass er nicht selbst eine seiner blöden Bemerkungen losgelassen hat.

„Willst du nach Hollywood oder warum braucht so ein kleines Mädchen so lange im Bad?"

Ach da war sie, die blöde Bemerkung. Sie hatte gelernt, nicht mehr auf seine dummen Sprüche zu reagieren. Einfach so tun, als ob er nicht da wäre. Damit fuhr sie am besten.

Jetzt würde sie sich erst recht Zeit lassen. Soll er ruhig ins Bett pullern, dann hat ihre Mutter auch was davon.

Sie grinste, als sie sich das vorstellte und nickte sich im Spiegel aufmunternd zu.

Dann nahm sie einen der Parfümzerstäuber ihrer Mutter und benetzte sich den Kragen des Nachthemdes.

Ausgerechnet da riss ihre Mutter die Tür auf.

„Sag mal, spinnst du? Du spielst hier rum, obwohl du weißt, dass Klaus dringend aufs Klo muss? Und außerdem habe ich dir verboten, meine Sachen zu benutzen!"

Sie zerrte Antonia am Arm heraus.

„Das Bad ist frei, Hasi!", rief sie, ohne Antonia loszulassen.

„Hasi hat aber nicht gesagt, dass er dringend aufs Klo muss, er wollte nur ins Bad", verteidigte sich Antonia.

„Sei ja nicht so frech!"

Eine Ohrfeige prasselte auf sie nieder.

„Finde dich damit ab, dass Klaus hier wohnt. Ich werde wegen dir nicht auf die Freuden meines Lebens verzichten."

„Ach, und wie lange bleibt die Freude diesmal?"

„Das geht dich gar nichts an. Beeil dich lieber, wenn du pünktlich in die Schule kommen willst."

„Hast du schon mein Frühstück fertig?"

„Du bist alt genug, um es dir selber zu machen."

Na toll. Noch mehr Wolken. Mürrisch trabte Antonia in die Küche. Ein Blick in den Kühlschrank brachte Ernüchterung. Die Margarine wird, bei sparsamer Einteilung, vielleicht noch reichen. Aber der Belag sicher nicht. Sie zog sich schnell an, aß zum Frühstück einen Joghurt und schmierte sich zwei Stullen für die Schule.

Klaus schaute im Vorbeigehen herein. „Machst du für mich auch eine Stulle?"

71

„Ist nichts mehr da", maulte sie.

„Ha ha", konterte er und bewegte sich wieder in Richtung Bett, wo er mit albernem Gekicher ihrer Mutter empfangen wurde.

Sie hasste beide. Ein paar Jahre nach der Trennung von ihrem Vater, hatte ihre Mutter begriffen, dass sie, mit einem Kind, nicht mehr die große Auswahl unter den Männern hatte. Um so mehr Energie wendete sie auf, um einen zu bekommen. Seit dem war Antonia so gut wie abgeschrieben. Sie hatte sich daran gewöhnt und würde es auch akzeptieren, wenn nicht die Kerle ihrer Mutter immer gleich einziehen und ihr zusätzliche Vorschriften machen würden.

Nur noch ins Bad Zähne putzen und dann könnte es losgehen.

Doch bevor sie damit fertig war, stand ihre Mutter wieder in der Tür.

„Du hast tatsächlich den Kühlschrank leer gemacht? Fällt es dir so schwer, an andere zu denken, bevor du dir deinen Bauch vollschlägst?"

„Du hast vergessen einzukaufen. Es war fast nichts mehr da. Kannst ja dann dein Schätzchen losschicken."

„Was heißt hier, ich habe vergessen einzukaufen? Ich arbeite schließlich den ganzen Tag. Vielleicht kann Madame auch mal einkaufen und nicht nur die Beine unter den Tisch stecken. Ist das zu viel verlangt?"

„Ich habe das letzte Mal eingekauft und im Haushaltsfach lag kein Geld. Vielleicht hat es der Typ da drin genommen."

„Du sollst nicht immer so fies über Klaus reden. Außerdem hättest du es von deinem Taschengeld auslegen können."

„Wer weiß, ob ich das zurückgekriegt hätte."

Sie ging einfach. Draußen hörte sie die letzten Beschimpfungen ihrer Mutter, die durch die dicke Tür gedämpft wurden und sich so viel besser anhörten. Sie grinste übers ganze Gesicht und zeigte den Stinkefinger zur Tür, die ihre kleine Privathölle verdeckte.

Ein Liedchen pfeifend hüpfte sie die Treppen hinunter, der Sonne entgegen.

Sie riss die Haustür auf, die ihr quietschend entgegenkam.

„Guten Tag Tür", trällerte sie „War alles in Ordnung heute Nacht?"

Sie trat hinaus. Ein Zelt hatte sich genau vor dem Haus positioniert.

„Oh, wie ich sehe, hast du Besuch. Na dann werd' ich mal nicht länger stören."

Sie zog die Tür zu, die sich mit einem kleinen Knall verabschiedete.

„Danke, wünsche ich dir auch", waren die letzten Worte zur Tür, bevor sie freudestrahlend an Maritas Fenster trat. Sie hielt die Hand über die Augen, um besser sehen zu können, doch es war nichts zu erkennen.

Das Klopfen an die Scheibe hörte Marita anscheinend nicht. Vielleicht schlief sie noch. Antonia wusste, dass sie erst mittags zum Dienst geht. Schade, dachte sie. Ihr Sonnenaufgang würde erst heute Abend kommen. Zu gern hätte sie ein paar nette Worte mit auf den Schulweg genommen.

Im Zelt bewegte sich etwas. Ein kleines Loch fiel ihr auf, in dem etwas glänzte.

Doch sie musste sich beeilen. Dafür war keine Zeit. Hopsend setzte sie ihren Weg fort.

Es ist schon ein komisches Haus, dachte sich Frank Kilian. Wenn schon die Kinder mit den Türen reden, passt der Aberglaube, der älteren Mieter, gut dazu.

Es war etwas eng in dem Zelt und sein Anglerhocker war nicht sehr bequem. Aber der Platz versprach gute Aufnahmen. Sicherheitshalber wird er von allen Hausbewohnern ein Foto schießen. Seine Fotos schoss er immer selbst. Nur er wusste, worauf es ankam. Auch der Schachzug, die Fotos vor seinen Recherchen zu machen, verschaffte ihm Vorteile. Wenn das Thema erst publik ist, kommt man an die Leute kaum noch ran und schon gar nicht in natürlicher Umgebung.

Die Kleine eben, war ein interessanter Baustein. Was suchte die, bei der als Hexe verrufenen Frau? Sie schien aufgeweckt zu sein, wenn auch etwas spleenig. Doch das hatte nichts zu bedeuten. Eigentlich gab es kaum ein Kind, das nicht irgendwo einen Triller unterm Pony hatte. Einer von vielen Gründen, warum er keine Gören mochte.

Mit etwas Glück kann er das Mädchen als kleine Gehilfin der Übeltäterin hinstellen. Aber auch als Opfer, gäbe sie ein gutes Bild ab. Er hatte das Gespür dafür, im richtigen Augenblick auf den Auslöser zu drücken. In diesen kurzen Momenten hatte die Kleine so viel Stimmungslagen gezeigt, wie er sie sonst nur nach tagelanger Arbeit bekam. Fröhlich, unbeschwert, neugierig, enttäuscht, traurig und sogar etwas verrückt. Wie sich die Geschichte auch entwickeln wird, er hatte für alle Fälle etwas dabei.

Nach und nach verließen auch die anderen Mieter das Haus. Nichts Besonderes. Immer nur gleichgültige, manchmal geschäftige Gesichter. Dann trat eine lange Pause ein.

Er wartete auf die Attraktion des Hauses - die Frau mit dem bösen Blick. Er hatte Ausdauer.

Doch langsam kamen ihm Zweifel, ob sie sich nicht freigenommen hatte. Er hielt es bisher nicht für nötig, zu erkunden, wo diese Frau arbeitet. Eventuell ein Fehler. Er hatte jedoch erfahren, dass sie immer in Schwarz oder Grau herumlaufen würde und tiefschwarze Haare hat. Ihr Auftritt kam dann etwas überraschend. Mit Mühe erwischte er den üblichen, suchenden Blick, als sie aus der Tür trat und schon bewegte sie sich zügig davon. Über den Sucher hatte er nur einen flüchtigen Eindruck von ihr. Er hatte wie wild drauflos fotografiert. Nun verließ er sein Zelt und folgte ihr. Er steckte sein Teleobjektiv mit der größten Reichweite auf, so dass er aus großer Entfernung zum Schuss kommen kann.

Der Tag war nicht sehr ergiebig. Die Frau bewegte sich zu schnell, als dass er sie hätte unauffällig überholen können. Ein Foto von hinten war nichts Wert.

Erst, als sie das Handelscenter Kersik betreten wollte und den Weg für herauskommende Kunden freimachte, kam er wieder zu Fotos. Mit gesenktem Kopf stand sie da und wartete wie ein Stier vor seinem Kampf. Mit etwas gutem Willen, hätte er ihre Haltung als demütig definiert, doch eine aufputschende Überschrift käme besser. Wenn sie in einer Opferrolle präsentiert wird, wäre die Luft aus seiner Geschichte raus. Er brauchte diese Frau feurig, aggressiv. Er schlich ein paar Mal ums Haus, in der Hoffnung, sie an einem der Fenster zu entdecken. Doch das Gebäude hielt sie versteckt. Hier war nichts mehr zu holen. Am Nachmittag würde er hier wieder Posten beziehen. Inzwischen könnte er Informationen über die Frau, den Fall und die Firma sammeln.

Harry war mürrisch. Die letzte Nacht steckte ihm in den Knochen und der Kopf schmerzte. Yvonne zeigte sich heute sehr verschlossen, da das kühle Wetter die Anzugsordnung diktierte. Dann kam diese „Schwarze Witwe" herein, wie er Marita innerlich nannte. Sie trug nicht dazu bei, seine Stimmung zu heben. Aber eines fiel ihm sofort auf. Es lag eine Entschlossenheit in ihrem Blick, die er an ihr noch nicht kennengelernt hatte. Selbst die Kolleginnen blickten überrascht auf, sprachen sie jedoch nicht darauf an, um keine unberechenbaren Reaktionen zu provozieren.

Und anders als sonst, sprach sie die ersten Worte.

„Liegt etwas Besonderes an?"

Nur der vertraute, gesenkte Blick war der Alte.

„Was ist schon besonders. Irgendwie ist doch alles normal."

Yvonne sagte diese Worte freudig, aufgekratzt und doch wie nebenbei.

Marita setzte dies in höchste Alarmbereitschaft. Ein kurzer prüfender Blick verriet ihr nichts. Sie dachte an das Gespräch mit dem Kommissar, in dem sie sich über dieses Thema ausgelassen hatte. Wusste Yvonne etwas? Steckte sie mit dem Kerl unter einer Decke? War er eventuell gar kein Kommissar? Was hatten die Kollegen von den Anschuldigungen gegen sie erfahren? Der gute Vorsatz, zurückzuschlagen, war dahin. Die Zweifel lösten neue Unsicherheiten in ihr aus. Sie verkroch sich in ihrem Schneckenhaus und war bald wieder die kleine, graue Maus, die alle kannten.

Harry vertiefte sich in seine Arbeit, ohne etwas in sich aufzunehmen. Seine Gedanken kreisten um die Probleme mit seiner Frau. Obwohl er sie als unappetitlich und belastend empfand, litt er unter ihrer sexuellen Abweisung. Sie solle froh sein, wenn sie überhaupt noch in den Genuss eines Mannes käme, gab er ihr zu verstehen und dass sie frigide sei, fügte er hinzu, als sie sich im Bad über den Weg gelaufen waren.

„Was für ein Mann?", erwiderte sie nur kurz und ließ ihn dann stehen.

Harry verstand nicht, dass Frauen ohne Sex auskommen können. Dass seine Frau einen anderen hatte, schloss er voller Überzeugung aus. Wer würde schon mit ...

Marita schätzte er als ebenso frigide ein. Wie sie so da saß. Unberührt von jedem Gefühl, wenn man von ihren irren Anwandlungen absah, konnte sie einem leid tun. Schade, wie die Natur einen so wundervollen Körper nutzlos verwelken lässt. Mit ihr würde er es lieber tun, als mit seiner Frau. Sie müsste sich nicht mal Mühe geben, erregt zu wirken. Es hätte ihm genügt, wenn sie nur so daliegen würde und ihn gewähren ließe. Seinetwegen könnte sie auch nebenbei rauchen, lesen oder stricken. Er war genügsam geworden. Diese frigiden Weiber waren total umsonst. Abfall der Natur.

Endlich fand er sich in seine Arbeit hinein und blätterte seine Sorgen mit dem nächsten Blatt einfach um. Ihm war ein Problem aufgefallen, das terminlich drängte. Auf keinen Fall durfte er wegen solcher Nebensächlichkeiten seine Karriere gefährden. Seine Zeit wird noch kommen.

Frau Griesbach hatte es da einfacher. Bei ihr war alles in bester Ordnung. Sie sorgte sich um Haus, Garten und Mann und hatte nie ein Wort der Klage. Er beneidete sie um ihre gute Ehe. Ihr Mann war ein Glückspilz. Seine nächste Frau wird er besser wählen, wenn die Zeit reif ist.

Frau Griesbach sorgte sich indes um Marita. So wie sie über ihren energischen Auftritt erfreut war, bedrückte sie nun ihr Rückfall in die Abgeschiedenheit.

Sie nutzte einen Moment, als sie mit ihr allein war.

„Kann ich Ihnen irgendwie helfen, Kleines?"

„Wie kommen Sie darauf?" Maritas Worte waren scharf und bissig.

„Sie sollten nicht alles in sich hineinfressen. Ich meine es doch nur gut."

„Helfen Sie sich lieber selbst!" Wie verletzend diese Worte waren, sah man Frau Griesbach an. Wortlos schaukelte sie auf ihren Platz zurück und starrte vor sich hin.

Marita schämte sich dafür, was sie angerichtet hatte. Vielleicht tat sie dieser Frau ja Unrecht, aber sie musste sich irgendwie schützen. Es gab keinen Grund, Vertrauen zu Frau Griesbach zu haben. Wenn sie aus Unachtsamkeit etwas ausplaudert, was Marita ihr anvertraut, würde sich hier eine neue Hölle für sie auftun. Dieses Risiko war es nicht wert. Irgendwie mochte sie diese Frau. Sie spürte deutlich, dass auch sie große Probleme hat. Schon mit dem Verhältnis zu Antonia war sie ein Wagnis eingegangen, das sie jedoch nicht bereute. Ein Weiteres, wäre eines zu viel.

Es war etwas sonderbar, fand Frau Jaffel, dass dieser Mann das Zelt wieder abbaute, obwohl man noch keine Straßenarbeiten durchgeführt hatte. Logisch, dass sie ihn ansprach.

Man sah dem Mann die Eile an, was ihre Neugier verstärkte.

„Was tun Sie hier, junger Mann? Sind Sie mit Ihren Arbeiten schon fertig?"

„Wir haben die Arbeiten auf einen anderen Termin verschoben."

„Was sollte denn hier gemacht werden?"

„Ein Kabelanschluss sollte überprüft werden."

„In unserm Haus ist alles in Ordnung."

„Es handelt sich um die Straßenbeleuchtung."

„Die ist auch in Ordnung. Geben Sie es zu, sie haben die Kümmel überwacht. Mir machen Sie nichts vor. Das sieht doch ein Blinder, dass Sie von der Kripo sind."

Herr Kilian witterte seine Chance.

„Es wäre schön, wenn es mehr von solch aufmerksamen Bürgern gäbe. Sie haben Recht, aber reden Sie mit keinem Menschen darüber, Sie würden unsere Ermittlungen gefährden."

„Haben Sie schon was herausgefunden?"

„Nicht viel. Es ist schwer, an die Frau heranzukommen. Aber bestimmt können Sie mir helfen."

„Mit dem größten Vergnügen."

Es waren nur ein paar Minuten und Herr Kilian hatte erfahren, was wichtig war. Blitzschnell formte sich in seinem Kopf ein Plan, in dem er Frau Jaffel die Hauptrolle zudachte.

Sie war so begeistert davon, dass sie spontan zustimmte. Am liebsten hätte sie die Zeit bis zum Abend gestrichen, um sofort in ihre Rolle zu schlüpfen. Etwas flau im Magen war ihr schon, wenn sie an die Konfrontation mit diesem unberechenbaren Wesen dachte. Aber da es nur mit ihrer Hilfe möglich war, die Kümmel zur Strecke zu bringen, war sie verpflichtet, das zu tun.

Sie zog sich in ihre Wohnung zurück, bewaffnete sich mit allem, was sie zur Hexenabwehr fand und postierte sich am Fenster mit dem besten Überblick. Es waren zwar noch ein paar Stunden, bis Frau Kümmel nachhause kommen würde, aber sicher war sicher. Sie verbiss sich so in ihre Aufgabe, dass sie mit dem Fensterbrett verwachsen zu sein schien. Selbst die Ankunft ihres Mannes ignorierte sie, der vergeblich ein Gespräch mit ihr suchte. Ihre

Aufgabe war von so großer Bedeutung, dass sie sich in keiner Sekunde ablenken lassen durfte. Und sie hatte geschworen, nichts darüber verlauten zu lassen, da dies den Erfolg ihrer Mission gefährden könnte. Also war ihr Mann für sie Luft und er merkte dies sehr schnell. Er bereitete sich sein Abendessen allein. Eine Spinnerei mehr, fiel bei seiner Frau nicht auf.

Kommissar Fint hatte inzwischen Erkundigungen eingezogen und die Zeit ermittelt, in der er Frau Kümmel mit größter Wahrscheinlichkeit allein in der Firma antreffen würde. Die letzten Kollegen müssten das Haus verlassen haben. Die Zeit war heran. In den letzten 15 Minuten hatte niemand mehr den schmalen Zugang, der, wie man ihm versicherte, der Einzige war, passiert.

Er meldete sich beim Pförtner an und stieg erwartungsvoll die breiten Stufen hinauf, von denen er einen herrlichen Blick auf die Parkanlage hinter dem Gebäude hatte. Das gesamte Haus lebte von großen Fenstern, die viel Sonne hineinließen und für eine lockere Stimmung sorgten. Ganz anders als bei seinem ersten Besuch bei Frau Kümmel. Vielleicht ein gutes Zeichen, dass die Dunkelheit des alten Gemäuers durch die Helligkeit eines modernen Neubaus ersetzt worden war. Trotz allem suchte seine Hand wieder die Knoblauchzehen, die er immer noch in seiner Tasche trug.

Wo die Räumlichkeiten zu finden sind, hatte er sich genau beschreiben lassen, so dass er die lauter werdenden Geräusche zweifelsfrei den Aktivitäten Frau Kümmels zuschrieb.

In welcher Stimmung mochte sie heute sein, wo sie ihres Schutzschildes beraubt war, hinter dem sie sich verkriechen könnte. Vielleicht wäre das Gespräch schon damals anders verlaufen, wenn die kleine Antonia nicht anwesend gewesen wäre. Jedenfalls war er frei von bedrückenden Einflüssen. Er beglückwünschte sich noch einmal zu seinem Einfall, Frau Kümmel hier zu befragen. Doch je näher er dem Raum kam und je deutlicher er die Frau hörte, umso mehr krochen alte Beklemmungen auf ihn zu. War es dieser eine Blick, der ihn überrascht hatte? War es dieser eine Satz, der ihn bedroht hatte und bei gutem Willen, als Eingeständnis hexerischer Fähigkeiten gewertet werden könnte? Wie meinte sie es, ob sie ihn auch verhexen solle?

Gleich wird er es erfahren.

Kilian beabsichtigte, Kamerad Zufall ab sofort zu verbannen. Sein Plan lief an und er hasste es, wenn ihn irgendwelche Belanglosigkeiten die Arbeit zunichtemachten. Also beschloss er, Marita zu überwachen, sobald sie die Firma verlässt. Er war eine Stunde zu früh, um auf Nummer Sicher zugehen. Die Angestellten verließen das Gebäude. Er wusste, dass Marita jetzt mit den Reinigungsarbeiten begann. Eine halbe Stunde würde sie mindestens dazu brauchen, so dass er sich solange die Zeit im zugehörigen Park vertrieb. Seine Recherchen, bezüglich des Handelscenter Kersik, hatten ihm nicht viel gebracht. Er fand weder einen Hinweis auf eigene Logistik, noch auf Produkte, die über das Haus liefen, wie es von einem Handelscenter zu erwarten wäre. Es war für ihn unwahrscheinlich, dass er es mit einem Online-Handel zu tun hatte, der alles über Subunternehmer steuert. Irgendetwas ging hier vor und es passte in diese verworrene Geschichte, wie das Kind zur schwangeren Jungfrau. Je mehr Ungereimtheiten, je mehr Aufsehen, umso besser.

Ihn hatte das Jagdfieber gepackt. Er hielt soviel Stiere an den Hörnern, dass er sich aussuchen konnte, welchen er loslassen wird. Jeder für sich, versprach eine Wahnsinnsstory.

Der Park gefiel ihm. Es gab in diesen Zeiten wenig Firmen, die auf das Wohlbefinden ihrer Mitarbeiter achteten. Diese Anlage zu unterhalten, dürfte nicht billig sein. Wer konnte sich das schon leisten?

Und das bei so undurchsichtigen Geschäften, die gut laufen müssten. Er hatte recherchiert, dass das Handelscenter den Grund und Boden erworben hatte. Und es verwunderte ihn, dass man den größten Teil der Anlage auch der Öffentlichkeit zugänglich machte. Ein Punkt, den er genoss, machte ihm doch die idyllische Atmosphäre das Warten leichter. Dennoch war er nicht der Mensch, der sich in solchen Situationen dem Genuss hingab. Er hatte es gelernt, sich zu beherrschen, sein Handeln und seine Gefühle ausnahmslos in den Dienst seiner Ermittlungen zu stellen.

Sein Blick durchforschte alle Wege und Nischen nach dem Besonderen, nach einer Spur, die seine Geschichte noch aufregender gestalten könnte. Er hatte ein Umfeld zu erforschen, das an seiner Hexe haftete, gewissermaßen ein Teil von ihr war, sie vielleicht mit geprägt hatte. Da war jede Kleinigkeit von Bedeutung; Kräuter, die man Hexen zuschrieb, oder mystische Zeichen, die eingeritzt, oder nur auf den Weg gemalt waren oder was auch immer. Er war allerdings nicht der Mann, der sich selbst diese Zeichen schaffen würde, um sie in seine Geschichten einzubauen. Er war ein Künstler der Interpretation, was ihm erlaubte, mit der Realität auszukommen.

Ein wenig Enttäuschung stellte sich ein, als er vergeblich nach seinen Zeichen Ausschau gehalten hatte. Die halbe

Stunde war fast um, als er einen jungen, leicht ergrauten, jungen Mann bemerkte, der ihm seltsam erschien. Er schlenderte auf dem Weg vor dem Haus, in einem Bereich von maximal zehn Metern, hin und her, wobei sein Blick immer wieder, wie unter Zwang, zu den höher gelegenen Fenstern wanderte. Dann verharrte er und starrte minutenlang hinauf, wie ein Hund, der das Fresserchen in den Händen seines Herrchens erblickt hatte und nun den entscheidenden Augenblick herbeisehnte, wo der leckere Happen herunterfallen würde.

Kilian sah hinauf, doch er bemerkte nichts. Der junge Mann hatte inzwischen seine Patrouille fortgesetzt.

Kilian ergriff die Initiative und sprach ihn an.

„Na, Sie warten wohl auch auf jemanden?"

Der Mann wirkte irritiert. Fast schüchtern senkte er den Blick, um ihn dann wieder ungewollt dem begehrten Fenster zuzuwenden, als er antwortete.

„Nein, nein", begann er, um nach einer kleinen Pause fortzufahren. „Ich gehe hier nur etwas umher, da ich bis zu meinem nächsten Termin noch etwas Zeit habe."

„Mir machen Sie nichts vor, mein Freund. Ich weiß, wie es aussieht, wenn jemand verliebt ist."

„Ach ja, sieht man das?"

Marcus Wispa ließ es geschehen, als Kilian seinen Arm um seine Schulter legte und ihn kumpelhaft mit sich schob. Er war froh, endlich mit jemanden darüber zu reden, der ihn deswegen nicht volllabern wird, da er danach wieder aus seinem Leben verschwindet.

Endlich konnte er sich das ganze Leid der unerwiderten Liebe von der Seele reden. Doch die meiste Zeit verbrachte er mit der Beschreibung dieser göttlichen Person, die sein Leben total durcheinandergebracht hatte. Und plötzlich erstarrte er mitten im Satz. Seine Augen verkrallten sich in der Fassade des Hauses und seine Ohren ließen kein einziges Wort Kilians mehr in sich hinein. Dieser Moment gehörte nur ihnen beiden, die Welt bestand nur noch aus ihnen beiden.

Kilian starrte empor. Auch er konnte sich der Faszination dieses Bildes nicht entziehen. Diese Frau schien dort hineingewachsen zu sein, so perfekt passte sie in das Arrangement aus Stein, Pflanze und nicht greifbarer Natur. Die graue Maus erblühte hier zur schwarzen Rose, die selbstvergessen aus dem Fenster wucherte.

Zwei Männer mit offenen Mündern waren für eine kleine Ewigkeit gefesselt. Während dieser Zustand bei Kilian nur Sekunden dauerte, hielt er bei Marcus weiter an.

Kilian hatte sofort Marita Kümmel, seine Hexe, erkannt. Er schoss ein paar Fotos von ihr und Marcus, sah voller Genugtuung auf seine neue Bekanntschaft, die von all dem nichts mitbekam und verließ schmunzelnd den Park.

Graziös lehnte sie am Fenster, das sie mit beiden Händen zu stützen schien. Der Kopf war zurückgelehnt, ließ aber das Gesicht im Verborgenen und doch wusste Kommissar Fint sofort, dass es Frau Kümmel war. Er beobachtete sie eine Weile und war sich sicher, dass sie bis zum nächsten Morgen so dastehen könnte, ohne sich zu regen, wie ein Roboter, der sich von der wärmenden Sonne aufladen lässt.

„Guten Abend, Frau Kümmel."

Sie schoss herum, als hätte sie das Gebrüll einer wilden Bestie gehört. Sie war eingeschlossen. Die Bestie versperrte den einzigen Ausgang. Ein gehetzter Blick flog zum Fenster hinaus, um dann wieder zu ihrem Peiniger zurückzukehren. Dies wiederholte sie, als wäre sie aufgezogen und könne sich nicht entschließen, sich dem Gegner zu stellen, oder aus dem Fenster zu springen.

„Beruhigen Sie sich Frau Kümmel. Keiner wird Ihnen etwas tun. Ich habe nur noch ein paar Fragen."

Ihr Blick blieb jetzt bei ihm. In ihm war pure Angst. Wie war das zu werten? Schuldeingeständnis? Überlastung durch aufdringliche Nachbarn? Psychopatin? Oder ganz einfach ein Wesen der dunklen Seite?

Ja die Knoblauchzehen waren noch da.

Er nahm sie in die Hand und zog sie langsam heraus. Als er die Hand öffnete, ließ er Frau Kümmel nicht aus den Augen. Er wollte ihre Reaktion, mit allen Nuancen, sehen. Marita beobachtete, wie sich die Hand öffnete. Verwundert sah sie den Knoblauch an. Fragend sah sie dem Kommissar ins Gesicht. Was wollte er hier mit Küchengewürzen? Die Selbstsicherheit in ihr wagte sich ein Stück vor. Sie nahm ihm die Zehen aus der Hand, um sie zu betrachten. Keine Zelle in ihr stellte auch nur ansatzweise eine Verbindung zu dem Fall dar, den der Kommissar bearbeitete.

Diese Unbekümmertheit, mit der sie ihn entwaffnete, befreite auch ihn.

Fielen seine Beklemmungen von ihm ab, da sie den Beweis geliefert hatte, keine Hexe zu sein?

War er wirklich so naiv, sich von dem Aberglauben anstecken zu lassen, ohne dass es ihm bewusstgeworden war? Oder fiel nur die Unsicherheit von ihm ab, da er nicht wusste, wie man mit psychischen Problemfällen umzugehen hat? Er hätte keine Antwort parat.

Plötzlich kam sie ihm viel menschlicher vor.

Er schmunzelte. „Dies gab man mir zur Verteidigung mit, falls ich sie besuchen sollte."

Marita lächelte nicht zurück.

„Vielleicht freuen Sie sich zu früh? Die Hexen könnten sich im Laufe der Jahre angepasst haben."

Sie hatte den Blick wieder gesenkt und setzte sich. Ihre Finger spielten an den Knoblauchzehen. Stück für Stück entfernte sie, ganz langsam, die Haut, indem sie sie in ganz kleine Schnipsel zerriss und auf den Boden fallenließ.

„Ich glaube nicht an diese Spukgeschichten, Frau Kümmel. Ich will nicht mehr und nicht weniger, als diesen Fall zu lösen."

„Dann verstehe ich nicht, warum Sie hier sind. Warum gehen Sie nicht Ihren Fall lösen?"

„Sie gehören nun mal zu diesem Fall, da Sie beschuldigt wurden. Weil Sie bei meinem ersten Besuch nicht ansprechbar waren, versuchen wir es heute nochmal."

„Was versuchen Sie nochmal?" Ihre Gedanken bedrängten sie und kreisten in ihr.

Was will der Kommissar von ihr? Die Vernehmung von damals war ihr wieder gegenwärtig.

„Wir werden die Geschichte solange durchkauen, bis Sie uns die Wahrheit sagen. Erst behaupten Sie, den Kerl nicht gekannt zu haben und dann konnten Sie sich erinnern. Vielleicht erzählen Sie mir als Nächste, dass Sie was miteinander hatten? Prüde scheinen Sie ja nicht zu sein, wenn ich Sie mir so ansehe."

Sein kalter Blick glitt an ihr hinab, um sich aufzuwärmen.

Sie wollte nicht antworten. Der Typ wird ihr ohnehin die Worte im Mund verdrehen. Doch sie hatte keine Wahl. Sie musste antworten.

Sie begann zu schluchzen. Ihr Taschentuch war schon total durchnässt.

„Ich meine ... ich kannte ihn nur vom Sehen .... er war schon bei früheren Discobesuchen dort."

„Wer? Wer war dort Frau Kümmel?" Herr Fint verstand diese Frau nicht. Wollte sie ein Geständnis ablegen? Kannte sie den Mann, der überfahren wurde nun doch? Der Fall schien eine unerwartete Wendung zu nehmen.

„Was?" Marita sah auf, als käme sie aus einer anderen Welt.

„Sie sagten, Sie kannten den Mann von Diskobesuchen. Welchen Mann, Frau Kümmel?"

„Welchen Mann?"

„Ja, welchen Mann?"

„Ich weiß nicht, was Sie wollen? Ich gehe nie in Diskotheken."

„Sie haben doch aber gesagt ...."

„Gar nichts habe ich gesagt. Sie träumen, Herr Fint."

„Können Sie sich an den Tag erinnern, als der Mann vor ihrem Haus angefahren wurde?"

Die Knoblauchzehen waren nun total enthäutet. Sie legte sie auf den Tisch und drehte ihren Stuhl, so dass sie ihm den Rücken zeigte.

„Das ist schon so lange her, ich kann mir nicht alles merken, was auf der Straße passiert."

Kommissar Fint stand auf.

„Ich kann Sie auch vorladen lassen, Frau Kümmel. Ist Ihnen das lieber?"

Sie schnellte herum und brüllte ihn an, wobei sie erneut weinte.

„Was habe ich Euch allen denn getan? Könnt ihr mich nicht einfach in Ruhe lassen? Muss ich erst ein Verbrechen begehen, damit ich zu euch gehöre? Stört es Euch, dass ich noch nichts getan habe? Unterscheide ich mich zu sehr von Euch Menschen? Soll ich etwas tun, ja?

Soll ich auch so böse sein, wie ihr? Lasst ihr mich dann zufrieden?"

Was war das nun wieder? Was hat die Frau für ein Problem? Der Kommissar war abermals hilflos, wie ein kleines Kind. Nichts von seinem anfänglichen Optimismus war ihm geblieben. Dieses Gespräch hatte ihm lediglich Verwirrung gebracht. Die einzige neue Information war eine Discobekanntschaft ohne Discobesuch. Na toll.

Er ließ sie einfach sitzen. Kein Wort, kein Blick zurück, den Kopf voller Hummeln.

Auf dem Flur riss er ein Fenster auf und pumpte seine Lungen mit frischer Luft voll, die er dringend brauchte, obwohl auch in Maritas Zimmer das Fenster offen war. Doch dies war eine andere Luft: unschuldig, unbeschwert und durchschaubar.

Und als ob diese Luft den Unrat aus seinem Kopf gefegt hätte, fasste er den ersten vernünftigen Entschluss in diesem Fall. Eine Anfrage im Archiv, zur Person Marita Kümmel, war längst überfällig.

„Willst du dir 20 Euro verdienen?"

Der Junge blieb stehen. Für sein Alter waren 20 Euro eine Menge Geld. Nur die Hälfte davon bekam er als Taschengeld pro Monat. Seine Mutter meinte, dass man mit 11 Jahren damit auskommen könne.

Natürlich hatte sie keinen blassen Schimmer, was ein Junge in diesem Alter alles braucht.

Das Angebot dieses Mannes hörte sich gut an.

„Was muss ich dafür tun?"

Kilian erklärte es ihm kurz.

„Stell dir das mal vor", schloss er „ du darfst frech sein, bekommst eine kleine Ohrfeige und verdienst auch noch Geld dabei."

„Für die Ohrfeige verlange ich aber noch etwas Schmerzensgeld."

„Wie viel?"

„10 Euro."

„Also gut du Gauner. 20 Euro bekommst du gleich, die zehn danach. Und nun verschwinde."

Er gab ihm das Geld und der Junge sprang vor Freude davon.

„Falls du dich nicht an die Abmachung hältst, werde ich dich finden!", rief er ihm hinterher.

Er hatte etwas Lampenfieber. Frau Kümmel ließ sich immer noch nicht blicken. Sie hätte längst mit dem bisschen Reinigungskram fertig sein müssen. Hoffentlich hat der Bengel so viel Ausdauer. Sie kam fast eine halbe Stunde später, als erwartet und war komischerweise total verheult. Versteh einer die Weiber.

Aber es kam ihm gelegen. Vielleicht war sie dadurch zugänglicher.

Er folgte ihr unauffällig bis in ihre Straße. Von Weitem sah er mit Genugtuung, dass der Junge bereitstand. Er hatte die Aktion ein paar hundert Meter von ihrem Haus entfernt organisiert, um Zeit für ein Gespräch zu finden.

Marita lief mit hängendem Kopf die Straße entlang. Bald hatte sie es geschafft. Sie würde die Kettenbrücke zu ihrer Burg hochziehen und der Tag wäre überstanden, ein furchtbarer Tag.

„Das ist sie!", hörte sie ein Kind schreien. „Diese Frau hat meinen Vater umgebracht."

Heulend lief er auf sie zu. „Sie hat ihn verhext." Und wütend schlug er kraftlos auf sie ein.

In ihr krampfte sich alles zusammen.

„Warum hast du das getan?", jammerte er weiter.

Marita stand starr vor Schreck. Wer wird sie heute noch beschuldigen? Sie winkelte die Arme an und zog sie eng an ihren Körper, während sie mit den Handflächen das Gesicht bedeckte.

Plötzlich wurde das Kind beiseitegezogen.

„Was fällt dir ein? Lass die Frau in Ruhe, du frecher Bengel."

Eine Ohrfeige klatschte in sein Gesicht. „Verschwinde und lass dich ja nicht wieder sehen."

Kilian zerrte ihn am Arm weg und drückte ihm die restlichen zehn Euro in die Hand.

Der Junge rannte davon.

„Entschuldigung, kann ich Ihnen vielleicht helfen?"

„Nein. Ich danke Ihnen, aber Sie hätten den Jungen nicht gleich schlagen müssen."

„Ich kann es nun mal nicht sehen, wenn man auf Frauen einprügelt."

„Immerhin sagte er, dass sein Vater getötet wurde."

„Ach, ist da was dran?"

„Woher soll ich das wissen. Lassen Sie mich jetzt bitte in Ruhe."

„Ich bringe Sie schnell nachhause. Sie sind ja ganz aufgelöst."

„Danke, nicht nötig."

Antonia kam auf Marita zugelaufen und fiel ihr in die Arme.

„Was war das für ein Typ? Ich habe alles gesehen."

„Lass uns gehen. Es war nichts. Der Junge hat mich verwechselt."

„Ich habe mir das Gesicht gemerkt. Wenn du willst, finde ich ihn für dich."

„Lass es gut sein Antonia. Es ist erledigt." Und an Kilian gewandt fuhr sie fort:

„Sie sehen, ich brauche ihre Begleitung nicht mehr, vielen Dank."

„Vielleicht können wir uns später nochmal sehen."

„Sie sagte Nein, danke. Haben sie was mit den Ohren?", blaffte Antonia ihn an.

Marita lächelte Antonia zu. Ihr Schutzengel hatte die Flügel um sie geschlagen.

Ärgerlich lief Kilian voran. Er beeilte sich, um Frau Jaffel zu stoppen, ohne dass die beiden es bemerken.

Er sah sie schon am Fenster stehen, voller Tatendrang, zum Sprung bereit.

Sofort winkte er mit den Händen ab und schüttelte mit dem Kopf. Sie verstand nicht.

Er gab ihr ein Zeichen, das Fenster zu öffnen.

„Wir müssen die Sache leider abblasen. Wir reden später."

Ein Blick zurück zeigte ihm, dass sein Gespräch mit Frau Jaffel unbemerkt geblieben war. Frau Kümmel und Antonia waren mit sich selbst beschäftigt.

Er hasste diese Göre, die ihm alles vermasselt hatte. Sie schien ein unberechenbarer Faktor zu sein, der, wie eine Klette, an der Kümmel hing.

Es würde schwer sein, sie auszuschalten. Blieb wahrscheinlich nur die Schulzeit, um die Kümmel weichzuklopfen.

Kilian hatte keinerlei Gewissensbisse, dass er diese Frau mit derartigen Seelenqualen belastet hatte.

Als er sich auf den Heimweg begab, befiel ihn nicht das Bild, wie sie sich erstarrt den Schlägen des Kindes ergab, sondern das am Fenster ihrer Firma.

Noch in derselben Nacht überspielte er die Fotos auf den Computer, um sich am nächsten Morgen an die Bearbeitung zu machen.

Frau Jaffel's Anspannung fiel schlagartig von ihr ab. Aber zur Ruhe kam sie dennoch nicht. Was mochte passiert sein, dass dieser nette Polizist ihre Mission abbrechen musste und panisch davon rannte? Hatte dieses Biest ihre schwarze Macht an ihm ausprobiert? Gab es denn niemanden, der sie aufhalten kann? War sie ihr hilflos ausgeliefert?

Und plötzlich kam diese Frau, mit Antonia an der Hand, angeschlendert und hatte ein kleines Lächeln im Gesicht. Instinktiv wich sie vom Fenster zurück und hoffte, dass dieses seltsame Lächeln sich nicht in ihre Richtung schleicht. Sie hatte diese Frau noch nie lächeln sehen. Es sah an ihr richtig komisch aus, als wenn es sich herausquält. Und das Kind war ihr schon total verfallen. Vermutlich nicht mehr zu retten. Vielleicht hatte sie Antonia bereits ein paar ihrer Zaubertricks beigebracht. Besser, wenn sie sich auch vor dem Kind vorsieht.

Sie waren vorübergegangen, ohne ins Fenster zu schauen. Jetzt hörte sie die Schritte im Flur.

Unheimliche Geräusche. Sie wagte es nicht, durch den Spion zu sehen. Mitten im Raum blieb sie stehen, bis der letzte kleine Ton des Hexenauftritts verklungen war.

Dann setzte sie sich hin und spürte diese Leere im Kopf, die keinen Gedanken hineinlassen wollte.

In der darauffolgenden Nacht bestimmten, die Ereignisse um Marita, den Schlaf vieler Menschen.

Frau Jaffel fand gar keinen Schlaf. Die Angst hielt sie im Bann. Ihrem Mann hatte sie nichts erzählt. Er schlief wie ein Baby neben ihr. Er schnarchte lautstark, was sie heute aber nicht störte. Dieses Geräusch sagte ihr, dass sie nicht allein war. Ein kleiner Trost.

Auch Antonia schlief schlecht. Sie hatte noch lange bei Marita gesessen und alle Kleinigkeiten des Tages erfahren. Wut beherrschte sie und der Wunsch, ihrer Freundin zu helfen. Sie wusste, wie es um Marita stand, dass sie sich nicht wehren kann, dass sie auf ihre Hilfe angewiesen ist. Sie wird ihre Freundin nicht enttäuschen. Sie wird einen Schlachtplan entwerfen, der ihre Feinde stoppt. Erst dieser Entschluss brachte ihr den Schlaf.

Marita selbst, fand gar keinen Schlaf. Die ständigen Bedrohungen schnürten ihr die Kehle zu. Ihr Herz raste, als wolle es aus ihrem Körper springen und der Magen rebellierte gegen die ununterbrochenen Störungen, mit Krämpfen und Sodbrennen. Kalter Schweiß drängte nach außen, so dass sie das Bett verließ, um das Fenster aufzureißen. Die Gefahr hatte sich in die vielen Häuser der Stadt verzogen, aber sie wird morgen wieder, mit ihr aufstehen. Sie trank ein Gläschen Kräuterlikör, um wenigstens den Magen zu beruhigen. Der ganze Körper probte den Aufstand und sie hätte nicht beschwören wollen, dass sie den kommenden Morgen erlebt. Der Gedanke an Antonia, ihre kleine Insel zum Überleben, sorgte für etwas Linderung.

Sie würde ein paar Tage Urlaub nehmen, um die nächste Zeit zu überstehen.

Auch ihre Kollegen dachten an Marita. Die Nachfragen eines Kriminalbeamten waren wie ein Lauffeuer durch die Etagen geschossen. Vermutungen und Gerüchte kämpften sich ihren Weg frei.

Doch niemand hatte es gewagt, Marita darauf anzusprechen. Jede Information war unter dem Mantel äußerster Vertraulichkeit weitergegeben worden, bis auch der Letzte im Bilde war.

Yvonne dachte nur kurz darüber nach. Sie wurde eher von der Neugierde beherrscht, was an den Gerüchten dran sein möge. Sie erregte der Gedanke, neben einer psychopathischen Mörderin zu arbeiten. Ein Gefühl als hielte sie einen packenden Krimi in der Hand. Im Grunde bestand für sie dieser Fakt nur in der Theorie.

Für Harry Keller bedeutete er etwas mehr. Es war eine Art Flucht aus dem gehassten Alltag. Er war dankbar für dieses Geschenk des Schicksals, unmittelbar dabei sein zu dürfen. In allen Farben malte er sich die Geschichte aus, wobei seine Rolle dabei von größter Bedeutung war. Irgendwie wird es ihm schon gelingen, Marita die entscheidenden Hinweise zu entlocken, die sie letztlich überführen werden. Für ihn gab es nicht den geringsten Zweifel, dass Marita, die jenseits jeder Norm dahinvegetierte, die besten Veranlagungen hatte, abartige Handlungen zu vollbringen.

Die großartigen Möglichkeiten, die sich vor ihm auftaten, hatten soviel Lebensfreude in ihm wachgerufen, dass er gut gelaunt und umgänglich in die Familie hineinplatzte und sofort mit dankbarer Gegenliebe belohnt wurde. Sogar seine Frau hatte wieder mit ihm geschlafen. Was er früher als ekliges, wabbeliges Fett empfunden hatte, war für ihn heute eine angenehm weiche, anschmiegsame Frau, in der er sich genüsslich vergraben konnte.

Ihr Kopf lag noch auf seinen Schultern und entließ einen verführerischen Duft in seine Nase und ihre Hand lag sanft auf seinem Bauch, während sie schon schlief. Zufrieden schloss er seine Überlegungen ab und schlief ebenfalls ein.

Frau Griesbach machte sich, wie so oft, Sorgen. Sie hatte Marita, trotz ihrer Unzugänglichkeit, lieb gewonnen. Sie fürchtete sich davor, dass an den Gerüchten etwas dran sein könnte. Wenn so etwas möglich war, dann konnte es nur eine Verzweiflungstat gewesen sein, bei der die Schuld, mit Sicherheit, mehr bei den anderen, als bei Marita zu suchen wäre. Sie hatte erfahren, wie es ist, wenn einem die Probleme über den Kopf wachsen, wenn der Wunsch nach dem Tod eines anderen Menschen als freudige Vorstellung Befriedigung auslöst. Sie hatte eine Ahnung, dass die Not so groß werden könnte, dass diese freudige Vorstellung Gestalt annimmt und man die Kontrolle über sich verliert.

Nur so wäre es bei Marita denkbar und wenn auch verständlich, so doch nicht entschuldbar.

Sie ertrug schon ein Leben lang ihren Mann, der wieder mal betrunken neben ihr schlief und den sie angewidert betrachtete. Sie betete für Maria, dass sie stark genug ist, ihr Schicksal zu ertragen, und schlief endlich ein.

Kilian hatte eine arbeitsreiche Nacht. Glücklich schaute er sich die brillanten Bilder an, die eine Sensation versprachen. Gierig sog er jedes Detail in sich hinein, um das Erlebnis im Park zu reaktivieren. Der leicht zurückgebeugte Körper der schwarzen Schönheit drückte die Konturen ihrer prallen Brüste in den legeren Pullover, der eigentlich alles verbergen sollte, so dass Kilian spürte, wie sein Puls auf Trab kam. Sie hatte das gewisse Etwas und er konnte den jungen Mann verstehen, der Stunden vor diesem Fenster zu verbringen schien, nur um sie zu sehen, ohne Hoffnung, je ans Ziel zu kommen.

Stolz betrachtete er die restlichen Fotos, die auch ohne Text, eine Geschichte voller Feuer, Spannung und Gefühl lieferten, so dass er sich euphorisch aufs Bett warf und mit angenehmen Träumen einschlief.

Kommissar Fint erging es ganz anders. Er hatte den Ehrgeiz, die Wahrheit herauszufinden und war noch nie so verwirrt, wie bei diesem Fall. Die vielen unbeantworteten Fragen, die konsequente Unlogik bei allem was Frau Kümmel betraf, waren eine echte Herausforderung. Noch nie hatte er sich in einem Fall so intensiv mit der Gefühlswelt eines Menschen auseinandersetzen müssen, wie hier.

Die Anforderung an das Archiv hatte er herausgegeben, mit der eindringlichen Forderung, das Material im Laufe des Vormittags auf dem Tisch zu haben. Obwohl er, logisch betrachtet, weiterhin an der Unfalltheorie festhielt, suchte er Sicherheit. Er wusste aus Erfahrung, dass jede Logik verschiedene Varianten kennt, dass sie mit Veränderung des Standpunktes, des Sichtwinkels, schnell zur Unlogik mutieren kann. Die Logik ist personifiziert und wird entweder von sachlicher Überlegung, oder von Gefühlen bestimmt. Insofern hatte er die Logik der Marita Kümmel zu suchen, die mit Sicherheit nie seine sein würde. Aber sie wäre der Schlüssel zur Lösung des Falles, sollte es einen solchen geben. Um hier voranzukommen, war zwingend erforderlich, zunächst den Menschen Marita Kümmel kennenlernen, wobei sie ihn niemals dabei unterstützen wird. Viel Arbeit lag vor ihm. Er war sich dessen bewusst, dass er sich hierbei keine goldene Nase verdienen kann. Aber er hatte das Gefühl, dass er gebraucht wird, dass er eigentlich einen anderen Fall zu lösen hat, der in keine Akte gehört.

Ein unruhiger Schlaf war ihm beschert, diktiert von der Angst, etwas zu übersehen, etwas falsch zu deuten.

Marcus Wispa's Nacht hingegen unterschied sich kaum von den anderen. Er war ohnehin um den Schlaf gebracht, seit er Marita kannte. Er spürte die Auswirkungen bei der

täglichen Arbeit besonders deutlich. Unausgeschlafen, unkonzentriert, quälte er sich durch den Verkehr und geriet immer öfter in gefährliche Situationen, die er zwar nicht verursachte, aber auch nicht, wie sonst, vorhersah.
Schreckreaktionen waren die Folge, so dass er manchmal in letzter Sekunde Schlimmeres verhinderte. Er wusste, dass es so nicht weitergehen kann. Doch die Angst, abgewiesen zu werden, lähmte ihn. Seit er jedoch von den Gerüchten um Marita gehört hatte, schöpfte er neue Hoffnung. Vielleicht gelingt es ihm, ihr zu helfen. Einen besseren Einstieg in eine Beziehung, kann man sich nicht wünschen. Und so verbrachte er genau wie Antonia, die halbe Nacht damit, darüber nachzusinnen, wie er Marita helfen könne. Doch er fand keine zufriedenstellende Lösung und schlief übermüdet ein, ohne das Licht zu löschen.

Frau Griesbach beunruhigte es, dass Marita angerufen hatte, um die letzten drei Tage der Woche Urlaub zu nehmen. Sie wusste, dass sich das arme Mädchen in ihrer Wohnung verkriechen würde, um niemanden zu sehen oder zu sprechen. Sie wusste ebenso, dass es ihr nicht helfen würde.
Sie selbst hatte sich oft genug nach einer Freundin gesehnt, mit der sie über alles reden kann.
Sie hatte nie eine gefunden, die sie verstand. Wer ihre Probleme nicht hatte, konnte deren Gewicht nicht einschätzen und pustete sie mit Leichtigkeit beiseite, ohne zu sehen, dass sie zentnerschwer stehengeblieben waren.
Sie hatte es schließlich aufgegeben und sich ihrer Rolle unterworfen. Das Zentnergewicht wurde zwar nicht leichter, aber sie wurde stärker - dachte sie zumindest. Nur die Zeiten der Ruhe belehrten sie eines Besseren, wenn

sie die Zeit fand, nachzudenken. Dann war es wieder da, das volle Gewicht und drohte sie zu zerquetschen. Es erleichterte sie, wenn sie sich dem Tränenfluss hingab, ohne darüber Rechenschaft ablegen zu müssen. Und diese Tränen spülten einen Teil der Last hinweg, indem sie das Recht bekam, traurig zu sein.

Doch die Last wuchs an und sie war erneut in diesem Kreislauf gefangen.

Marita hätte eine gute Freundin sein können, wenn diese nicht in ihrem eigenen Gefängnis festsitzen würde. Warum waren sie beide so dumm und ergaben sich dieser Gefangenschaft?

Wenn sie sich wenigstens soweit öffneten und die Türen zwischen sich passierbar machten, wäre ihr Gefängnis schon doppelt so groß, mit mehr Freiräumen, mit mehr Kraft. Aber sie selbst hatte das seit Jahrzehnten nicht geschafft, was verlangte sie da von Marita. Es war an ihr, den ersten Schritt zu tun.

Sie wird sie heute besuchen.

Harry Keller war enttäuscht. Maritas Urlaub schmiss all seine Pläne über den Haufen. In fünf Tagen, wenn sie wieder hier wäre, könnte alles erledigt sein, der Fall geklärt, ohne sein Zutun.

Er zermarterte sich den Kopf, welche Möglichkeiten er hat. Und tatsächlich hatte er die rettende Idee. Ein kurzes Gespräch beim Chef hatte genügt. Sichtlich erleichtert kamen sie wieder heraus und stellten ihr Vorhaben den Kollegen vor.

„Wie sie alle bemerkt haben werden", eröffnete der Chef „hat unsere Kollegin, Frau Kümmel, ein paar private Schwierigkeiten. Herr Keller wies mich darauf hin, dass sie die drei Tage Urlaub eher aus gesundheitlichen Gründen, die keine Krankschreibung rechtfertigen würden, eingereicht hat.

Um ihr zu zeigen, dass wir zu ihr stehen und sie mit unserer Unterstützung rechnen kann, wird Herr Keller einen kleinen Krankenbesuch bei ihr abstatten. Ich bitte sie alle, die Karte zu unterschreiben, die wir vorbereitet haben und Sie Herr Keller, machen sich auf den Weg, um sie zu überreichen. Danke."

Frau Griesbach war nicht ganz wohl bei der Vorstellung, da sie Maritas Abneigung gegen Keller kannte. Obwohl sie sonst eher eine stille Kollegin war, meldete sie sich zu Wort.

„Entschuldigen Sie, Chef. Meinen Sie nicht, dass lieber eine von uns Frauen die Wünsche überbringen sollte? Sie wissen, wie sensibel Marita ist."

Keller sah alle Felle davonschwimmen und versuchte sich mit einem Scherz zu retten.

„Nicht, dass Sie auf diese Art um ein paar Freistunden kämpfen, Frau Griesbach?"

Beschämt blickte sie zu Boden und hätte Harry zermalmen können.

„Lassen Sie mal gut sein. Ich denke es ist wichtig, zu demonstrieren, dass auch die Leitung hinter ihr steht." Damit beendete der Chef die Diskussion und gab Keller einen Wink, weiterzumachen.

Antonia war trotz der kurzen Nacht früh auf den Beinen. Sie steckt~~ ~~ller Tatendrang. Ihre Mutter wälzte sich noch im Bett, ~~als sie~~ ~~ ~~ Frühstück fertig hatte.

„Was ist mit dir los?", fragte s~~ie,~~ ~~ ~~ ~~si~~ch gähnend zu ihr setzte. „Bist du krank?"

„Nein", antwortete Antonia gut gelaunt „mir ist heute danach."

Sie hatten schon lange nicht mehr so gemütlich zusammengesessen.

„Kann dir nicht öfter danach sein?"

„Glaube nicht, sonst ist ja immer einer von deinen Heinis hier."

„Das sind keine Heinis. Es sind nur Klaus oder Jürgen."

„Kannst du dich nicht entscheiden?"

„Nein, wen würdest du nehmen?"

„Keinen."

„Übrigens habe ich gehört, dass du öfter mit dieser Psychopatin rumhängst."

„Wenn das Frau Ebel hört, dass du sie eine Psychopatin nennst, wird sie aber sauer sein."

„Du weißt genau, dass ich nicht deine Lehrerin meine." Sie wurde schroff im Ton.

„So? Wen denn dann?"

„Ich meine diesen schwarzen Feger, Frau Kümmel."

„Sie ist weder ein schwarzer Feger noch eine Psychopatin. Sie ist sehr nett."

„Ich möchte nicht, dass du mit ihr zusammen bist."

„Du bist ja kaum da. Soll ich ein Straßenkind werden?"

„Werd' mal nicht frech. Du bekommst doch alles von mir."

„Ja, wenn es keine Zeit kostet."

Sie stand auf und räumte ihren Teil ab.

„Du weißt, dass ich viel arbeiten muss. Das wirst du mir doch nicht vorwerfen?"

„Für deine Hasi's nimmst du dir mehr Zeit."

„Gönnst du mir nicht mal das bisschen Privatleben? Du bist doch kein Baby mehr. Wo willst du eigentlich hin? Du nimmst mir die ganze Ruhe. Setz dich hin. Du musst noch nicht zur Schule."

„Tschuldige, hab was vor."

Ihre Mutter verdrehte die Augen und ließ sie ziehen.

Antonia hopste die Treppen hinunter und summte ein Lied vor sich hin, bis sie vor der Kellertür stand. Das Lied verstummte. Schon durch die Ritzen der Tür schlug ihr die Kälte entgegen. Wie immer zögerte sie, bevor sie den eisigen, eisernen Türdrücker anfasste. Er war schon blankgewetzt, durch das häufige Anfassen und hatte eine interessante Form. Kleine Verschnörkelungen liefen am oberen und unteren Rand entlang, bis zu einem Knauf, der das Aussehen eines lockigen Männerkopfes hatte. Er hatte den Mund aufgerissen, als wolle er schreien. Ihr kam er vor, wie der Teufel, der sie verschlingen will und hier das Tor zu Hölle bewacht. Doch heute steckte sie ihm die Zunge aus und flitzte an ihm vorbei. Die muffige Luft schlug ihr entgegen und dämpfte ihren Elan. Die leisen, geschäftigen Geräusche waren wieder da und verstummten nach kurzer Zeit. Mindestens hundert Augen würden sie vermutlich aus einem Versteck beobachten und auf ihre Chance warten. Ihr kam eine Idee. Wenn ihre Mutter Recht hätte, ließe sich daraus etwas machen. Doch das später. Heute brauchte sie nur ein paar Schritte in den Keller zu gehen. Sie ergriff das erst beste Spinnengewebe, das sie erreichte und verschwand wieder. Es war staubig und fast dick, wie ein Teppich. Bevor sie das Haus verließ, hängte sie ihre Beute über den Türdrücker von Frau Jaffel, die besonders schlimm über Frau Kümmel herzog, wie ihrer Mutter berichtet hatte. Beflügelt durch diese gute Tat, nahm sie ihr Lied wieder auf, schaute kurz in Maritas Fenster und hopste von dannen.

Erst zwei Straßen weiter verfiel sie in einen normalen Schritt, da sie sich von einem Schaufenster angezogen fühlte. Der Laden hatte leider noch nicht auf, doch sie sah, dass die Mausefallen nicht sehr teuer waren.

Es gab tatsächlich eine Akte über Marita Kümmel. Sie lag schon auf dem Tisch, als er kam. Besonders dick war sie nicht. Folglich war sie in kein schweres Verbrechen verwickelt. Gierig stürzte sich der Kommissar auf die Unterlagen und blätterte sie flüchtig durch. Es gab einen Vermerk auf einen anderen Fall. Bevor er weiterblätterte, forderte er sich, mit einem kurzen Telefonat, auch diesen an. Bald hatte er herausgefunden, dass es gegen Frau Kümmel keine Anklage gab. Es existierten Hinweise, dass sie vor 19 Jahren ein Verbrechen vorgetäuscht haben könnte. Sie wurde jedoch nie verurteilt. Was für einen Sinn hatte dann diese Akte? Welcher Idiot hatte die anlegen lassen? Ein Blick auf die Liste der zuständigen Anwälte reichte ihm. Ein kleiner, verknöcherter Dogmatiker, den er schon einige Male erlebt hatte, schien hier tonangebend zu sein. Er hatte sich damals schon gefragt, wie man so einen Menschen als Staatsanwalt zulassen konnte. Hatte er sich erst mal ein Bild gemacht, presste er alles dort hinein, bis nichts mehr über den Rahmen hinausragte. Herr Fint konnte sich ausmalen, durch welche Mühle Frau Kümmel gegangen war. Besonders, als er die Zeitungsfotos der äußerst attraktiven Frau Kümmel und die Anklage wegen Vergewaltigung zusammenführte.

Er verbrachte den ganzen Vormittag damit, die Akte zu studieren. Deutlich war der Vorwurf herauszulesen, die Vergewaltigung durch Verhalten und aufreizende Kleidung provoziert zu haben.

Zugegeben, sie sah schon verführerisch aus, mit ihrem Minirock und dem engen Oberteil, aber gegen die heutige Mode war das lächerlich. Zum anderen verstand er nicht, wie allein die Kleidung eines Menschen ein solches Verbrechen rechtfertigen sollte. Wenn er es schon nicht verstand, wie musste es da Frau Kümmel gehen?

Die Vernehmungsprotokolle sprachen Bände. Man hielt es nicht einmal für nötig, die Vernehmung durch eine Frau durchführen zu lassen.

Doch erst als er die zweite Akte auf dem Tisch hatte und sah, dass der Täter zu einer lächerlichen Freiheitsstrafe verurteilt worden war, die auch noch zur Bewährung ausgesetzt wurde, war ihm alles klar.

Die Frau hatte einen dauerhaften psychischen Knacks weg. Selbst 19 Jahre später brachte sie noch Vergangenheit und Gegenwart durcheinander, vermischt sie. Sie lebte gleichzeitig in zwei Welten, die über sie verfügten, wie sie wollten. Obwohl ihm ihr Satz über die Disco nun keine Rätsel mehr aufgab, bewegte er ihn mehr als zuvor. War seine Vernehmung genauso grausam und unsensibel, wie die aus jener Zeit? Hatte er sie dadurch in die Vergangenheit getrieben? War es allein der Fakt, beschuldigt zu werden, für die Tat eines anderen?

Doch zurück zu diesem Fall. Könnte es nicht ebenso möglich sein, dass sie durch den psychischen Schaden einen derartigen Männerhass entwickelt hat, dass sie einen Mord als gerechtfertigt ansieht?

Er beneidete sich nicht um diese Ermittlungen. Er musste es zu Ende bringen, ohne neue Töpfe zu zerschlagen.

Die Wechselsprechanlage könnte Erleichterung bringen. Die Verbindung zu seinem Kollegen stand.

„Sag mal Kalle, habt ihr schon was Neues über die Fahrerflucht in der Ahornstraße?"

„Nein, aber wir sind noch dran."

Er stützte seinen schweren Kopf in beide Hände und starrte auf das Polizeifoto, das am Tag der Vergewaltigung aufgenommen wurde. Ein Häufchen Unglück, mit zerrissener Kleidung, schmutzig und von Verletzungen gezeichnet, zum Blick in die Kamera gezwungen. Ein tiefes Mitgefühl überkam ihn. Und doch durfte er sie nicht links liegenlassen. Sie war nun mal Bestandteil der Ermittlungen.

„Tut mir leid Mädchen. Ich werd' es möglichst schmerzlos für dich gestalten. Aber ein bisschen musst du mir auch helfen."

Er legte das Foto wieder weg und schloss die Akte.

Mit einem Blumenstrauß und Pralinen bewaffnet, zwängte sich Harry Keller in sein Auto. Die Ahornstraße hatte genügend freie Parkplätze, so dass er fast vor dem Haus einen Platz fand. Sein Herz klopfte vor Aufregung etwas schneller, als er die schwere Haustür öffnete. Kaum klaffte sie einen Spalt auf, als ihm ein gellender Schrei aus dem Haus entgegenschallte. Sein Körper zuckte zurück und ließ instinktiv die Türklinke los. Noch mehr erregt, lauschte er in den Hausflur hinein. Die Gerüchte kreisten um ihn herum und stießen ihre Warnungen aus. Soweit trieb ihn sein Ehrgeiz nun auch nicht, dass er sich einer Gefahr aussetzen wollte. Niemals hätte er Frau Kümmel als gefährlich eingestuft. Die Zeit, als er sich noch vor Hexen fürchtete, lag in einer Vergangenheit, an die er sich kaum erinnerte. Aber da war dieser Schrei, dem eine eisige, modrige Luft durch den Türspalt folgte.

Erst das lautstarke Schimpfen einer Frau, die nicht Frau Kümmel war, schenkte ihm den Mut, erneut den Knauf der Tür zu erfassen, um hineinzugehen.

Spinnweben flogen durch die Luft, die eine alte Frau mit angewidertem Blick von ihren Händen abschüttelte. Dies gelang ihr nur nach und nach, da sie sich offensichtlich scheute, die Dinger auch noch mit der zweiten Hand anzufassen.

„Verflucht sei die alte Hexe", todderte sie rum und bemerkte Harry erst, als er sie fast berührte. Sie erschrak erneut.

„Zum Teufel nochmal. Müssen Sie sich so anschleichen?"

„Verzeihung", sagte er halb amüsiert. „Ich möchte nur einen Krankenbesuch bei Frau Kümmel machen. Wissen Sie, in welcher Etage sie wohnt? Ich vergaß, draußen nachzusehen."

„Die ist nicht krank. Aber Sie werden es vermutlich sein, wenn Sie wieder rauskommen. Falls Sie rauskommen. Ihre verehrte Frau Kümmel hat schon das halbe Haus verhext. Bei mir hat sie heute Nacht sogar Hexenhaar an der Tür verloren, vermutlich, als sie durch mein Schlüsselloch reinzukommen versuchte. Aber ich habe mich abgesichert!"

Knoblauch und andere Kräuter hingen an der Tür, gepaart mit einem Kreuz und anderen Symbolen, die sie ihm stolz zeigte.

Endlich hatte sie das letzte Stück Spinngewebe abgeschüttelt und schlug mit der Hand ein Kreuz darüber, um gleich danach mit schnellen Schritten in die Küche zu flitzen, wo sie sich die Hände unter reichlich Wasser und Seife zu schrubben begann. Währenddessen sprach sie weiter mit dem Herrn, der unvorbereitet in sein verderbliches Schicksal schlittern wollte.

„Ganz gleich, wie gut Sie das schwarze Hexenluder zu kennen glauben. Nehmen Sie sich in acht. Es würde mich nicht wundern, wenn Sie der nächste Tote sind."

Sie kam zur Tür zurück, während sie sich die Hände abtrocknete, und sah ihn durchdringlich an, wobei sie bedeutungsschwer mit dem Kopf nickte.

„Frau Kümmel ist meine Kollegin, nicht was Sie vielleicht denken."

„Keine Angst, so was denke ich nicht. Es gibt keinen normalen Mann, der sich mit ihr einlassen würde. Sie hat den bösen Blick und frisst eher Männer, als dass sie sie liebt."

Dabei wanderte ihr Blick zur Tür, wo sich ihre Erzfeindin aufhielt, so dass Harry sofort im Bilde war, wohin er sich zu wenden hat.

„Das sind doch alles Übertreibungen der Klatschpresse. Ich arbeite schon lange mit ihr zusammen und lebe noch."

„Bisher sind Sie auch noch nicht in ihren Bannkreis geraten. Schließen Sie diese Tür hinter sich und ich würde auf Sie keine müde Mark mehr setzen. Der junge Mann kann uns leider nichts mehr erzählen, den sie vor Kurzem über die Klinge springen ließ."

Immer noch wies ihr ausgestreckter Arm drohend auf Frau Kümmels Tür, so dass Harry der Mut etwas verließ. Kraftlos sank sein Arm nach unten, als könne er den schweren Blumenstrauß nicht mehr halten.

Schritte polterten von oben herunter. Frau Fritsche bog um die Ecke.

„Na Teuerste. Geht es wieder um unsere Freundin?"

„Stellen Sie sich vor, der junge Mann möchte doch tatsächlich einen Krankenbesuch bei ihr absolvieren. Dabei hat sie heute Nacht versucht, sich bei mir einzuschleichen. Sehen sie, sie hat sogar ihr Haar an meiner Tür eingebüßt, als sie sich durchs Schlüsselloch zwängen wollte."

Frau Fritsche fuhr sich ängstlich mit der Hand an den Mund und starrte auf die Spinnweben vor ihr.

„Das sind doch nur Spinnweben", warf Harry ein, dem das etwas zu albern wurde.

„Sie sind ein so unerfahrener guter Junge", belehrte ihn Frau Jaffel „dass sie blind in ihr Unheil rennen. Nachts haben Hexen Spinnweben im Haar. Dort wo die herumstreunen gibt es genug davon. Glauben sie mir das."

„Nehmen Sie es nicht auf die leichte Schulter", bekräftigte Frau Fritsche „bisher wissen wir alle nicht, in welcher Gefahr wir schweben, aber dass etwas vorgeht, ist sicher."

„Ich kann aber nicht mehr zurück", entschuldigte er sich. „Was sollen meine Kollegen sagen?"

Schon lange hatte es im Haus nicht so viel Lärm gegeben. Jedes Wort hallte wider, wurde gebrochen, zurückgeworfen, wieder gebrochen und abermals in eine andere Richtung geworfen, bis der gesamte Flur davon erfüllt war. Es war heute kein Flüstern, wie sonst. Es waren laute Worte, die sich mit fremden mischten und dadurch kräftiger zu werden drohten, als es für Marita gut war.

Die schlaflose Nacht hatte sie hinter sich und verzweifelt hatte sie durchs Fenster in die äußere Welt gesehen. Sie hatte keine Vorstellung, wie es weiter gehen soll. Ein Mädchenkopf sollte alles ändern.

Antonia sah, wie immer, durch ihr Fenster, ohne sie zu sehen, und winkte ihr zu. Sie lächelte, als ihr bewusst wurde, dass sie jeden Tag auf diesen kurzen Moment wartet. Trotzdem gab sie sich nicht zu erkennen, wollte diese Grenze zur anderen Welt nicht übertreten. Das

Fenster musste geschlossen bleiben, besonders jetzt. Ein Gespräch mit Antonia hätte an dieser Grenze gerüttelt.

Der Mut kehrte zurück. Sie dachte an Antonias Besuch, als es ihr so schlecht ging.

‚Warum schmeißt du Deine Geister nicht raus?‘, hatte sie gefragt.

Heute würde sie gern ihre Geister hinausschmeißen, seit sie die Stimmen auf dem Flur verfolgten.

‚Das ist meine Mutti‘. Marita erstrahlte bei dem Gedanken und freute sich über das dumme Gesicht des Kommissars, als Antonia das gesagt hatte, obwohl jeder weiß, dass das nicht stimmt.

Sie eine Mutter. Mit Sicherheit wäre sie eine bessere Mutter, als ihre eigene es war. Dazu gehört nicht viel. Auch Antonia hatte sich von ihrer Mutter abgewandt, aber wen hatte sie dagegen eintauschen wollen? Eine Frau die sich nicht auf die Straße traut, bei jedem Knall davonläuft, um sich zu verstecken. Wie lange würde sich Antonia noch wünschen, dass sie ihre Mutter sei?

Ihr kleiner Versuch in der Firma, Stärke zu zeigen, war beim kleinsten Widerstand gescheitert.

Antonia soll stolz auf sie sein. Hier bot sich eine Gelegenheit.

Jedes Wort auf dem Flur hatte sie mitverfolgt. Jede Gefühlsregung spürte sie deutlich.

Ihr großer Widersacher, der fiese Harry Keller wurde von den beiden alten Schachteln so bearbeitet, dass er vor Angst fast zu klappern begann, obwohl er sich redlich mühte, das hinter klugen Sprüchen zu verstecken. Sie kannte ihn besser. Eine gute Gelegenheit, ihm eine Lehre zu erteilen. Soll er bekommen, was er befürchtet. Vielleicht sollten alle bekommen, was sie befürchten.

Sie hatte nichts zu verlieren. Sie war schon verurteilt.

Und mit diesem Wissen, dass die Ängste der anderen den Ihren nicht nachstehen, ja vielleicht sogar größer waren, wuchsen ihre Kraft, ihr Hass und ihr Optimismus.

‚Danke Antonia‘ , flüsterte sie. Ich werde dir eine gute Mutter sein. Du sollst stolz sein, wenn du an mich denkst.‘

Sie konnte es kaum erwarten, dass Harry Keller den Schritt in ihre Wohnung wagen würde.

Nur ein kleiner Anflug von Angst drängte sich hinein, um ihre Pläne umzukippen, doch mit einem breiten Grinsen zermalmte sie sie in der Luft. Gutgelaunt flog sie förmlich ins Bad, um sich auf ihren Auftritt vorzubereiten.

Frank Kilian hatte den geschniegelten Ankömmling mit seinem Strauß Blumen zwar registriert, aber erst in dem Moment dem Haus zugeordnet, als er versuchte, dort hineinzugelangen. Ein gutes Foto, wie er mit dumm dreinblickenden, halb ängstlichen Augen, verharrte. Sollte er, oh holdes Glück, vielleicht gütigerweise, zur schwarzen Schönheit gehören. Ein zweiter Liebhaber stünde seiner Geschichte gut zu Gesicht.

Das männerverschlingende Weib mit ihrem tödlichen Bannstrahl. Zu schade, dass ein Foto im Flur nicht möglich war. Frau Jaffel hätte es verstanden, aber wer weiß, wozu er den albernen Gockel noch brauchen wird. Die Worte fanden mühelos durch den Spalt der Tür zu ihm. Schade, nur ein Kollege zum Krankenbesuch, aber immerhin Action bei Frau Kümmel. Er hatte weitere Pläne mit ihr und durfte sich, auch ihr gegenüber, nicht zu weit vorwagen. Also tat er, was er meistens tat - warten.

Frau Fritsche war gegangen und Frau Jaffel hatte sich zurückgezogen, um heimlich zu beobachten.

Harry hatte mit einem starken Unbehagen die Knoblauchzehen eingesteckt und auch ein Kreuz hatte er sich umhängen lassen, das sie jedoch zurückhaben wollte. Er schalt sich einen Narren und spürte gleichzeitig das Unheimliche an diesem Haus. Ein Zischeln schwirrte um seine Ohren, ein Geräusch, das nicht zuzuordnen war und aus den Ritzen von Frau Kümmels Tür zu drängen schien. Es wurde deutlicher und nagte an seinem Verstand. Endlich erkannte er, dass es nur ein letzter Zuruf von Frau Jaffel war, die ihm Mut machen wollte und ihren Ruf ständig wiederholte. Mit dem tiefen Atemschwall der seinen Lungen entwich, wünschte er sich die Unbeschwertheit zurück, die er noch vor dem Betreten des Hauses sein Eigen nannte.

Er winkte Frau Jaffel, zu gehen, und war froh, als sich ihre Tür geschlossen hatte. Mit ihr verschwand die Erinnerung an düstere Prophezeiungen und an ein riesiges Waffenarsenal gegen Hexen. Das Bild der verängstigten Frau Kümmel nahm seinen Platz wieder ein, die er spielerisch nach seinen Vorstellungen dirigieren könnte, der er das entlocken wird, was ihn ein paar Stufen auf seiner Karriereleiter emporheben würde. Gleich wird ihm das schüchterne Gesicht seiner Kollegin entgegenleuchten, dass sich sofort in Demut senken wird. Dann klopfte er.

Die Tür wurde aufgerissen, was ihn schon überraschte und automatisch wich er einen Schritt zurück.

Sie stand vor ihm, in einem schwarzen Bademantel aus Seide, ohne große Schnörkeleien. Er gab nur einen oberen Knopf, der geschlossen war. Aber der Gürtel, der straff um ihre Taille lag, um ein Aufspringen zu verhindern, brachte soviel Spannung, dass sich sein Oberteil an ihre Brust schmiegte und ihre Formen nicht nur ahnen ließ. Die

Brustwarzen hoben sich nur leicht ab und verrieten keinerlei Erregung. Auf dem Weg nach unten empfingen ihn eine atemberaubende Taille und schlanke, wohl geformte Waden, die in zierlichen Füßen ausliefen. Ein aufregendes Arrangement durch Stand- und Spielbein vollendeten den köstlichen Anblick.

Langsam hatten Harrys Augen diesen Weg genommen und erst jetzt widmete er sich dem nebensächlichsten, das er schon tausendmal gesehen hatte, dem Gesicht. Ein Schreck durchfuhr ihn. Der Blumenstrauß schoss förmlich in die Höhe und verdeckte fast sein Gesicht. Nein, er war sich nicht mehr sicher, ob die prüde Kümmel vor ihm stand. Die andere Hand suchte das Kreuz um seinen Hals und ließ es nicht mehr los, als er in das weiß getünchte Gesicht sah. Die schwarzen Haare, das Einzige, das an Marita erinnerte, hingen, entgegen ihren Gewohnheiten, zerzaust ins Gesicht. Von den Wangenknochen schossen rote Blitze herab, die schwarz umrahmt waren und je zwei blutrote Tränen waren unter den Augen platziert. Auch sie waren schwarz umrahmt, was ihre Wirkung, durch den weißen Untergrund, noch erhöhte.

Marita verließ etwas der Mut, als sie Harrys schmierigen Blicke an ihrem Körper entlanggleiten sah. Vielleicht hätte sie doch nicht auf die Unterwäsche verzichten sollen. Aber jetzt gab es kein Zurück mehr. Sie freute sich über den Erfolg ihrer Schminkkunst und ihre Befürchtung, dass sie Harry nicht beeindrucken würde, fielen von ihr ab. Sie hatte den richtigen Riecher, als sie dem Gespräch gefolgt war.

Sie sah Harry die trockene Luft hinunterschlucken. Sein knochiger Kehlkopf tanzte einen Tanz, der seiner Angst huldigte. Die verkrampfte Hand darunter ließ vermuten, was sich dahinter verbarg. Er starrte ihr in die Augen und sie starrte zurück, wobei sie ihre Augen langsam zu zwei Schlitzen schmelzen ließ, um sie langsam wieder zu voller Größe erblühen zu lassen. Ein verführerisches und zugleich unheilschwangeres Bild, das Harry vollends den Gesichtsausdruck eines Deppen aufsetzte. Und als er meinte, den Gipfel seiner Ängste erstürmt zu haben, kroch aus ihrem Nacken eine Spinne hervor, die sich gemütlich auf ihrer Schulter niederließ. Liebevoll deutete diese Frau, die Frau Kümmel zu sein schien, einen Kuss in Richtung Spinne an, bevor sie sich wieder ihrem Gast widmete.

„F.. F.. Frau Kümmel?", brachte er schließlich hervor.

„Jaaa, Harry?", kam es einschmeichelnd zurück.

„I .. I .. Ich wollte ..."

„Komm schon rein."

Und sie zog ihn mit einer Kraft in den Flur, die er ihr nie zugetraut hätte. Die Hitze staute sich unter seinem Mantel und kroch ihm in den Kopf.

„Wir ... die Kollegen ..."

„Leg doch erst mal ab", sagte sie immer noch sanft und ließ ihre Hände über seine Schultern wandern, bis sie entschlossen sein Revers packte und ihm den Mantel entriss. Willenlos ließ er es geschehen und folgte der Geste ihrer Hand, um im Zimmer auf dem Sofa Platz zu nehmen. Sie ging auf ein Terrarium zu, legte sanft die Spinne hinein und setzte sich dann neben Harry. Sie lehnte sich etwas zurück, schlug die Beine übereinander, so dass etwas mehr Bein, jedoch nicht zu viel, zu sehen war und warf ruckartig den Kopf in den Nacken, wobei sie zwischen den zusammengepressten Zähnen die Luft hinauspresste.

War es dieses Zischen, das er an der Tür gehört hatte. Nun suchte er doch die Knoblauchknolle in der Jacketttasche und krallte sich daran fest. Doch er konnte den Blick nicht von ihr lassen. Er hätte niemals diesen zarten schmalen Hals ignorieren können, der in prallere Regionen führte, die immer noch durch den Bademantel verborgen waren und einen schrillen Lockruf ausstießen. Es raubte ihm den Verstand und gerade, als er sich auf den Gipfeln ihrer Rundungen niederlassen wollte, schnellte ihr Kopf vor und schaute ihn aus blitzenden Augenschlitzen an. Schnell wie ein Wiesel riss er sich von ihren Brüsten los und tauchte in ihren, wie er meinte hypnotischen Blick ein.

Er zerrte, aus der Innentasche des Jacketts, die Genesungskarte der Kollegen, nur um diesem teuflischen Blick auszuweichen, und legte sie zittrig auf den Tisch.

„Was ist denn das, Harrylein?", und wieder beendete ein zischendes Einatmen diesen Satz, wobei sie ihre großen, schwarz umränderten Augen aufriss, so dass er ein Leuchten darin entdecken konnte. Oder war es nur das Spiegelbild der Deckenleuchten?

„V ... von den Kollegen .... für Sie ..."

Sie legte ihre Hand auf seinen Hals. Wohlige Wärme und ein kalter Schauer durchliefen ihn, als er dann ihre Stimme hörte.

„Ist das alles, weswegen du hier bist? Sei aber ehrlich Harry, ich werde nicht gern wütend."

Dabei strich sie ihm langsam am Hals entlang. Die Kälte des Ringes, die samtige, warme Hand und ein brennender Schmerz krochen auf seinem Hals entlang. Er riss seine Hand aus der Tasche, um sie fieberhaft an die brennende Stelle zu pressen. Die Hand benetzte sich mit Blut. Harry hoffte, dass es nur ein Kratzer wäre, aber er befürchtete das Schlimmste. Zu allem Überfluss war ihm bei der hastigen Bewegung seine Knoblauchknolle herausgefallen und genau gegen das Bein seiner Peinigerin gerollt.

Erneutes Entsetzen packte ihn, als er sah, wie sie diese aufnahm und sich ihm erneut näherte. Harry war schon in die äußerste Ecke des Sofas gerückt, aber sie folgte ihm.

„Nanu, was ist denn das Harry?" Demonstrativ hielt sie es ihm unter die Nase. Natürlich wusste sie, dass Frau Jaffel ihm den Knoblauch zugesteckt hatte, genau wie sie es beim Kommissar getan hatte.

„Du glaubst doch nicht, dass ich eine Hexe bin, oder?"

„N.. n.. nein. Wirklich nicht. Es ist nur ... weil.."

Mit fassungslosen Augen sah er sie in die Knolle beißen, ohne dass sie sie geschält hätte. Genießerisch schien sie diese mit geschlossenen Augen zu kauen. Harry rutschte noch weiter nach hinten, um im Notfall der Enge zwischen Tisch und Sofa entrinnen zu können.

„Halt, Harry. Du willst doch noch nicht gehen? Wo du mir so eine leckere Mahlzeit mitgebracht hast. Ich dachte, wir machen es uns etwas gemütlich. Willst du mal probieren?"

Natürlich wollte Harry nicht und schüttelte mit zusammengekniffenem Mund den Kopf. Ihm war die Lust vergangen, diesen Vamp aushorchen zu wollen. Selbst wenn sie keine Hexe ist, eine Irre bestimmt und beides war nicht nach seinem Geschmack. Scheiß auf das, was hier vorgeht. Wenn er hier heil rauskäme, wäre es schon Erfolg genug für seine Zukunft.

„Weißt du, heutzutage ist Knoblauch für Hexen eine Delikatesse. Aber nur die Erfahrensten wissen, wie er zu essen ist."

Sie atmete tief durch, wobei sie sich die Reste des Knoblauchs vor die Nase hielt und näherte sich Harry noch weiter. Der geriet inzwischen in einen panikartigen Zustand. Ein Tropfen seines Blutes hatte inzwischen fast sein Hemd erreicht. Gewandt nahm sie den Tropfen mit der Spitze ihres Zeigefingers auf und hielt ihm diesen vor die Nase.

„Nun sei mal nicht so verschwenderisch damit. Wir brauchen es vielleicht noch."

Ihr seltsames Lächeln verwirrte ihn vollends. Was bezweckte sie damit? Das war niemals die Frau Kümmel, die er kannte. Seine Hand suchte erneut das Kreuz um seinen Hals. Doch sie kam ihm zu vor und riss es ihm vom Hals.

„Ein unartiger Junge bist du. Wolltest du mir damit vielleicht ans Leben?"

Harry sprang auf und war froh, wieder mehr Bewegungsfreiheit zu haben. Marita merkte, dass er gleich davonlaufen würde. Es wurde Zeit, zum Höhepunkt zu kommen.

Langsam ging sie auf ihn zu und ließ das Kreuz vor ihrem Gesicht pendeln.

„Fast hättest du es geschafft. Wenn das Kreuz meine Stirn berührt hätte, wäre es doch tatsächlich um mich geschehen gewesen. Aber zu spät Sunnyboy. Jetzt bin ich am Zuge."

In seiner letzten Verzweiflung stürzte er sich auf Marita, entriss ihr die Kette und drückte ihr das Kreuz auf die Stirn. Marita riss die Hand an den Kopf und begann entsetzlich zu schreien. Als Harry spürte, wie sie seine Hand berührte, ließ er das Kreuz los und rannte, wie ein Kaninchen davon.

Einmal sah er sich noch um. Sie hatte die Hände immer noch an den Kopf gepresst und jaulte und schrie wie eine verwundete Raubkatze, während sie sich wie eine Schlange wand.

All diese Vergleiche empfand er als sehr real. Er war auf der Jagd. Doch er war der Gejagte.

Fast hätte er seinen Mantel vergessen. Ein kurzer Schlenker zurück und er riss den Mantel von der Garderobe, so dass dessen Aufhänger auf der Strecke blieb und der Futterstoff einriss.

Er knallte die Tür zu, vorbei an der gaffenden Frau Jaffel, die er hinter dem Spion wusste und vorbei an einem Mann vor dem Haus, der von ihm Fotos zu schießen begann. Doch das interessierte ihn nicht. Er wollte nur weg.

Marita hörte die Tür knallen und wusste, dass sie wieder allein war. Allein mit einer Trophäe ihrer größten Feindin. Sie sah das Kreuz in ihren Händen und das Gesicht von Harry. Ein verzweifeltes, grelles Lachen nahm von ihr Besitz, bis es in ein lautes Schluchzen überging, sie auf die Knie fiel und ihr Gesicht in ihren Händen verbarg.

Dieser Auftritt hatte höchste Anspannung von ihr verlangt. Antonia wäre stolz gewesen. Aber das war nicht sie. Tiefe Scham überkam sie und spülte den Stolz hinweg. Sie hatte einen qualvollen Ausflug in die Vergangenheit unternommen und diesmal gewonnen. Aber zu welchem Preis. Die Rolle, die sie gespielt hatte, war ihr zutiefst zuwider. Schon immer hatte sie Frauen gehasst, die sich so gaben. Aber genau dieser Typ Frau passte in das Bild, das sich der ganze Abschaum um sie herum von ihr gemacht hatte. Eine Hexe mit zwei Gesichtern, von der sie eines kannten, das ihnen nicht gefiel und eines das sie sich ausmalten, um ihr selbstherrliches Verhalten zu rechtfertigen.

Einen riesigen Schritt hatte sie gewagt. Sie wusste nicht, ob er richtig war. Doch für sie war es Notwehr. Ihre

Zurückhaltung hatte die Menschen empört, also sollten sie das Gegenteil erhalten, so wie sie es wünschten. War dies der Weg, der sie von dem Bösen, den Menschen befreien kann?

Sie hoffte es und dieser Sieg hatte sie aus dem Schlamm gerissen, in dem sie bereits wieder bis zum Hals gesteckt hatte.

Sie ging ins Bad und sah sich an. Die Schminke war verschmiert. Jetzt sah sie wirklich furchterregend aus. Die Augen waren noch gerötet und das Weiß des Gesichtes war scheckig wie von einer ansteckenden Hautkrankheit gezeichnet.

Sie fasste einen Plan. Nicht sie würde sich vor den Menschen verstecken. Warum auch - sie hatte sich nichts vorzuwerfen. Diese Rechnung, sollen andere bezahlen. Jeder ihrer Mitmenschen hatte selbst in der Hand, ob er einen Anteil daran haben will.

Die Rolle der erotischen Hexe wollte sie jedoch nicht wiederholen. Sie war bei Harry richtig und vermutlich reichte ein Auftritt. Sein Hirn könnte diese Vorstellung nie vergessen, aber sie wollte sie vergessen.

Das Auto war seine Festung. Sie war ihm nicht gefolgt. Immer wieder hatte er sich umgesehen, immer wieder das gähnende schwarze Loch des Hauses, das die offene Haustür markierte anvisiert, sie blieb in ihrer Höhle. Kein Wunder, dass sie das Tageslicht scheute.

Die Frontscheibe seines Wagens bot einen ungetrübten Ausblick auf das Haus und er wusste inzwischen, dass ihre Fenster auf die Straße zeigten. Während er die Luft ein- und auspumpte, konnte er sich nicht von diesen Fenstern lösen. Hatte sie ihn schon im magischen Hexenkreis, dem er nun nicht mehr entrinnen könnte? Was war mit seiner Überzeugung, Hexen seien Firlefanz und Kinderkram? Wieso hatte er sich so treiben lassen. Er verfluchte die alte Jaffel, die ihm diesen Floh ins Ohr gesetzt hatte und er hämmerte sich mit beiden Fäusten an den Kopf.

„Komm zu dir, Harry. Komm zu dir."

Aber was war es sonst, was er erlebt hatte? Die Kümmel war nicht der Mensch, der ein solches Spiel spielen könnte. So was lernt man nicht in der Klosterschule, wo er sie am ehesten hingesteckt hätte.

Bliebe höchstens die gespaltene Persönlichkeit, die gerne in Psycho-Krimis strapaziert wird.

Marita Kümmel - irre? Wahrscheinlicher als alles andere. Und die Vogelspinne? War es überhaupt eine? Er schüttelte sich, als er daran dachte.

Hätte er die gleiche Szene im Puff erlebt, er wäre mit so einem Ballermann zwischen den Beinen sicher ausgeflippt vor Wonne, doch hier hatte sich nichts gerührt. Erst jetzt, als er sich ausgewählte Einzelheiten aus dem Gedächtnis abrief, spürte er die aufsteigende Wärme. Sie war jedoch nur von kurzer Dauer, da andere Bilder nachdrängten.

Was sollte er den Kollegen sagen? Keiner von ihnen würde ihm die Wahrheit abkaufen, nicht einmal eine abgeschwächte Variante. Dieses Problem gehörte ihm allein und es war abgehakt.

Die letzten Fotos im Wagen hatte der Kerl nicht mehr mitbekommen. So fix und fertig hatte er selten jemanden gesehen. Falls der Typ vor Angst eingepisst hätte, wäre es nicht verwunderlich. Doch alles kann man nicht haben und er war, mit seinen Fotos, mehr als gut bedient worden.

Der Kollege käme mit Sicherheit zu keinem zweiten Besuch, also Angriff.

Er riss Harrys Beifahrertür auf und setzte sich auf den Sitz. Harry hatte nicht eingepisst. Schade.

„Was ist los Kumpel?", faselte er, als hätten sie schon manche Zechtour hinter sich.

„Wir untersuchen den Fall. Gab es was Besonderes? Mit dem Affenzahn ..."

„Lassen Sie mich zufrieden und verschwinden Sie aus meinem Auto."

Dabei schob er energisch an seiner Schulter und als das nichts half, schlug er auf ihn ein, wie ein bockiges Kind.

Kilian zog sich zurück.

„Bleib cool, Alter. Du tust ja, als ob du den Satan persönlich besucht hast."

Das Auto startete und fuhr eilig davon, ohne auf den Verkehr zu achten. Nur dem schnellen Reaktionsvermögen des heranbrausenden Fahrers eines Kombis, war zu verdanken, dass kein Schaden entstand.

Länger konnte Kilian nicht warten. Die Situation war soweit gereift, dass es Zeit für ein Schlachtfest war. Wenn ein Besuch bei der Schwarzen angebracht ist, dann jetzt, sagte er sich.

Zum Glück gab es genug Geschäfte in der Straße. Er entschied sich, eine Schachtel Pralinen zu kaufen, ließ sie sich als Geschenk einpacken und stand kurz darauf vor der Ahornstraße 13.

Frau Jaffel erkannte ihn sofort durch den Spion und riss die Tür auf.

„Hallo, junger Mann. Kommen Sie ..."

„Pssst, jetzt nicht", flüsterte er „bitte gehen Sie wieder rein."

Wiederum enttäuscht gehorchte sie, um ihren Beobachtungsposten wieder einzunehmen.

Kilian klingelte. Es dauerte eine Weile, ohne dass etwas geschah. Er klingelte erneut.

Hinter dem Spion tauchte ein Schatten auf. Nichts geschah.

‚Es muss jetzt sein', kochte es in ihm , jetzt! Mach auf mein Todesengel'.

Marita erkannte ihn sofort. Was wollte der Kerl? Nur weil er mir den Bengel vom Hals geschafft hat, bildet er sich ein, bei mir einen Landeversuch zu machen. Es sind wirklich alle gleich.

Glücklicherweise hatte sie sich schon abgeschminkt, und eingecremt, so dass ihr Gesicht wie eine Speckschwarte glänzte. Den Bademantel hatte sie noch an, was sie zögern ließ. Eine Ewigkeit wird es nicht dauern, ihn abzuwimmeln, dachte sie sich.

Die Tür öffnete sich. Er hatte etwas anderes erwartet. Wenigstens eine Spur Horror. Nun sah es eher so aus, als hätte der Typ versucht, sie zu belästigen und eine handfeste Abfuhr bekommen.

„Ich weiß nicht, ob Sie sich an mich erinnern aber ..."

„Ich erinnere mich. Bedankt habe ich mich schon, was wollen Sie noch?"

Er spürte kalte Ablehnung in der Stimme. Vermutlich zu kalt für seinen sonst unwiderstehlichen Charme.

„Nun, ich ..., ich wollte sie einfach wiedersehen. Vielleicht ..."

„Nein danke, keinen Bedarf" und sie schickte sich an, die Tür zu schließen.

Er stellte den Fuß dazwischen.

„Warten Sie. Nehmen Sie wenigstens die kleine Aufmerksamkeit. Wenn es heute nicht ..."

„Weder heute noch morgen, noch im nächsten Jahrhundert."

So viel hatte er gelernt, dass dieser Zug ohne ihn weiterfahren wird. Er war Psychologe genug, um zu erkennen, dass sie nie mehr als eines seiner vielen Objekte sein wird, das nur über sein Umfeld erforscht werden kann. Doch wenn er schon das Rücklicht des Zuges erkannte, so wollte er wenigstens ein Foto davon schießen. Er ließ die Pralinen fallen, riss den offenen Fotoapparat von der Schulter und hämmerte mit einem Druck auf den Auslöser seine fünf Fotos herunter, die Marita von erstaunt, bis wütend zeigten. Da er den Fuß in der Tür behalten musste, konnte er nicht allzu weit zurück. Dennoch hoffte er, dass die Entfernung wenigstens ein Brustbild ermöglicht hatte, da er den Hauch von Erotik nicht missen wollte.

So wie vorher Harry, sollte nun auch er in den Genuss von Maritas seltsamer Wandlung kommen. Sie war auf der Siegerstraße und davon sollte sie so schnell keiner wieder abdrängen.

Die Kraft würde nicht ausreichen, um dem Mann seinen Apparat zu entreißen, das erfasste sie instinktiv. Folglich tat sie, was möglich war. Sie stürzte sich auf ihn, noch bevor er den Fotoapparat abgesetzt hatte, griff in seine vollen Haare und riss ihm mit aller Kraft den Kopf nach hinten. Der Schmerz zeichnete sein Gesicht und ließ ihm, im ersten Moment, keine Zeit zu reagieren, da er vorrangig bemüht war, die Fotos heil nachhause zu bringen und den Apparat zu schützen.

Sie zog sein Ohr an ihren Mund und zischte ihm eine Warnung hinein, die einen Harry Keller an den Rand eines Herzanfalls gebracht hätte.

„Wenn du auch nur ein Foto davon veröffentlichst, wirst du dir wünschen, nie aus dem Schoß deiner verblödeten Mutter gekrochen zu sein."

So schnell, wie sie ihn herangezogen hatte, stieß sie seinen verhassten Schädel wieder von sich, wobei ein paar seiner Haare zu Boden fielen.

Kilian zeigte sich wenig beeindruckt. Ging auf sie zu und baute sich demonstrativ locker vor ihr auf.

„Wenn ich bei jeder Töle die mich angebellt hat, meinen Schwanz eingezogen hätte, ..."

Bevor er weitersprechen konnte, schnellte ihr Knie empor und suchte sein Ziel treffsicher in den Weichteilen zwischen seinen Beinen.

„Würde es dir heute vielleicht besser gehen, du Scheißkerl!", beendete sie genussvoll seinen Satz und schloss die Tür, ohne sich weiter um das winselnde Etwas auf dem kalten Boden zu kümmern, wobei sie, ohne dass er es bemerkte, den Fotoapparat mitnahm.

Kilian war nicht mehr in der Lage, diesen Satz zu hören. Ein stechender Schmerz, der ihn fast zerriss, lähmte ihn. Er blieb auf der Seite liegen, hatte die Arme zwischen die Beine geklemmt und schwang seinen Oberkörper auf und nieder als könne er so seine Schmerzen lindern. Er hatte Mühe, Luft zu bekommen und der Schmerz wuchs bis ins Unermessliche an, wobei er sich noch auszudehnen schien.

Er verfluchte lauthals die Schlampe, die ihm das angetan hatte, um sich dann wieder dem Jammern zu widmen.

Das Klappen der Tür gab Frau Jaffel den Weg frei. Endlich konnte sie sich um den jungen Polizisten kümmern, der sein Leben aufs Spiel gesetzt hatte, um sie alle von diesem Fluch zu befreien.

Doch er stieß sie weg, als er ihre Hand am Arm spürte. Er war noch nicht in der Lage aufzustehen. Jede Bewegung war Schmerz. Es zuckte, stach und fand kein Ende.

Frau Jaffel harrte bei ihm aus. Ihr ganzer Körper, ihr Gesicht strahlten Bestürzung aus.

Wie viel Zeit vergangen war, wussten weder sie noch er. Schweißperlen standen auf seiner Stirn. Nur langsam wurde er ruhiger und endlich ließ er sich aufhelfen.

„Diese Schlampe", rief er dabei. „Ich werde dir das heimzahlen, du Ausgeburt der Hölle", brüllte er mit wachsender Lautstärke, während er in die Wohnung von Frau Jaffel humpelte.

„Ich habe Sie gleich gewarnt", redete sie auf ihn ein.

„Vielleicht hätten wir unseren ursprünglichen Plan nicht aufgeben sollen."

„Halten Sie den Mund!"

Ein kurzes Nicken zur Wohnung der Hexe brachte sie zum Schweigen.

Er war froh, dass er vor seinem Auftritt bei Frau Kümmel noch die Speicherkarte gewechselt hatte, der einen wahren Schatz enthielt: das letzte Opfer der Hexe in allen Facetten des Leidens und der Angst.

Marita hatte sofort ihr Ohr an die Tür gepresst, nachdem sie zugeklappt war. Ihr Herz sprang bis an die Kehle. Sie hatte Mühe, die Worte zu verstehen. Der Puls hämmerte an ihr Ohr und versuchte die Worte zu ersticken. Aber so viel bekam sie mit. Dieser Mann hatte ein Komplott gegen sie geschmiedet, gemeinsam mit Frau Jaffel. Sie konnte sich an zwei Fingern abzählen, dass er Reporter war. Sie überkam eine Ahnung, welcher Kampf noch vor ihr lag. Ihr vorheriges Leben hatte sie gelehrt: Wer sich nicht wehrt, wird doppelt geschlagen. Sie hatte ihre zweite Wange hingehalten, indem sie ihr zweites Leben in totaler Unterwerfung verbrachte. Trotzdem wurde auch diese Wange gepeinigt.

Nun war sie auf der Siegerstraße - eine breite Straße - eine weite Straße - eine mühselige Straße, aber eine Siegerstraße. Die nächsten Wangen würde sie schlagen, falls es sich ergäbe.

Und es würde sich ergeben, da war sie sicher.

Die Schule hatte sich heute unendlich lange hingezogen. Antonia war mehrmals ermahnt worden, nicht zu träumen und sich am Unterricht zu beteiligen. Es gab Wichtigeres als den blöden Unterricht.

Sobald es nach der letzten Stunde geläutet hatte, schnappte sie ihre Sachen und sprintete davon, ohne die Rufe ihrer Mitschülerinnen zu beachten, die gern wüssten, was los sei.

Die Einkäufe waren schnell erledigt. Diesmal hatte sie nicht in Maritas Fenster gesehen und war sofort zur Kellertür gelaufen. Obwohl es am Tage nicht ganz so schlimm war, wie in den Dämmerstunden, zögerte sie auch diesmal wieder. Ein kurzes Zögern nur, bis sie das gierige Maul des Satanskopfes stopfte, indem sie ihre kleine Hand fest auf den Türdrücker presste.

Grelles Sonnenlicht schoss durch die kleinen spinnwebenverhangenen Fenster wie die grellen Spots beim Theater. Arrangiert, eigens für ihren Auftritt. So kam es ihr jedenfalls vor und doch gab es genug Grauzonen in den Nischen und Ecken des modrigen Gewölbes. Sie suchte sich eine der Ecken und öffnete aufgeregt und überhastet ihre Schultasche. Das Lächeln kam, als sie ihre Mausefallen betrachtete und es verließ sie wieder, als sie sich vorstellte, was sie später darin finden wird. Wenn sie Pech hätte, wäre vielleicht noch Leben in ihnen. Etwas Käse hatte sie sich schon heute Morgen eingepackt und quetschte ihn nun in die für den Köder vorgesehene Öse.

Sie wusste, wie man die Falle spannt, hatte es sich sicherheitshalber vom Verkäufer nochmal erklären lassen. Ihre Finger waren nicht geübt und die Furcht und Kälte, die in ihr hochkroch, machten es nicht leichter.

Sie spannte den Bügel, der später den tödlichen Genickschlag ausführen sollte, und versuchte die dünne Drahtstange, die den Mechanismus fixiert, darüber zulegen. Fast wäre der Bügel zurückgeschnellt, bevor sie ihre Hand wegziehen konnte.

Was mit ihrem Finger passieren würde, falls er dazwischen käme, konnte sie sich gut vorstellen.

Endlich hatte sie die Falle sicher in der Hand. Beide Daumen drückten die Stange hinunter, um sie unter die Öse zu schieben, aber nur ganz wenig. Je weiter sie die Stange hineinschieben würde, umso später würde sie zuschnappen, dröhnten die Worte des Verkäufers im Ohr. Also nur die Spitze darunter. Sie durfte die Stange nur mit einem Daumen drücken, die andere Hand musste das kleine Plättchen mit dem Köder anheben. Es sah ganz einfach aus, als es der Verkäufer vormachte, aber das Fett an ihren Fingern erschwerte die Sache. Hätte sie bloß nicht den Käse mit der Hand angefasst. Ein kleiner Windstoß zog durch den Keller und machte ihr klar, dass sie sich beeilen musste. Vielleicht wurden die Geister schon unruhig. Endlich war die Spitze in der Öse. Wenn sie jetzt losließe, würde die Spannung der Feder den Mechanismus in dieser Position halten. Schnell zog sie die eine Hand weg und der Bügel schnappte mit aller Kraft herunter, so dass der Käse durch die Luft flog. Mit einem lauten Schrei fiel ihr die Falle aus der Hand. Sie war verzweifelt und das Herz ging schneller. Zum Glück waren noch alle Finger unversehrt. Eine Weile stand sie da und stierte auf die Falle, die störrisch zurückglotzte. Der Keller hatte sich nicht verändert und würde ihr noch Zeit für einen zweiten Versuch lassen. Es wurden drei Versuche, bis sie das Gefühl dafür hatte. Einmal hatte sie es schon geschafft, jedoch die Falle zu hart aufgesetzt, doch nun stand sie protzend in der Ecke und lockte mit ihren Leckereien die Tiere der Nacht.

Bei der zweiten Falle ging es schon einfacher. Die kam an das Ende des Ganges.

Wieder mal hatte der Keller sie freigegeben, was sie immer wieder für ein Wunder hielt. Sie lehnte sich mit dem Rücken an die Kellertür, um ruhiger zu werden. Das kalte Holz störte sie nicht, es würde sie schützen vor dem, was dahinter lag. Stimmen hallten im Flur. Sie sah um die Ecke zu Maritas Tür.

„Ich habe in Ihrer Firma gehört, dass Sie krank sind, und wollte fragen, ob ich Ihnen helfen kann."

Antonia sah den Mann in der braunen Uniform an, dass er übertrieben schüchtern war. Sie musste sich die Hand vor den Mund halten, um nicht loszukichern. Der Mann wagte es nur selten, Marita anzusehen, und sie wusste sofort, dass der verknallt war.

Marita hatte eine weiße Bluse mit grauer Strickjacke an und einen ebensolchen langen Rock, der fast bis zu den Knöcheln ging.

„Ich brauche von niemandem Hilfe. Den Weg hätten Sie sich sparen können."

Marcus spürte deutlich die Veränderung, die in Marita vorgegangen war. Zum ersten Mal sah sie ihn offen an. Er hatte das Gefühl, dass sie ihn wirklich wahrnahm. Nur das Scheitern seiner Mission, das er schon im Ansatz spürte, machte ihn kribbelig. Am liebsten hätte er kehrtgemacht und wäre weggelaufen.

„Ich meine keine Hilfe wegen der Krankheit", jetzt musste er durch „sondern wegen der Anschuldigungen, die ...."

Ihr Blick wurde giftig und Zorn sprang heraus, der ihn mit voller Härte traf, ihn, der sie so sehr liebte. Warum spürte sie das nicht. Fand sie ihn so abstoßend?

Wäre ihm auch nur ein Teil der Ereignisse zu Ohren gekommen, die Marita erlebt hatte, er wäre niemals hier aufgetaucht. Doch nun musste er sich diesen vernichtenden Satz anhören, der seine Träume in zwei Hälften schnitt und den einen Teil zum Albtraum machte.

„Ich habe genug von Leuten, die mir helfen wollen, Sie kleiner Wichtigtuer. Was wollen Sie wirklich? Ein paar Fotos, eine schnelle Nummer? An welche Anschuldigungen glauben Sie, Sie kleine Ratte?"

Antonia war das Lachen vergangen. Sie staunte über Marita und freute sich über ihr neu entstandenes Selbstbewusstsein. Die Angst, dass Marita etwas tun könnte, was sie später bereuen würde, trieb sie hervor.

„Belästigen Sie meine Freundin nicht, sonst schreie ich das ganze Haus zusammen."

Sie rief es schon, während sie loslief, und baute sich dann vor ihm auf; Strenge in den Augen, Boshaftigkeit um den Mund und Gefahr in der ganzen Körperhaltung.

Marcus versank in dieser Peinlichkeit.

Während er davon stolperte, halb laufend, halb gehend stotterte er seine Entschuldigungen.

„Ich wollte wirklich nicht ...., verzeihen Sie ... es lag mir fern, irgendeine ..."

Er spürte, dass das alles sinnlos war, brach seinen Satz ab und verschwand durch die Tür.

Sie sahen sich beide an und lachten. Wie selbstverständlich schlüpfte Antonia an Marita vorbei und diese folgte ihr. Es gab viel zu erzählen und viel zu bestaunen.

Marcus hasste die dumme Göre, die sich so altklug aufgespielt hatte. Aber auch Marita hatte ihm einen Stich versetzt, der schmerzte. In diese Marita hätte er sich nicht verliebt. Aber sie war nicht sie selbst. Er ahnte, was sie durchmachte. Was hatten die Menschen mit diesem armen Ding nur angestellt, dass sie derart von den Schienen sprang. Er wusste mehr denn je, dass sie seine Hilfe brauchen wird und er wusste ebenso, dass dieses kleine Biest nicht gut für sie war, das sich als ihre Freundin ausgegeben hatte. Er musste ihr schnell helfen, bevor sie durchdrehen würde.

Wie stellt man das aber an, zumal er wenig wusste, sie ihm nichts erzählen wird und die Möglichkeiten, an Informationen zu kommen, minimal waren. Der Zufall kam ihm zu Hilfe.

Ein Mann holte ihn ein und klopfte ihm auf die Schulter. Er hatte leichte Schwierigkeiten, zu laufen, als ob ihm jeder Schritt wehtäte. Er blieb stehen, wofür ihn der Mann dankbar zu sein schien.

Er kannte ihn irgendwoher.

„Wir kennen uns", sagte der Mann und wunderte sich über den fragenden Blick seines Gegenübers.

„Im Park, als Sie auf ihre Freundin gewartet haben."

„Ach ja", erinnerte sich Marcus. Jetzt machte es klick. Er war damals zu sehr mit sich beschäftigt, um sich diesen Mann eingeprägt zu haben.

„Ich habe die Sache im Flur zufällig mitverfolgt."

„Wie schön für Sie."

„Vielleicht können wir uns irgendwo unterhalten, wo es etwas gemütlicher ist?"

„Worüber?"

„Über Ihr kleines Problem mit Frau Kümmel."

„Warum sollte ich das tun?"

„Weil ich Ihnen helfen kann. Ich hatte auch meine Probleme mit ihr."

Marcus witterte eine Chance. Seine Intelligenz reichte durchaus so weit, dass er das zufällige Erscheinen des Herrn im Park und das zufällige Erscheinen vor ihrer Wohnung, zu einer plausiblen Geschichte zusammenfügen konnte. Ihm war nur noch nicht klar, was es war. Unsaubere Ermittlungen eines Polizeibeamten, aufdringliche Recherchen eines Reporters, gekränkte Gemeinheiten eines verstoßenen Liebhabers?

Viel mehr käme nicht infrage. Eine gute Gelegenheit, mehr zu erfahren. Wer weiß, ob nicht sogar dieser Kerl für Maritas schockierenden Auftritt verantwortlich war.

Sein Instinkt sagte ihm noch mehr. Wenn er nach dieser Szene, die der Fremde angeblich mitverfolgt hatte eine verletzte, feindliche Position zu Marita beziehen würde, wäre wesentlich mehr aus ihm herauszuholen. Schnell willigte er ein, wobei er eine betretene Mine wahrte, bis sie sich in einem kleinen Café niedergelassen hatten.

Nach diesem Gespräch war er so umfassend informiert, dass er beschloss, Urlaub zu nehmen, um seinen Hilfeabsichten Taten folgen zu lassen. Er konnte sich vorstellen, dass er bei Weitem nicht alles von dem Mann erfahren hatte. Aber sie wollten in Kontakt bleiben und das ließ hoffen.

Die Ankunft im Betrieb empfand Harry wie Spießrutenlaufen. Sah man ihm seine Blamage an? Würde die Kümmel, wenn sie am Montag wieder zur Arbeit käme, ihre neue Identität preisgeben und ihn vollends bloßstellen? Er hatte sich wie ein Idiot benommen. Mit Abstand betrachtet, hätte er sie nur an ihre geilen Titten fassen müssen und ihre Show wäre wie ein Kartenhaus zusammengebrochen.

Nun war es zu spät. Er hatte eine Seite von sich preisgegeben, die keine Menschenseele kennenlernen durfte. Die Karriere und sein Ruf als Mann, waren in Gefahr. Zum Glück gab es keine Zeugen und sie könnte viel behaupten, wäre aber mit einer erdachten Geschichte gefährlich für ihn.

Die Ruhe kehrte zurück. Es war alles in Ordnung.

„Das ging aber schnell, Herr Keller", flötete Yvonne.

Mit einem ungezwungenen Lächeln stolzierte er zum Schrank, um seinen Mantel abzulegen.

„Sie fühlte sich nicht so. Lässt aber allen Grüße bestellen und bedankt sich."

Sein ausgerissener Aufhänger und der Riss im Stoff stahlen ihm sein Lächeln wieder. Zum Glück hatte er einen Bügel, so dass der Schaden unentdeckt blieb.

Ohne weiter auf seinen Besuch einzugehen, nahm er sich einen Ordner und begann konzentriert zu arbeiten.

Nicht nur Yvonne erkannten, dass das Thema beendet war, wenn es auch nicht zu Harry passen wollte.

Irgendetwas war nicht nach seinen Vorstellungen verlaufen. Nicht dass es von Bedeutung wäre, aber erfahren hätten sie es schon gerne. Während alle anderen bald wieder mit ihren Gedanken bei der Arbeit waren, grübelte Frau Griesbach immer noch.

Es war nicht irgendeine Belanglosigkeit, die Harry mit sich herumschleppte. Dieser Hurenbock hatte vielleicht versucht, sich an sie ranzumachen. Marita erweckte nicht den Eindruck, als wäre sie entschlossen genug, einen Angriff mit allen Mitteln abzuwehren. Was täte das

Mädchen, wenn er sie in die Enge treibt? Wie weit wäre Harry gegangen, wenn sie sich nur halbherzig, aber entschieden gewehrt hätte? Sie konnte beide nicht einschätzen. Es war traurig, wie wenig man übereinander wusste, obwohl man viele Jahre miteinander gearbeitet hat. Nur bei Yvonne war es etwas anders. Sie trug unbekümmert ihr Herz auf der Zunge. Frau Griesbach beneidete sie darum.

Wohl dem der das kann, wohl dem der nichts zu verbergen hat, wohl dem der mit seinem Schicksal in Freundschaft lebt.

Eigenartigerweise hatte ihr die Fantasie nur diese Version einer Geschichte gesandt, wie der Krankenbesuch abgelaufen sein könnte. Wäre schön, wenn sie sich irren würde.

Sie sollte endlich das tun, was sie in Gedanken schon viele Male getan hatte: Marita einen Besuch abstatten. Der Montag war weit, vielleicht zu weit. Das Schicksal war hart und unnachgiebig. Es gewährte keinen Zeitaufschub. Ein paar Sekunden konnten über Leben und Tod entscheiden. Sie wusste das.

Sie selbst stand einmal an der Schwelle des Todes, als ihr die Seele überlief und der Unrat zu den Ohren herauskam. Sie hatte ein Arrangement mit dem Tod getroffen. Die Einladung war verschickt, die Vorbereitungen waren getroffen. Und ausgerechnet da kam die Nachbarin hereingeschneit. Sie war mit Problemen vollgestopft. Mit kleinen, gewaltigen, nichtigen, unlösbaren Problemchen, die keine waren und doch die Frau in die Verzweiflung trieben. Sie hatte die richtigen Worte für diese Frau gefunden. Für sie hatte Frau Griesbach ihre Seele geöffnet, um deren Abfall aufzunehmen. Dieser fremde Abfall drängte einen Teil ihres eigenen hinaus, schuf ein

Ventil, das ihr das Leben rettete. Von da an hielt sie Kontakt zu dieser Frau, die sie mit ihrem Geschwätz belastete und mit ihrem Müll erleichterte.

Nun sehnte sie sich danach, auch Maritas Müll aufnehmen zu dürfen. Es wäre kein Geschwätz, das sie tolerieren müsste. Sie erwartete eher Kompost, statt Müll, da war sie ganz sicher.

Wenn sie nur wüsste, ob das Mädchen bereit wäre, ihren vermeintlichen Unrat vor ihr auszubreiten.

Wer nicht fragt, bekommt keine Antworten, sagte sie sich und notierte den Termin in ihrem Kopf.

Zum Feierabend sah man Harry Keller so schnell, wie noch nie, den Heimweg antreten. Kein Scherz für Yvonne, die heute einen verdorrten Zweig zu Leben erwecken könnte. Kein Blick zurück für die anderen Kollegen, die, bisher zumindest, einen letzten Gruß mit erhobener Hand Wert gewesen waren. Was soll's? Wen interessiert's, wenn ihm eine Laus über die Leber gelaufen ist.

Es gab etwas Interessanteres.

Yvonne wurde von einem jungen Mann abgeholt, der nur eine Rose in der Hand trug.

Ein verführerisches Lächeln, das von Yvonne sofort erwidert wurde, beantwortete alle Fragen, die die umstehenden Kollegen haben könnten.

„Hallo, Ricardo"

„Grüß dich."

„Wartest du schon lange?"

„Nein, nicht zu lange, vielleicht eine halbe Stunde."

Er überreichte ihr seine Rose, die Yvonne betrachtete, als hielte sie eine Rarität in den Händen, die ihresgleichen sucht.

Ein paar schüchterne Floskeln, tausendmal kopiert, tausendmal bewährt, folgten, bis sie in ruhigere Zonen der Stadt gelangten.

„Wo bist du geblieben, nachdem die Disco zu Ende war?"

„Ich hatte einen Termin, versprochen, etwas zu erledigen."

„Und du, hast inzwischen viel Arbeit gehabt?"

„In der Firma?" Er nickte.

„Man erzählt sich, dass es bei euch eine Art Zauberin gibt."

In ihrer Stimme schwang Ärger mit, als sie antwortete.

„Danke, dass du nicht auch Hexe sagst. Marita ist ein liebes und schüchternes Mädchen. Nur etwas verdreht ist sie, wie viele andere auch."

„Was meinst du mit verdreht?"

„Na sie redet manchmal verworrenes Zeug, als ob sie plötzlich in eine andere Welt abgetaucht ist. Dann erschrickt sie und ist wieder die Alte. Oder sie macht komische Sachen, die keinen Sinn haben, an die sie sich hinterher nicht mehr erinnert."

„Was denn zum Beispiel?"

„Eigentlich nichts Besonderes. Sie hat zum Beispiel in eine Zeitschrift eines Kollegen Kakao gekippt, stritt aber ab, es gewesen zu sein, obwohl ich es selbst gesehen habe."

„Was war das für eine Zeitschrift?"

„Eine normale Illustrierte. Aber sie hatte sich vorher eine Seite aufgeschlagen, wo nackte Mädchen abgebildet waren, mit Erotikreporten und Ähnlichem. Ich weiß nicht genau, was da drin stand. - Sag mal, du scheinst dich mehr für sie als für mich zu interessieren."

„Quatsch, aber du musst zugeben, dass die Geschichte nicht ganz ohne ist. Ist sie auch mal aggressiv geworden?"

„Nein, aber in der Anfangszeit, als unser Buchhalter noch versuchte, sie mit seinen albernen Witzen aufzuheitern, hat sie ihn mal bedroht. Zwar nur mit Worten, aber damals lief mir eine Gänsehaut über den Rücken. Vor allem, wie sie es gesagt hatte. Und dazu ihr blasses Gesicht, die schwarzen Haare und dieser Blick."

Sie schaute in die Ferne, als hätte sie dieser Blick eingeholt. Sie schien zu horchen, ob das Knistern dieses Blickes noch präsent ist.

„Nun aber Schluss!" Sie riss sich davon los und Ricardo bohrte nicht weiter.

Es wurde ein schöner Nachmittag, dessen Höhepunkt ein zaghafter Zungenkuss war.

Ricardo war entweder der Mann, von dem jede Schwiegermutter träumt, oder er war ein Meister seines Fachs, um Mädchen den Kopf zu verdrehen.

Etwas Zeit würde sie sich noch geben, um das herauszufinden.

Seine Firma lehnte den Urlaubsantrag ab. Niemand da, der seine Schicht übernehmen kann. Der Krankheitsstand war momentan zu hoch und es war Urlaubszeit. Mit einer Krankmeldung hätte er sich entlarvt und so biss er in den madigen Apfel. Die paar Stunden Freizeit mussten ausreichen.

Die Abend- und Nachtstunden könnte er für eine Wache vor ihrem Haus nutzen. Nachts gab es dort immer einen freien Parkplatz. Dadurch könnte er ihr den Reporter vom Hals halten.

Nun saß er bereits eine Stunde in seinem Auto, als diese blöde Ziege von Mädchen angehoppelt kam.

Sie hatte ihr Revier vors Haus verlagert und spielte da. Zu spät rutschte er im Sitz hinab. Sie hatte ihn schon entdeckt. Natürlich zog sie wieder ihren dümmlichen Zirkus ab, um sich als Retterin aufzuspielen.

„Sie sollten hier verschwinden", brüllte sie. „Ich hole sonst die Polizei!"

Er mochte solche Auftritte absolut nicht, seien sie gerechtfertigt, oder nicht.

„Lassen Sie Marita in Ruhe, Sie Spanner", rief sie, als er sich schon ein paar Meter entfernt hatte.

Marcus fuhr nachhause. Wie ein Raubtier im Käfig wanderte er zwischen zwei Wänden umher und schlug sich immer wieder mit der Faust auf die flache Hand.

„Diese blöde Göre, diese entsetzlich dumme Ziege", brabbelte er vor sich hin und war hilfloser als zuvor. Er fand einfach keinen Weg, Marita zu helfen. Selbst wenn ihre Schwierigkeiten beseitigt wären, stünde ihrer Liebe weiterhin das kleine Miststück im Wege. Er sah es immer deutlicher. Das größte Problem, das Marita und er hatten, war ein kleines, dummes Mädchen, das inzwischen wieder die Burg seiner Angebeteten besetzt haben wird.

Der Weg wurde immer länger. Frau Griesbach quälte sich mit Zweifeln und sprach sich gleichzeitig Mut zu. Sie hatte von den albernen Gerüchten mehr als genug gehört. Es war ein ganz normales, altes Haus, vor dem sie stand. Ahornstraße 13. Auch der Hausflur löste keinerlei Beklemmungen in ihr aus.

Die Klingelleiste an der Haustür ließ vermuten, dass Marita im Erdgeschoss wohnt. Im Flur angekommen, wandte sie sich an die rechte Tür. H. Jaffel stand auf dem Türschild. Also weiter, die nächste Tür.

Sie kam nicht weit. Die Jaffelsche Tür öffnete sich.

„Komm zurück, Gisela", hörte sie eine Stimme „häng‘ dich nicht überall rein."

„Gib Ruhe!", bellte sie zurück und war sofort wieder bei Frau Griesbach.

„Wollten Sie zu uns?"

„Nein, ich möchte Marita besuchen."

„Davon würde ich ihnen abraten, nachdem, was heute alles passiert ist."

Frau Griesbach beugte sich ihr entgegen.

„Was ist denn passiert?"

„So genau weiß ich es auch nicht. Erst hatte sie Herrenbesuch, den sie in ihre Wohnung zerrte, worauf er kurze Zeit später panisch das Haus verließ und danach kam ein Herr, den sie fast zum Krüppel geschlagen hat."

„Das sieht ihr aber gar nicht ähnlich."

„Die? Die hat es faustdick hinter den Ohren. Seit die hier wohnt, ist das Haus verhext."

„Hör endlich auf, Gisela", ertönte wieder die Stimme aus dem Hintergrund.

„Auch meinen Mann hat sie schon beeinflusst. Heute Morgen hing sogar ihr Hexenhaar an meiner Tür. Bitte gehen sie nicht zu ihr. Sie würden es bereuen. Die Ereignisse überschlagen sich in letzter Zeit. Einen Toten hat es schon gegeben."

„Ich sehe hier nur eine, die sich überschlägt." Frau Griesbach kam auf Touren.

„Wenn es eine Hexe in diesem Haus gibt, werden Sie es höchstwahrscheinlich sein!"

Ein verhaltenes Lachen kam aus der Wohnung. Frau Griesbach wusste nicht, ob es ihre Worte, oder dieses

Lachen war, was die geschwätzige Frau ihren Kopf einziehen ließ. Sie wirkte wie ein Geier auf sie, der in eine abwartende Haltung verfallen war, um auf seine nächste Mahlzeit zu warten. Aber sie hatte ihren Vorstoß auf Frau Jaffel noch nicht beendet.

„Sie verspritzen soviel Gift, dass Sie aufpassen sollten, nicht selbst daran zu sterben. Lassen Sie das Mädchen in Ruhe und belästigen Sie nicht fremde Leute mit ihren Wahnvorstellungen."

Hatte sie eben richtig gehört? Hatte diese Frau gerade eine Morddrohung gegen sie ausgestoßen?

War die auch eine von der Sorte? Rückzug wäre jetzt ratsamer, als noch ein Wort an diese Person zu verschwenden.

„Machen Sie, was Sie wollen, Sie Furie. Mancher ist eben unbelehrbar. Sie werden ihren gerechten Lohn schon erhalten!", sprach's und verschwand.

Frau Griesbach, war so aufgewühlt, dass sie Atemnot bekam.

Seit Marita die Siegesstraße beschritt, war sie in einem Punkt Frau Jaffel ähnlich geworden. Jede Stimme auf dem Flur, trieb sie an den Spion. Jedes Geräusch könnte ein Angriff, ein neues Komplott sein. Ihr würde nichts mehr entgehen, nur so war ein angemessen Reagieren möglich. Was sie jedoch hier hörte, brachte die alte Marita wieder hervor. Die Tränen traten hervor, als sie Frau Griesbach für sich kämpfen sah. Antonia war inzwischen gegangen. Sie hatten sich gegenseitig auf ihrem Weg bestärkt und nun war wieder vollkommen unklar, welchen Weg sie einschlagen soll. Sie würde Frau Griesbach niemals in ihr Herz schließen, sie durfte es nicht. Aber sie stand ihr im Weg. Mitten auf der Siegerstraße stand ein kleines

Wollschaf, das man gern streicheln würde und doch aus dem Weg schubsen musste, damit es weiter vorwärtsgeht. Sie wollte dieses Schaf aber nicht schubsen. Sie wollte es aber auch nicht in ihren Stall lassen.
Die Finger wanderten wieder in den Mund und wurden beknabbert. Gleich würde es klingeln und sie wird sich entscheiden müssen. Diese Frau hatte es nicht verdient, vor den Kopf gestoßen zu werden, besonders nicht vor Frau Jaffel, deren drittes Auge der Spion war.

Seltsam. Wann war das letzte Mal, dass er froh war, zu Hause zu sein? Es fiel ihm nicht ein. Das ganze Haus war aufgeräumt, alles vorhersehbar, die Zukunft planbar.
Freudig begrüßte er seine Frau, die ihm heute wesentlich attraktiver vorkam. Seine Lippen senkten sich auf ihren Hals und verweilten dort viel länger als sonst, wenn sie überhaupt den Weg dorthin fanden. Der Tochter fielen bald die Augen aus dem Kopf, weil er auch sie mit Zärtlichkeiten bedachte und ihr sanft durchs Haar strich.
Als er sich dann die Zeitung nahm und nebenbei mit ihnen ein Gespräch führte, um sich nach ihren Erlebnissen zu erkundigen, war die Überraschung vollkommen.
Es gab keinerlei außergewöhnliche Vorkommnisse. Alles verlief in vorhersehbaren Bahnen. Harmonische Gefühle, die er jetzt benötigte, Sicherheit, die er jetzt spüren kann, alles war abrufbar.
Er war dumm, das alles aufs Spiel gesetzt zu haben und dennoch lockte das wilde Treiben vor der Tür, das sich von diesem Einerlei aufregend abhob. Es war heute etwas zu aufregend.
Die Ungereimtheiten der letzten Stunden hieben weiter auf ihn ein. Sollte er noch einen Versuch wagen, um herauszufinden, was es mit der Kümmel auf sich hat?

Seine Frau setzte sich zu ihm und kraulte seinen Nacken.

Sie sagte irgendetwas und er knurrte nur wohlig, während er ein Für und Wider abwog.

Selbst wenn es ihm gelänge, das falsche Spiel, falls es eines ist, aufzudecken, so würde er in den Verdacht geraten, mit solchen Damen verkehrt zu haben. Bei seinem Chef ein unverzeihliches Vergehen. Sollte Frau Kümmel dieses Doppelleben führen, ohne dass es ihr bewusst war, müsste er es beweisen. Aber Irre sind gefährlich, seine Schramme am Hals gab ihm einen Vorgeschmack. Ein Wunder, dass ihn niemand darauf angesprochen hatte. Ein Fakt, der ihn plötzlich beunruhigte.

„Einen Augenblick, Liebling. Bin gleich wieder da."

Im Bad schaute er sofort in den Spiegel. Es war nichts zu sehen, obwohl er das Brennen noch spürte. Erst als er den Kragen lockerte, kam sie zum Vorschein. Es waren nur ein paar Millimeter. Er sah sich, wie er vor ihr zurückgewichen war. Den Kragen hatte er schon vor der Tür gelockert und im entscheidenden Moment hatte er sich zurückgelehnt, um ihrer Nähe zu entgehen, eine Nähe, die er sich manchmal gewünscht hatte. Das hatte seinen Hals etwas herausgezerrt. Das Kratzen lief wieder über den Hals. Womit hatte sie das gemacht? Hatte sie sein Blut gewollt? War sein Blut noch rein oder ...?

Quatsch, wieder waren die Kinderängste mit ihm durchgegangen. Ausgerechnet mit ihm, einem erwachsenen Mann, den so leicht kein Wind umhaut, schon gar nicht der einer Frau.

Harry zog den Binder wieder straff und der Kratzer verschwand hinter dem Kragen.

Und obwohl er über den Dingen stand, erlebte er einen Orkan von Fragen, Zweifeln und Antworten, die er immer wieder infrage stellte, bis er endlich mit seiner Frau im Bett lag.

Seine Frau erlebte eine stürmische Liebesnacht, wie sie sie mit ihrem Mann nie erlebt hatte.

Bilder von Marita peitschten ihn hoch. Seine Frau half, sie zu verdrängen. Quälende Fragen ertränkte er in ihrem Schoß und die Angst erstickte er in ihren Armen. Er sehnte sich nach Vergessen. Er lief sonst Gefahr, Schwächen einzugestehen. Am Morgen wollte er erwachen, wie sonst auch, als unerschütterlicher Fels im Leben. Er trieb sich zu immer neuen Leistungen, bemühte sich um seine Frau, selbst als er sein Geschäft bereits hinter sich hatte. Sie regte sich gierig, da sie jahrelange Enthaltsamkeit geübt hatte und endlich einmal entschädigt wurde. Wieder baute sie ihn auf und erneut gab er sein Bestes. Sie wusste nicht, wie oft sie dieses Spiel gespielt hatten, als sie beide erschöpft den Schlaf herbeisehnten.

Sie war dankbar vor Glück und hoffte, dass nun eine Wende in ihrem Leben eintreten wird.

Und er war dankbar, dass sich der Schlaf, schwer wie ein Stein, auf ihn legte und seiner Qual ein Ende setzte. Er erfuhr dann, dass auch der Schlaf nicht sein Freund ist und böse Träume für ihn bereit hielt.

Es klopfte.

„Herein", rief Kilian.

Ein junger Mann, mit tiefschwarzen Haaren, trat ein. Sie wirkten speckig durch das Gel.

Frank Kilian konnte die modehungrigen Jüngelchen nicht verstehen. Es war eine andere Welt.

„Hallo Ricardo. Hattest du Erfolg bei der Kleinen?"

„Logo. Du hast es hier mit einem Profi zu tun."

„Und war sie gesprächig?"

„Ich musste vorsichtig sein. Meine Neugier hat sie schon misstrauisch gemacht. Vielleicht bringe ich morgen mehr Informationen."

„Und? Habt ihr miteinander gepennt?"

„Sie ist keine von den üblichen Disco-Hasen. Langsam läuft bei ihr schneller."

„Aber bitte nicht zu langsam. Ich will jetzt die Serie anlaufen lassen. Mein Material muss unter die Leute. Wenn sie erst den Fahrer haben, der die Fahrerflucht begangen hat, kann ich das Zeug in die Tonne kloppen. Ohne die Mörderstory bringt es nicht mal die Hälfte."

„Aber das ist doch Rufmord, ohne Beweise."

„Ich stelle keine Behauptungen auf. Ich stelle nur Möglichkeiten vor. Erkennst du den Unterschied?"

Ricardo blätterte zwischen den Fotos.

„Wenn du die Fotos da reinklatscht, ist es genauso, als wenn du es schreibst. Verdammt gut", bemerkte Ricardo anerkennend.

„Das ist nicht gut, das ist perfekt."

„Wann kommt der Artikel raus?"

„Geht heute Nacht in Druck. Die Fotos sind schon in der Druckerei. Muss nur noch deine Informationen einarbeiten und dann läuft der Count-down. Die Alte wird bald bereuen, sich mit mir angelegt zu haben."

„Mit dir angelegt? Was war denn?"

„Ach, nichts. Erzähl' schnell, was sie dir verraten hat. Ich habe nicht mehr viel Zeit."

Das befürchtete Klingeln zerriss die angespannte Stille. Konnte man diesen Moment noch hinauszögern? Vielleicht kommt die rettende Idee noch. Vielleicht geht

Frau Griesbach wieder, wenn es ihr zu lange dauert. Vielleicht ... vielleicht ... vielleicht. Die Gedanken rasten durch das Hirn, bis ihr ganz schwindelig wurde. Das Vielleicht stand immer noch vor der Tür und das Gedankenkarussell hatte einen Sprung bekommen, indem es sich in einer einzigen Frage festbiss.

Was soll ich tun, was soll ich tun. Und während der ganzen Zeit leisteten Maritas Zähne Schwerstarbeit, indem sie unentwegt ihre Nägel beknabberten.

Der Blick durch den Spion gab das Bild dieser sanftmütigen Kämpfernatur wider, das sich mit sorgenvollen Falten geschmückt hatte. Ein Schaf, das seine Hörner gezeigt hatte, für sie.

„Marita, öffnen Sie bitte, ich weiß, dass Sie da sind."

Beim ersten Ton dieser Stimme schnellte Marita vom Spion zurück. Das Vielleicht gab es nicht mehr. Zerschmettert von ein paar Worten, die keinen Widerspruch zu dulden schienen. Dieses Schaf ließ sich nicht so ohne Weiteres von der Siegerstraße schubsen.

Das diffuse Flurlicht drang nur mühsam bis zur Kellertür vor. Innerlich bebend stand Antonia davor.

Der Lärm im Flur interessierte sie nicht und niemand bemerkte sie in der kleinen Nische. Sie ahnte, dass ihr die schwersten Minuten ihres Lebens bevorstanden. Das Licht flackerte. Es legte ein unregelmäßiges Pulsieren des Schattens auf den Bereich des Flurs, der drohend eine muffige Kälte, gegen das ängstliche Mädchen warf. Der grässliche Türdrücker war plötzlich mit Leben erfüllt. Er riss sein gieriges Maul auf und schnappte nach ihr. Seine lockige Mähne bewegte sich im kalten Windzug und versteckte sich sporadisch zwischen Halbschatten und wehendem Licht.

Sollte sie es wagen, heute Abend die schreckliche Ernte einzubringen? Hätte es nicht auch bis morgen Zeit? Die Türdrückerfratze lachte sie aus. Machst du es heute nicht, tust du es nie.

Wie kann sie die Mächte der Nacht für sich ausnutzen, wenn sie selbst Angst davor hat?

Was ist schon dabei? Es wird schnell vorbei sein. Tür auf - Kellerlicht an - ein paar Schritte in den Gang - die Bügel der Mausefallen anheben - die Mäuse in die Tüte stecken - zurück in den Hausflur und fertig. Aber sie stand immer noch wie angewachsen und horchte auf die inneren Stimmen, die ihr raten sollten. Doch sie halfen ihr nicht. Die Warnung der Jungs, vor den Geistern der Kellergewölbe, stritten sich mit den Entwarnungen Maritas, die ihr die Kraft zugesprochen hatte, die bösen Geister besiegen zu können - einfach so, durch ihren Willen.

Und dann durchzog sie der Gedanke, ihrer besten und einzigen Freundin, helfen zu müssen. Die Mäuse werden bei Tageslicht kaum die Wirkung erzielen, die sie sich erhoffte. Vielleicht wird sie diese Überraschung erneut Frau Jaffel zukommen lassen, bevor sie sich den anderen Feinden widmet. Das Spinnengewebe hatte, wie sie gehört hatte, in gewünschter Art und Weise gewirkt. Die Maus wird sie endgültig zum Schweigen bringen. Wenn sie die in der Abenddämmerung findet, gäbe es einen tollen Gruseleffekt. Aber die Vorstellung, sie bei Tageslicht zu holen und dann einen ganzen Tag mit den toten Mäusen auf ihrem Zimmer zu verbringen, um sie am darauffolgenden Abend zu platzieren, ließ sie sich schütteln und erlöste Antonia aus ihrer Starre.

Schnell legte sie die Hand auf den Drücker, der sie wie immer, wider Erwarten, nicht biss und rannte, nachdem sie den Lichtschalter betätigt hatte, zur ersten Mausefalle, vor der sie enttäuscht stehenblieb.

Der Köder war weg, die Falle zugeschnappt, jedoch keine Maus darin. Die Enttäuschung war so groß, dass sie ihre Angst vergaß. Sie ließ die Falle in der Tüte verschwinden und schlenderte maulig zur nächsten Falle. Diesmal sah sie den Erfolg schon von Weitem. Ihr Herz, das sich etwas beruhigt hatte, hämmerte erneut wie wild. War die Maus wirklich tot? Vorsichtig schlich sie sich an. Leicht gebückt, wie eine Katze, das Tier ständig im Auge behaltend, kam sie ihm immer näher. Die Maus bewegte sich nicht. Ein gutes Zeichen. Aber die Vorstellung, dass sie das staubige, graue Fell gleich anfassen wird, gefiel ihr nicht. Noch ein paar Schritte. Sie hörte deutlich den eigenen Herzschlag in ihren Ohren. Als sie endlich direkt vor der Falle stand, erblickte sie ein entsetzliches Bild, wie sie es sich schrecklicher nicht ausmalen könnte. Ein greller Schrei wich aus ihrer Kehle und stieß sie bis an die Kellerwand zurück. Als würde sie jemand dagegen pressen, stand sie mit angespannten Muskeln da und starrte fassungslos auf die Maus. Ihre Tüte war heruntergefallen, ohne dass sie das polternde Geräusch wahrgenommen hatte. Die Augen hatten genug zu verarbeiten. Antonia konnte nun sicher sein, dass die Maus tot war. Der Bügel der Falle hatte ihr das Genick gebrochen, doch sie war nun selbst zum Köder geworden. Irgendetwas hatte auch diese Maus angefressen. Waren es Ratten oder andere Mäuse? Die große Fleischwunde, an der einen Seite der Maus gab Teile der Gedärme frei. Die Wunde wirkte noch feucht, war somit frisch und ließ vermuten, dass sie eines dieser Viecher bei der Mahlzeit gestört hatte. Sicher saß es in der Ecke und beobachtete sie. Vielleicht wartete es nur darauf, dass sie sich bückt, um über sie herzufallen, um ihre Beute zu verteidigen. Antonia hatte schon genug Schauergeschichten von Ratten gehört, die Menschen angefallen, ja sogar Babys angefressen hatten.

Die Angst vor dem lauernden Monster paarte sich mit dem Ekel vor der angefressenen Maus.

Antonia war zu keiner Bewegung fähig, als wäre sie die Maus, die vor einer Schlange erstarrte.

Ein Klappern in der anderen Ecke des Kellers erlöste sie. Die Erkenntnis setzte sich durch, dass jedes Zögern ihre Qualen verlängern wird. Kurzentschlossen beugte sie sich über die Falle, legte den Bügel zurück und ließ die Maus herausfallen. Sie tastete nach ihrer Tüte, wobei sie hastige Blicke in die Kellerwinkel schickte. Endlich fühlte sie das zerknüllte Papier und zog die Tüte an sich, weiterhin auf der Hut, jede Bewegung in ihrer Nähe zu erspähen. Ein kurzer Blick auf die Maus, ein schneller Griff der den Schwanz der Maus packte und unentwegtes Spähen, um Gefahren zu erkennen. Sie schüttelte die Tüte, um die Öffnung zu vergrößern, und schon pendelte der Kadaver über deren Schlund. Antonia musste ihre Aufmerksamkeit teilen. Der Keller und die Tüte waren gleichermaßen wichtig. Und so geschah es, dass sie eine kühle Feuchtigkeit an der Hand spürte, die die Tüte hielt. Wider drang ihr Angstschrei durch den Keller, wobei sie Tüte und Maus fallenließ.

Entsetzt starrte sie auf ihre Hand, die von den Verletzungen der Maus gezeichnet war. Ein farbiger, feuchter Film, vermutlich Blut, zog sich im Winkel zwischen Daumen und Zeigefinger hin. Hastig riss sie ein Stück von der Tüte ab und scheuerte damit die Spuren des Todes von ihrer Hand. Es war längst nichts mehr zu sehen, doch sie scheuerte weiter. Sie stellte sich vor, wie böse Keime der Kellergeister in sie eindringen. Den Keller nahm sie nicht mehr wahr. Es galt nur noch, diese Aufgabe zu beenden. Sie warf den beschmierten Papierfetzen in die Ecke, nahm die Tüte auf und steckte die Maus hinein, wobei sie eifrig bemüht war, einen erneuten Kontakt mit der offenen Wunde zu meiden. Dann stürzte sie hinaus, die Falle zurücklassend, ohne das Kellerlicht zu löschen. Sie war nur noch bemüht, den nächsten Wasserhahn zu finden, um sich von den Spuren des Mäusekadavers, in aller Gründlichkeit, zu befreien. Dann erst wird sie einen würdigen Platz für das entstellte Mäuschen suchen. Jetzt, in sicherer Umgebung, kam ihr diese Beute weit wertvoller vor. Angefressen wird der erzeugte Ekel um ein Vielfaches höher. Die Freude legte sich übers ganze Gesicht und stolz betrachtete sie, während des Laufes, ihre Tüte.

Zum dritten Mal hob Frau Griesbach ihre Hand, um an Maritas Tür zu klingeln. Es war noch nie so deutlich, dass dieses arme Mädchen ihre Hilfe brauchte. Bevor der Finger zum Klingelknopf fand, öffnete sich die Tür und eine Hand zog sie hinein, worauf sich die Tür sofort wieder schloss.

„Was suchen Sie hier?", flüsterte Marita, wobei sie ihrem Blick auswich.

„Du dummes Ding hättest schon längst ein Wort sagen können, mit was für Bestien du zusammenwohnst", antwortete sie. „Wie lange hältst du das schon aus?"

Da Marita sie immer noch nicht ansah, schritt sie ins Wohnzimmer.

Das Foto im Spinnenkasten und das große, gesichtslose Frauenbild verrieten ihr sofort, dass sie nur einen klitzekleinen Teil einer herzzerreißenden, unglücklichen Geschichte gesehen hatte.

„Bitte gehen Sie wieder", ertönte Maritas leise Stimme hinter ihr. Der Ton war entschlossen und als sie sich zu ihr umdrehte, sah sie in feste, fordernde Augen. Wo war ihre Unsicherheit hin?

Hatte das Mädchen in ihrem verzweifelten Kampf eine Seite entwickelt, die sie nur hier, an vorderster Front zeigt? Sie hielt Maritas Blick stand.

„Warum sollte ich gehen?"

„Weil ich es so wünsche."

Forschend suchte Frau Griesbach in Maritas Blick. Seltsam - keine Schwäche darin, nur fester Wille.

Sie forschte einige Zeit weiter, ohne ein Wort dabei zu sagen. Irgendwo da drin musste das Mädchen sein, das sie kannte: schutzlos, verletzlich, verschüchtert. Doch sie sah nur diesen Panzer, den sie nicht zu durchdringen vermochte.

Es klopfte an der Tür. Plötzlich brach sie wieder durch, die Unsicherheit. Marita fuhr zusammen. Innerlich sichtlich aufgewühlt, eilte sie zum Spion. Ihr Gesicht hellte sich auf und sie öffnete hastig.

Ein kleines Mädchen trat ein, das mit einem strahlenden Lächeln zu Marita aufsah. Ihre Hand umfasste krampfhaft eine zerknüllte Papiertüte. Als das Mädchen Frau Griesbach erblickte, wurde es schlagartig ernst, als hätten sich düstere Wolken vor die Sonne geschoben.

„Was will diese Frau von dir?"

„Nichts, mein Kind. Sie war gerade im Begriff, zu gehen." Marita wirkte gelöst, als sie das sagte.

„Ich wollte keineswegs gehen", ereiferte sich Frau Griesbach. „Sie brauchen Hilfe und erst, wenn Sie mir erzählt haben, was hier vorgeht, werde ich wieder verschwinden!"

„Marita möchte aber nicht mit Ihnen reden. Das hat sie Ihnen doch gesagt", mischte sich Antonia ein.

„Halt du dich da raus, du vorlautes Ding. Ich spreche mit Frau Kümmel und da hast du Pause!"

Antonia verschlug es die Sprache. Hasserfüllt sah sie Frau Griesbach an, die sich gleich wieder an Marita wandte.

„Geben Sie sich einen Stoß, Marita. Allein schaffen Sie das nicht."

„Ich bin nicht allein. Verlassen Sie jetzt bitte meine Wohnung." Sie lief zur Tür und legte die Hand auf den Knauf. Die Hand Frau Griesbachs legte sich sanft darüber.

„Bitte überleg es dir. Ich mag dich und kann nicht mit ansehen, wie du daran kaputtgehst."

Marita spürte die warme Hand, spürte, dass es ihr guttat und befürchtete, dass es nicht gut war. Ihre Lippen begannen leicht zu beben, und ihr Blick bohrte sich in die Tür, nur um nicht Frau Griesbach ansehen zu müssen. Sie war auf der Siegerstraße und das Schaf, das sie aufzuhalten versuchte, war schon an den Rand gedrängt. Nur noch ein kurzer Stoß, und der Weg wäre frei. Sie stieß die Tür auf und wartete ausdruckslos auf den Abgang von Frau Griesbach. Mit gesenktem Kopf verließ sie schließlich die Wohnung. Draußen wandte sie sich nochmals an Marita.

„Sie begehen einen großen Fehler, Kindchen."

Die Tür fiel ins Schloss. Leise Tränen kämpften sich ins Freie. Eine Kinderhand zog sie fort und ließ den Tränenfluss versiegen.

„Komm, wenn wir Glück haben, gibt es etwas Lustiges zu sehen."

Sie schlichen zum Fenster und sahen auf die Straße. Es dauerte eine Weile, bis Frau Griesbach aus dem Haus heraustrat. Traurig sah sie zurück, ordnete ihre Sachen und marschierte energisch los. Doch kaum hatte sie ihre Hand in die Manteltasche gesteckt, schrak sie zusammen. Sie fasste erneut hinein und holte eine Maus heraus, die sie sofort mit einem durchdringendem Schrei fallenließ. Während sich Antonia vor Lachen krümmte, verfiel Frau Griesbach in immer neue Schreikrämpfe, wobei sie ihre Hand anstarrte und ihr Körper sich schüttelte, bis sich Passanten um sie kümmerten. Die Maus war fast bis vor Maritas Fenster geflogen, so dass sie deutlich die aufgerissene Seite der Maus sehen konnte. Fassungslos wanderte ihr Blick zwischen Maus, der schreienden Frau Griesbach und der lachenden Antonia umher. Ihr Mund stand offen, die Augen erstarrten, die Arme hingen kraftlos herunter. Nur der Kopf bewegte sich, um die schrecklichen Ereignisse koordinieren zu können.

Frau Jaffel war selbstverständlich eine der Ersten, die das Spektakel vor dem Haus mitbekam. Als sie die angefressene Maus sah, war sie bereits sicher, mit wem der Menschenauflauf zusammenhing. Die inzwischen am Boden hockende Frau, die kurz zuvor bei Marita Einlass gefordert hatte, bestätigte ihre Vermutung. Sie kämpfte sich zu der Frau vor, um ihr Hilfe anzubieten. Während sie deren Arm erfasste, um sie hochzuhieven, redete sie auf sie ein.

„Ich habe Ihnen gleich gesagt, dass sie die Hexe meiden sollen. Jetzt haben Sie am eigenen Leibe erfahren, dass ich Recht hatte."

Erst jetzt erkannte Frau Griesbach die Frau, die an ihrem Arm zerrte. Sie brach ihr Schluchzen ab, das die Schreie abgelöst hatte und stieß sie von sich, so dass sie selbst stürzte. Sie rappelte sich wieder auf und schrie Frau Jaffel an.

„Die Sache hat nicht das Geringste mit Marita zu tun. Wenn sie schon im Haus rumschnüffeln, sollten sie das gründlicher tun!"

Dann klopfte sie ihren Mantel ab, ergriff ihre Umhängetasche und zog eilig davon, ohne die gaffende Meute auch nur eines Blickes zu würdigen. Nach und nach erfasste sie erst, was passiert war. Das Mädchen und die verkrampft gehaltene Tüte kamen ihr in den Sinn. Keine Frage, dass sich darin die Maus befunden hatte. Stand Marita etwa unter dem Einfluss eines psychopathischen, aggressiven, kleinen Mädchens? Die Freude, die beide bei ihrer Begrüßung gezeigt hatten, ließ auf eine Freundschaft, auf eine gefährliche Freundschaft schließen. Müsste man Marita daraus befreien?

Während sie bei Marita immer eine gewisse Wärme gespürt hatte, war, in den kurzen Momenten, von dem Kind nur Kälte ausgegangen. War das Kind an den Spukgeschichten Schuld, die Marita das Leben so schwermachten? Plötzlich hasste sie dieses Kind, wie sie noch nie gehasst hatte. Vielleicht lag es daran, dass sie dieses Gefühl wieder überkam, die zerrissene Maus angefasst zu haben. Schon der Anblick einer normalen Maus, konnte bei ihr hysterische Anfälle auslösen. Oder kam ihr Hass aus den Muttergefühlen, die sie für Marita hegte. Diese Göre hatte ihr das eigene Kind entrissen, noch bevor sie es empfangen hatte.

Die Spuren der Berührung mit der Maus brannten und sie war sicher, dass sie davon Ausschlag bekommen würde, wie immer, wenn sie sich vor etwas extrem ekelte. Sie schaute sich nach Wasser um. Eine Pfütze vielleicht, oder einen Brunnen. Doch der letzte kräftige Regen lag Tage zurück und der nächste Brunnen, bzw. ein Wasserspiel, erwartete sie erst drei lange Straßen weiter. Erneut schüttelte sie der Ekel und abermals sah sie das trotzige Bild des kleinen Mädchens, das Marita vergiftete.

Voll konzentriert las Kilian seinen Artikel nochmals durch, der kurz vor dem Druck stand.
Er fand ihn gelungen. Zu schade, dass dieses Miststück seinen Fotoapparat besaß, der ein paar weitere, brisante Fotos hergegeben hätte. Doch den könnte ihm Frau Jaffel zurückfordern. Sie war ihm absolut hörig. Ihr gab er Selbstbewusstsein, bestärkte sie in ihrem Kampf gegen das Böse. Durch ihn empfand sie sich als Heldin. Sie war für ihn noch irrer als die Kümmel.
Sein besonderer Stolz galt den Fotos, die seine Story krönten und mit Sicherheit tausende Leser anlocken werden. Eine Mischung aus Erotik, Unterwerfung, Aggression und Mystik - das war es, was die Menschen liebten. Und wenn es im realen Umfeld, in unmittelbarer Nähe passiert, werden sie es aufsaugen, als wären sie am Verdursten.
Dieser Artikel wird der Auftakt zu einer großen Serie werden. Seine Rache an einer Frau, die ihm eine kleine Niederlage zugefügt hatte, was normalerweise ein Fremdwort für ihn war. Um so schmerzlicher empfand er sein Versagen. Ein Schmerz der viel tiefer reichte als das unerträgliche Stechen zwischen den Beinen, dass ihn tagelang an sein Scheitern erinnern wird.
Die Worte waren vorsichtig gewählt, als er sich durch seine Story biss. Niemand würde ihm eine falsche Beschuldigung nachsagen können. Kilian hatte sich immer in der Gewalt. Er beherrschte seine Gefühle. Sie waren

nicht mehr, als sein Treibstoff. Gas gab er mit dem Gehirn, das vortrefflich Realität und Fantasie vermischte, ohne dass es jemandem auffiel.

Er fügte die letzten Fotos ein, entfernte dieses, tauschte jenes aus und legte Ausschnitte neu fest, die den Blick des Betrachters noch wirkungsvoller fesseln werden.

Endlich lag das fertige Produkt vor ihm. Zufrieden lehnte er sich zurück. Das beeindruckendste Foto zeigte Marcus Wispa, im Park der Firma Kersik, wie er gebannt zu seiner Angebeteten emporsieht, die verführerisch schön im umrankten Fenster posiert. In die Ecke des Bildes hatte er eine Ausschnittsvergrößerung gezogen, die nur das genießerische, entspannte Gesicht Maritas zeigte.

Ein letztes Mal las er die Zeilen, bevor sie in einem Umschlag verschwanden:

Mord oder Unfall - Täter oder Opfer?

Belanglose Artikel in diversen Tageszeitungen informierten sie bereits. Ein Autounfall mit Fahrerflucht.

Niemand vermag es, dieses Auto zu finden. War es wirklich da? Weiß der Fahrer überhaupt, was er angeblich getan haben soll? War er vielleicht genau so ein Opfer, wie der junge Mann, der sterben musste, gesteuert von einer jungen Frau, der übersinnliche Fähigkeiten nachgesagt werden, die von Beobachtern als Täterin abgestempelt wird?

(Hier erscheint ein Foto von Marita, die scheu ihren Blick hebt, und den Eindruck erweckt, als könne sie ein plötzlich auftauchender Schmetterling erschrecken.)

Diese Frau, Marita K., scheint Opfer einer Verleumdungskampagne zu sein. Trauen sie ihr eine solche Tat zu? Geradezu zerbrechlich wirkt sie, von Blicken gepeitscht, die sie anklagen.

Doch gerade ihr Blick soll die Tragödie ausgelöst, den jungen Mann auf die Straße getrieben haben, den Fahrer des Unglückswagens zu einem Schlenker veranlasst haben, um die Tat dann aus seinem Gedächtnis zu löschen. Und nach erfolgreicher Mission soll sie dem Opfer eine Galgenfrist eingeräumt haben, um ihn ein paar Straßen weiter sterben zu lassen. Ein perfekter Plan, um von einem Verbrechen abzulenken? Und dennoch blieb dieses Gesicht in den Köpfen der Menschen haften, das sich einem ungezwungenen Lächeln hingab, als es den Unfall beobachtete. Marita K. lächelte, als ein junger Mann angefahren wurde?

Zugegeben, auch ich habe keine Erklärung dafür, aber ist sie deswegen eine Hexe? Können uns Blicke beherrschen, ja sogar zu Taten zwingen, die wir nicht wollen?

Es scheint dem normalen Menschenverstand nicht zugänglich. Doch es gibt Menschen, die sagen: Das Grauen wohnt in der Ahornstraße Nr. 13.

Sie halten es für möglich!

Betrachten wir die Marita K.. Was ist sie für ein Mensch?

(Kilians Lieblingsfoto folgt, das den schmachtenden Marcus vor der Fa. Kersik zeigt, mit Marita im Fenster)

Wir sehen einen verschmähten Liebhaber, der seiner Angebeteten trotz mehrfacher, deutlicher Abfuhren folgt, magisch in ihrem Bann steht. Und das, obwohl jeder weiß, dass sie keinen Mann an sich heranlässt. Verständlich, dass man vieles nicht sieht, nicht sehen will, wenn man verliebt ist.

Doch diese Frau, die sich vor ihm provokativ und verführerisch aufgebaut hat, scheint diese Anbetung zu *genießen. Welche Frau mag das nicht. Wollen wir sie deswegen etwa anklagen?*

Nehmen wir einen anderen Fall. Frau K. hatte sich krank gemeldet. Ein Krankenbesuch eines Kollegen ist die normalste Sache der Welt.

(Es folgen zwei kleinere Fotos: Harry Keller vor dem Besuch, das Gesicht von Zweifeln gezeichnet und die Flucht aus dem Haus nach dem Besuch, panisches Entsetzen auf jedem Körperteil. Der Körper liegt schräg in der Luft, als er die Kurve nimmt und der Blick wandert zurück, während er sein Gesicht qualvoll verzieht. In den Augen der Passanten Bestürzung, Überraschung und Fragen über Fragen.)

Was erlebte Harry K. in diesem Haus? Niemand weiß es. Er war zu keinem Kommentar fähig, als ich zufällig am Ort des Geschehens auftauchte. Vielleicht hatte ihn eine Katze erschreckt. Warum ist es in den Augen der Nachbarn so selbstverständlich, dass Frau Marita K. dahintersteckt?

Urteilen wir etwa zu vorschnell über einen Menschen, den noch nicht einmal eine Anklage bedroht?

Es gibt niemals Zeugen - nur diesen einen Blick, nur das unerklärliche Verhalten der Personen im Umfeld der Frau K..

Ihre Kollegen können einige Geschichten über Frau K. erzählen. Unkonzentriertheit, die sich in eindeutiger geistiger Abwesenheit zeigt, stechende Blicke, wenn sie sich angegriffen fühlt, kleine, gemeine Aktionen gegen Kollegen, die sie nicht leiden kann und hinterher von ihr abgestritten werden. Selbstgespräche, die aus heiterem Himmel über sie kommen - und trotzdem sehen die Kollegen in ihr ein armes, bedauernswertes Wesen, das Hilfe braucht.

*Ihre Gegner sehen darin den Beweis, dass Marita K.
ihre Kollegen verhext habe.
Ich bitte sie, sollten wir daran glauben, in einer Zeit, wo die
Wissenschaft den Aberglauben schon längst in die
Schranken gewiesen hat. Und dennoch bleiben auch in
uns Zweifel, obwohl wir es besser wissen müssten.
Wir werden sie über diesen Fall auf dem Laufenden
halten, der einmalig in seiner Rätselhaftigkeit ist. Viele
Ungereimtheiten gilt es noch aufzuklären und die Polizei
ist momentan mit ihrem Ermittlungsstand bei Punkt null.
Doch zumindest ermittelt sie auch gegen Frau K..
Seien wir gespannt, was sich daraus ergeben wird.
Ihr Frank Kilian, immer einen Schritt voraus.*

Versandtüte zu und weg damit. Wieder trat das breite
Grinsen in sein Gesicht. Man konnte ihm vorwerfen, was
man wollte, aber niemals, dass er diese Frau angegriffen
hätte. War es nicht eher eine brillante Verteidigung?
Morgen früh würde sein Artikel Stadtgespräch sein. Zu
Schade, dass er nicht Maritas Gesicht sehen kann, wenn
sie ihn liest.

Der Fernseher lief und Antonia schaltete von einem
Sender zum anderen. Ihre Mutter war noch nicht zu
Hause. Sie fühlte sich wieder mal einsam und nahm nicht
so richtig wahr, was an ihr vorbeiflimmerte. Eigentlich hatte
Antonia gar keine Lust, fernzusehen. Doch was sollte sie
sonst tun. Müde war sie noch nicht. Zuviel war in den
letzten Tagen geschehen. Sie hatte eine neue Freundin,
mit der man zwar nicht lustig sein konnte, die aber ihr
Leben von Grund auf änderte. Das Gefühl der
Geborgenheit, trotz der vielen Anfeindungen war neu. Das
Gefühl der Stärke kam hinzu, was ihre größte Freude war.

Gern dachte sie daran, wie sie die dumme Frau Jaffel einschüchterte und der frechen Frau Griesbach, mit der Maus, eine Lehre erteilte.

Missmut beschlich sie bei der Erinnerung, wie entsetzt Marita darüber war, als sie Frau Griesbach mit der toten Maus am Boden sah. Sie konnte lange nicht sprechen und als Antonia gar nicht mehr aufhören wollte zu lachen, hatte sie ihr eine gewaltige Ohrfeige gegeben, die jetzt noch schmerzte. Ihre beste und einzige Freundin hatte sie geschlagen. Es war kein körperlicher Schmerz, der nachwirkte. Es war die ungerechte Strafe, von einer Freundin, die ihren Stolz verletzte. Anfangs hatte sie das auf Marita wütend gemacht. In ihr haften blieb jedoch, nur Trauer und Selbstmitleid.

„Tu' das nie wieder!", hatte sie ihr nachgeschrien, als Antonia heulend aus der Wohnung lief.

Warum verstand Marita nicht, dass sie ihr nur helfen wollte? Dass sie ihr geholfen hatte?

Sie wusste, dass Marita krank ist, sie von ihren Geistern beherrscht wird. Sie konnte nichts dafür. Marita wird erst lernen müssen, dass sie es, ohne ihre Hilfe, nie schaffen kann, sich gegen das Böse, gegen die Menschen zu wehren. Sie beschloss, so zu tun, als hätte es diese Ohrfeige nie gegeben. Sie musste jetzt noch stärker sein, da Marita schwach war. Sie wurde zu ihrem Kind, Antonia war jetzt Mutter. Und als wäre es ein Zeichen, sah sie zu ihrem Fernseher auf und verfolgte fasziniert eine Diskussionsrunde, die ihr den Weg wies.

Es ging um die Rechte der Kinder. Dass sie in ihrer Entwicklung nicht behindert, nicht durch Gewalt bedroht werden dürften. Dass sie für ihre Taten nicht verantwortlich seien. Dass dies letztlich auf die Erziehungsberechtigten zurückfiele, die ihrer Sorgepflicht nachzukommen hätten.

Es wurde noch vieles gesagt, was für sie nicht wichtig war. Es waren bedeutende Leute, die hier diskutiert hatten. Doktoren und Psychologen wissen, wovon sie sprechen. Eigentlich könnte sie Marita, wegen der Ohrfeige, verklagen, was sie jedoch niemals tun würde. Marita war alles, was sie hatte und sie war dafür nicht verantwortlich. Es war ihre Mutter, Frau Jaffel, die Kerle, die sie belästigt hatten, und wer weiß was noch. Es ist ein furchtbarer Tag für Marita gewesen. Im ganzen Haus wurde fast nur noch über sie gesprochen. Marita hatte niemanden, außer sie und Antonia hatte niemanden, außer Marita.

Bei diesem Gedanken spürte sie, wie die Kälte von allen vier Wänden auf sie zukroch. Immer näher kam sie und keiner war da, um sie aufzuhalten. Sie zog die Beine an und legte die Arme um ihren Körper, um ihre innere Wärme zu bewahren. Erst als die kalte Welle sie fast erreicht hatte, schloss sie die Augen und erinnerte sich daran, wie Marita sie in den Arm genommen hatte, wie eine angenehme Wärme durch den ganzen Körper gekrochen war. Diese Wärme kam nun zurück und schwoll immer mehr an, so dass sich die Kälte des Zimmers, angewidert zurückzog. Beschwingt begab sich Antonia ins Bad und machte sich bettfein. Morgen wird Marita wieder für sie da sein.

Die Nacht war schrecklich. Marita hatte in den letzten Stunden mehr durchlitten, mehr Wandlungen in sich ertragen, als in den letzten Jahren. Aber sie war stark, wie noch nie. Damit hatte sie sich das Recht verdient, wenigstens jetzt schwach zu sein.

Ihr Kopf dröhnte vor Schmerz. Der Druck ihrer Augen, die damit beschäftigt waren, die Flut ihrer Tränen zu bändigen, verstärkten dies. Sie wehrte sich nicht mehr dagegen und ließ ihnen freien Lauf, um sofort Erleichterung zu spüren. Sie weinte vor Glück, als sie ihren Sieg über Harry passieren ließ, wobei sie angewidert an den Weg dorthin dachte. Sie weinte vor Wut, als sie die Gefahren spürte, die durch diesen hinterlistigen Reporter auf sie zukommen werden und sie unterlegte die Tränen mit einem lachenden Schluchzen, als sie ihn sich, vor Schmerz gekrümmt, vor Augen führte.

Ebenso der Auftritt dieses UPS-Fahrers brachte neue Unruhe hervor, da sie Unsicherheit in sich spürte. Wie vielen Angriffen wird sie noch ausgesetzt sein? Was versteckte sich noch im Schlamm, was darauf wartete sie anzuspringen. Und vor allem, wie lange wird sie das aushalten. Hinzu kamen Zweifel, als sie an Frau Griesbach dachte. Diese Frau hatte es nicht verdient, so gemein behandelt zu werden. Sie allein trug dafür die Verantwortung. Sie war sagenhaft enttäuscht von Antonia, die mit ihrem kindischen Streich Unheil angerichtet hatte, das kaum wieder gutzumachen war. Morgen wird sie mit ihr darüber reden. Ohne Antonia wird sie das niemals durchstehen. Vielleicht war sie jetzt stark genug, Frau Griesbach aufzusuchen, um sie vor weiteren Eingriffen zu warnen. Sie ertrug es nicht, wenn diese Frau Schaden nahm. Niemand sonst hatte je für sie gekämpft, wenn man von Antonia absah. Aber es wird keine Tür zu Frau Griesbach geben, um sie in sich hineinzulassen. Sie darf sich nicht so weit öffnen, dass sie verletzbar wird.

Bei einem Kind war das anders. Es wäre nicht so manipulierbar. Kinder haben noch die Fähigkeit, sich Idealen, echten menschlichen Werten zu öffnen. Der heutige Mensch sieht nur seine Vorteile und tut alles nur dafür. Einer der Punkte, die ihn zur bösartigen Kreatur werden lassen. Auch Frau Griesbach würde sie verkaufen, wenn der widerliche Reporter ihr Honig ums Maul schmiert.

Der Tränenfluss versiegte langsam. Ihr Herz flatterte immer noch und die Augenlider brannten von dem Salz der Tränen. Doch sie fühlte sich wohler und ein wenig optimistischer. Etwas von den alten Tagen, vor ihrer Geburt, hatte sich in ihr starkgemacht. Sie musste dieses kleine Komplott mit den dunklen Mächten eingehen. Nur die Bösartigkeit des Menschen wird den bösen Menschen besiegen. Sie war der beste Beweis dafür.

Ihre Wandlung kam gerade rechtzeitig. In ein paar Tagen wird der Urlaub beendet sein.

Der Weg nachhause wurde zur Tortur. Frau Griesbach stürzte sich auf die nächstbeste Wasserquelle, die, wie erwartet, der Brunnen in der Wagnerstraße war. Nervös zerrte sie ihr Taschentuch heraus, tauchte die Hand ins Wasser und rieb sich mit dem Tuch fast die Haut in Fetzen. Doch es war offenbar zu spät. Sie spürte bereits den brennenden Schmerz auf ihren Lippen, der zweifelsfrei von einem sich entwickelnden Ekelbläschen herrührte. Die Stelle der Hand, die sie schon minutenlang bearbeitete, nervte sie mit einem Brennen und leichten Juckreiz. Es hatte sich eine pickelige Oberfläche entwickelt. Sie stellte sich vor, welche Krankheitserreger die Maus mit sich herumgeschleppt haben mochte, was ihr Wohlbefinden um eine weitere Stufe verschlechterte.

Dieses Biest Antonia war die Hexe in dem alten Haus, wenn es auch mit Hexerei wenig zu tun hatte.

Wie weit die Abhängigkeit Maritas zu diesem Mädchen schon gediehen war, konnte sie nicht einschätzen. Gemessen an Maritas Reaktion, bei Eintreffen des Kindes, hegte sie allerdings schlimmste Befürchtungen.

159

Vollkommen zerstreut traf sie zu Hause ein. Sie stellte ihre Handtasche ab und hängte den Mantel auf.

„Hast du Bier mitgebracht?", empfing sie die raue Stimme ihres Mannes. „Ist keins mehr da!"

Deutlich war der Vorwurf herauszuhören.

„Habe nicht daran gedacht Liebling, ist was dazwischen gekommen."

Sie hätte ihn in diesem Moment erschlagen können. Es drängte sie, in einen Spiegel zu sehen, um den Schaden zu begutachten, der in nächster Zeit ihr Gesicht entstellen würde.

„Was kann bei dir schon dazwischen kommen, was wichtiger ist, als das bisschen Haushalt zu erledigen. Wenn Arbeit zu erledigen ist, muss sie gemacht werden. Ich kann auch nicht meinem Bauleiter erklären: Ich konnte nicht arbeiten, mir ist was dazwischen gekommen. Und so, wie ich arbeite, erwarte ich es auch von anderen. Es ist doch nicht zu viel verlangt, mir mein wohlverdientes Bier mitzubringen."

Besorgt betrachtete sie die kleine Rötung an der Unterlippe. Da hatte sie den Salat. Der Ärger über den heutigen Tag ließ das Gelaber ihres Mannes bedeutungslos erscheinen, obwohl sie den scharfen Unterton deutlich wahrnahm.

„Mir hat ein kleines Mädchen eine angefressene, tote Maus in die Tasche gesteckt. Ich bekomme Ausschlag, wo sie mich berührt hat." Sie zerrte weiter an der Unterlippe und wusch sie nochmals mit Wasser ab.

„Ach, unser Zierpüppchen hat wieder Ausschlag bekommen und konnte deswegen kein Bier holen, das ich nicht lache. Eine bessere Ausrede ist dir wohl nicht eingefallen was?"

„Warum bist du nicht selbst losgegangen, wenn du so dringend dein Bier brauchst? Es sind nur zwei Ecken bis zum Laden!", schrie sie förmlich, was sie sofort bereute, als es heraus war.

Ihrem Mann verschlug es für ein paar Sekunden die Sprache. Noch während er nach Luft schnappte, um sein Gebrüll über sie auszuschütten, schnappte sie sich die Einkaufstasche, um sich auf den Weg zu begeben.

„Du wagst es, mich einkaufen zu schicken? Du amüsierst dich den ganzen Tag bei dem, was du Arbeit nennst und wagst es den, der den ganzen Tag hart arbeitet.."

Sie knallte die Tür zu und war schon im Hausflur. Ihr Mann riss die Tür wieder auf.

„Hör dir gefälligst an, was ich dir zu sagen habe. Wir sind noch nicht fertig!"

Unbeeindruckt setzte sie ihren Weg fort. Immer die gleichen Sprüche. Sie hätte die Sätze selbst zu Ende sprechen können. Ob mit jeder Flasche Alkohol aus dem aufgedunsenen Hirn mehr Vokabeln verschwinden, so dass diese Idioten nur noch ein paar eingeübte Sätze zustande bringen?

Erst als sie den Einkaufswagen vor sich herschob und sie auf die entzündete Stelle ihrer Hand sah, wanderte sie gedanklich von dem belanglosen Ärger zum Wichtigeren. Fieberhaft suchte sie nach einer Lösung, wie sie Marita von dem Mädchen befreien könnte. Ihr fiel nichts ein. Sie hatte keine Übung darin, war immer nur Untertan. Die Angst vor den Folgen war wie eine Fessel, die keinen anderen Gedanken zuließ, als Pflichterfüllung. Niemand würde ihre Einmischung verstehen und vor allem, was konnte sie schon tun, ohne sich vor dem Gesetz strafbar zu machen. Eine Ohrfeige galt schon als strafbar.

Der nächste Gedanke belustigte sie - aber nur wenn man es ihr beweisen könnte.

Vielleicht sollte sie zuerst mit der Mutter des Kindes sprechen.

Es reicht vollkommen aus, wenn ich mich von meinem Mann herumschubsen lasse.

Der Morgen überraschte die Stadt mit sensationellen Nachrichten. Die Rechnung Kilians ging auf. Dem Reiz des Übernatürlichen in unmittelbarer Nachbarschaft erlagen immer mehr Neugierige. Die Auflage war in dieser Stadt, vorausschauend, besonders hoch ausgefallen und dennoch reichte sie nicht aus, um den Bedarf zu decken. An jedem Kiosk, jeder Tankstelle, jedem Presseshop fand Maritas Foto Aufmerksamkeit. Man musste es Kilian lassen - er hatte den richtigen Blick, um ein Foto zu schießen. Vermutlich hätte es, unter anderen Umständen, sogar für einen Preis gereicht.

Vor der Ahornstraße 13 blieben die Leute stehen, um selbst einen Hauch von gruseligem Schauer zu ergattern. Sie hofften auf irgendwelche Ereignisse, von denen man stolz sagen könnte: Ich bin dabei gewesen. Sie wurden enttäuscht. Ein Eisverkäufer witterte das große Geschäft und stellte seinen Wagen unmittelbar neben dem Hexenhaus auf. Ein willkommener Anlass für die Passanten, sich hier etwas länger aufzuhalten, ohne aufzufallen. Es waren jedoch alle Köpfe auf das geheimnisvolle Haus gerichtet, so dass jedem klar sein musste, dass dies kein Zufall war. Und jeder der noch unwissend war, stellte sich dazu, um immer die gleiche Frage zu stellen.

Marita sah mit Bestürzung, dass es immer mehr Menschen auf diesen Platz zog. Sie hoffte anfangs, dass es am Eisverkäufer lag, und gestand sich nur langsam ein, dass hier etwas nicht stimmte. Der feste Wille, ihren Weg entschlossener zu gehen, geriet ins Wanken. Sie hatte schon mal einen Presserummel hinter sich gebracht, der ihr feindlich gesonnen war. Er hatte sie seelisch rücksichtslos entblößt und als Lügnerin abgestempelt. Damals stand sie ganz allein.

Heute hat sie Antonia. Aber was kann schon ein Kind gegen das Böse ausrichten?

Die Menschen sahen nur, was sie sehen wollen und daran wird niemand rütteln.

Es klingelte an der Tür. Marita zuckte zusammen. War die Schlacht eröffnet?

Antonia stand draußen. Sie wirkte nervös und Marita ließ sie sofort ein.

Eine Zeitung flatterte in ihrer Hand, mit der sie wild herumfuchtelte, während sie ihrem Herzen Luft machte. Sie hatte sie gekauft, als sie aus der Schule kam.

„Diese Blödmänner. Du solltest die verklagen. Dürfen die so einfach lügen?"

„Beruhige dich erst mal. Was ist passiert?" Marita vergaß, dass sie Antonia   zurechtweisen wollte.

„Die schreiben jetzt schon in der Zeitung, dass du eine Hexe und Mörderin bist. Und Frau Jaffel steht draußen und spielt den Reiseführer. Du solltest rausgehen und sie verhexen."

„Zeig mal her."

Marita las und je mehr Worte in sie drangen, umso mehr zitterte sie.

„Sieh dir das an! So weit ist es nun gekommen. Du hast unseren guten Namen besudelt und keine Spur von Reue.

Unsere Tochter eine sexbesessene Diskopuppe, die sich an jeden ranmacht."

„So war es nicht Mutti, warum glaubst du denen?"

„Sieh dir das Foto an, du hättest dich auch gleich nackt hinstellen können. Und ich soll dir glauben? Ich habe Augen im Kopf. Die lassen sich nicht belügen!"

„Aber du warst nicht dabei Mutti. Darf denn jeder über mich herfallen, der Lust auf mich bekommt, nur weil ich ....."

Marita spürte ein Rütteln an ihrem Körper.

„Was ist los? Jag' deine bösen Geister weg. Los verschwindet!"

Marita sah Antonia verwundert an. Sie hatte schon lange keine Stimmen mehr gehört. Es war ihr peinlich und sie vergrub ihr Gesicht in den Händen. Antonia schob ihren Kopf sofort wieder in die Höhe, so dass sie sie ansehen musste.

„Wer ist über dich hergefallen? Was meinst du damit, dass jemand Lust auf dich hat. Bist du vergewaltigt worden?"

Marita sah das Mädchen lange an. Der Mund bebte, wollte erzählen, sich jedoch nicht öffnen. Er führte einen stillen Kampf. Sie suchte in Antonias Augen, ob sie es verkraften würde. Ob die Möglichkeit bestünde, dass sie sie verachten wird, so wie es ihre Mutter getan hatte. Doch Antonias Blick war rein, drückte mehr Mitgefühl aus, als sie je in ihrem Leben erfahren hatte. Sie las in dem Kind die Antwort, die sie nicht mehr zu geben brauchte und war dankbar dafür. Stattdessen ging sie zum ramponierten Zeitungsfoto, das immer noch von der Spinne bewacht wurde. Sie nahm es heraus und hielt es Antonia hin.

„Der war es."

Antonia kannte das Bild zur Genüge. Sie hatte nie danach gefragt, da sie ahnte, dass es etwas war, worüber Marita nicht sprechen wollte. Jetzt hatte das Foto plötzlich ein Gesicht, eine hässliche Fratze.

Es war einer von Maritas Geistern, die sie ständig quälten. Auch ihre Mutter war einer der bösen Geister. Nun kannte sie also schon zwei davon. Antonia spürte, wie sie von Marita beobachtet wurde, wie sie ein Stückchen Hoffnung zu ihr schickte und ahnte, dass sie sich erst wieder rühren könnte, wenn Antonia es von ihr verlangt. Instinktiv zerknüllte sie das Zeitungsfoto und warf es in die Ecke.

Marita erschrak.

„Du brauchst es nicht mehr!", beschloss Antonia. Am liebsten hätte sie auch die vielen anderen, bemalten Fotos und das große Porträt der Mutter weggeworfen, aber das traute sie sich nicht.

„Wir haben keine Zeit für deine Geister. Du musst sie wegschicken." Sie stellte sich neben sie, drehte sie zum Fenster und sagte ganz leise:

„Wir haben jetzt anderes zu tun."

„Was kann ich schon tun? Sie werden immer Recht behalten. Sie sind stärker als ich."

„Das ist nicht wahr!", schrie Antonia. „Ich werde es dir beweisen."

„Wir spazieren jetzt da raus und du gehst nur auf Frau Jaffel zu. Mehr musst du nicht tun. Du wirst dann schon sehen, wer stärker ist."

„Wie soll das helfen?"

„Komm' einfach mit. Vertraue mir."

Nur zaghaft folgte sie ihr. Mehr von Antonia gezogen, als gehend, näherten sie sich der schweren Haustür. Eine kleine Pause vor der Tür und Antonia riss die Tür auf. Beim nächsten Schritt spürte Antonia Maritas Widerstand.

Alle Blicke richteten sich auf sie. Das Gemurmel verstummte. Totenstille beherrschte den Platz vor dem Haus. Neugier, verschiedenste Erwartungen und Angst mischten sich zu einem Sturm, der über die Menschen hinwegfegte und in jedem von Ihnen seine Spuren hinterließ.

Marita hielt es nicht mehr aus, riss sich los und rannte in die Wohnung zurück. Antonia war enttäuscht, wusste jedoch, dass Marita, vom Fenster aus, zusehen würde. Es gab kein Zurück mehr. Zurück heißt Niederlage. Die Tatsache, dass sie sich mit Marita Hand in Hand gezeigt hatte, würde vermutlich genügen, um auch vor ihr Angst zu haben. Sie hatte nichts mehr zu verlieren. Ihr kam eine Idee, die sie den Jungs ihrer Klasse verdankte. Voodoo-Meister sollen die Fähigkeit besitzen, einen Menschen zu verhexen, wenn sie etwas besitzen, das ihrem Opfer gehört. Die Leute da draußen sahen so dumm aus, daran zu glauben. Sie wirkten sogar so dumm, dass sie es auch einem kleinen Mädchen zutrauen werden.

Also bewegte sie sich auf ihr sicherstes Opfer zu: Frau Jaffel. Die Menschen gingen ein bis zwei Schritte zurück, was Antonia Mut gab. Frau Jaffel, die nicht ahnte, was auf sie zukam, spürte die Gefahr. Sie versuchte, noch weiter auszuweichen, wurde jedoch durch den Aufprall auf ihren Hintermann gebremst. Das Mädchen stand direkt vor ihr. Als es seine Hand hob, um sich ihrem Gesicht zu nähern, wich sie mit dem Oberkörper zurück. Die Angst drückte ihr die Kehle zu, das Gesicht verkrampfte sich. Und dann streichelte das Mädchen ihre Wange und wie nebenbei nahm sie ein Haar auf, das an ihrer Schulter hing, hielt es hoch und ging langsam zum Haus zurück.

Immer noch herrschte Stille. Antonia hatte die Hälfte des Weges zurückgelegt, als sie das Geschrei der Frau Jaffel hörte:

„Haltet sie auf. Sie hat ein Haar von mir. Sie wird mich verhexen!"

Und während sie sprach, drehte sie sich zwischen der Menge und Antonia hin und her, als wolle sie den Leuten die Richtung weisen. Erst als sie einsah, dass ihr niemand helfen wird, rannte sie Antonia hinterher, um ihr das Haar zu entreißen.

Antonia hörte die schnellen Schritte auf dem Pflaster hallen. Blitzschnell drehte sie sich um, wobei sie sich bemühte, einen bösen Blick aufzusetzen, und starrte Frau Jaffel an.

Diese stoppte sofort und Antonia verschwand im Haus. Frau Jaffel fiel auf die Knie und begann lauthals zu jammern.

Als Antonia in Maritas Zimmer trat, stand diese, wie erwartet, am Fenster und das, was Antonia erhofft hatte, war eingetreten. Marita lächelte, sah kurz zu Antonia und genoss dann wieder das Bild der dümmlich dreinschauenden Menschen.

„Siehst du jetzt", frohlockte Antonia „wer Angst hat? So werden wir es machen. Ich komme später zu dir."

Bevor sie ging, drehte sie sich nochmal um.

„Was ist das für ein Fotoapparat, der im Flur liegt?"

„Der gehört dem Reporter. Er fiel runter, als ich ihm zwischen die Beine getreten habe." Sie lächelte immer noch. Ihr Tag war wieder in Ordnung.

„Ich borg' ihn mir mal aus", säuselte Antonia und verschwand.

Verträumt sah Marita Antonia nach.

„Was kann ein Kind schon gegen das Böse ausrichten?", flüsterte sie und musste erneut lächeln.

Ihr lief ein Schauer über den Rücken, als Frau Jaffel den Artikel las. Sie stand noch immer unter dem Schock, den Antonia bei ihr ausgelöst hatte. Sie beschloss, das Haus vorerst nicht zu verlassen. Auch den Fotoapparat würde sie niemals für den Kommissar zurückholen. Je weiter sie las, umso mehr verdichtete sich der Gedanke, dass dieser Kommissar den Artikel verfasst hatte und folglich nur ein Reporter war. Es war ihr ohnehin komisch vorgekommen, dass zwei Kommissare in der gleichen Sache ermitteln. Andererseits sind sie in den Filmen auch immer zu zweit unterwegs.

Sie nahm es dem Reporter nicht übel, dass er sie beschwindelt hatte. Dieser Artikel entschädigte sie dafür bestens. Vielleicht werden die Leute jetzt hellhörig werden, die sie auf dem Platz schmählich im Stich gelassen hatten. Niemand hatte den Mumm, das kleine Luder aufzuhalten. Was sind das heute nur für Kerle?

Besonders die Fotos des Mannes, der den Krankenbesuch gemacht hatte, beeindruckte sie. Was mochte da passiert sein? Bestimmt wird sie auch bald erleben, was einem erwachsenen Mann das Blut zum Gerinnen brachte. Jetzt wo die beiden ein Haar von ihr hatten, könnten sie ihr unvorstellbare Sachen antun, ohne mit ihr in Kontakt zu treten. Die Zeitung vibrierte, während sie mit ihren Gedanken davonflog und schon jetzt die Qualen durchlebte. Über ihr schwebten die verzerrten Grimassen auf den bleichen Gesichtern von Marita und Antonia. Es rauschte im Kopf und Geräusche, die nicht in ihre Wohnung gehörten, holten sie zurück. Obwohl sie angestrengt lauschte, hörte sie nichts. Nicht einmal von der Straße drangen Geräusche zu ihr. Als würde die ganze Welt dieses Haus meiden. Die Menschenansammlungen waren seit dem Angriff Antonias verschwunden.

Die Fahrzeuge schienen Umwege auf sich zu nehmen, um nicht an diesem Herd des Grauens vorbeizumüssen.

Und dann sah sie, in der Zeitung, auf die Unschuldsmiene der Kümmel und empfand abgrundtiefen Hass. Sie spuckte dem Foto mit aller Kraft ins Gesicht, so dass ihr Speichel sternenförmig den Kopf umrahmte. Wie kleine Tentakel wuchsen die Speichelfäden aus ihrem Kopf, während die untere Gesichtshälfte trocken geblieben war. Das Ganze verlieh dem Foto etwas Gespenstisches.

Frau Jaffel konnte nicht glauben, was da geschah. Sie hatte das Wesen dieser Kreatur freigelegt und einen kleinen Moment sah sie ein teuflisches Grinsen auf dem Foto, das sofort wieder verschwand.

Sie stieß die Zeitung von sich und hastete ein paar Schritte zurück, wobei der Stuhl polternd zu Boden fiel, auf dem sie gesessen hatte. Der Herzschlag wurde so intensiv, dass sie ihn wie eine Trommel hören konnte. Sie wagte nicht, zu atmen, und starrte immer noch das dämonische Foto an, dass sich selbst nach dem Fall der Zeitung drohend in Positur gelegt hatte. Das Blut schoss durch ihre Adern und schien doch stillzustehen. Ihr wurde schwarz vor Augen und sie wusste, dass ihre letzte Stunde geschlagen hatte.

Nur ihrem Mann, der durch den Lärm aufgeschreckt war und ins Zimmer stürzte, hatte sie es zu verdanken, dass sie nicht hart aufschlug.

Kurze Zeit später fuhr ein Rettungswagen Frau Jaffel ins Krankenhaus, mit Verdacht auf Herzinfarkt.

Es gab kaum einen Hausbewohner, der nicht aus dem Fenster sah, um Frau Jaffel mit den Augen zu begleiten.

Und jedem der die Frau auf der Liege sah, drängte sich das Bild auf, wie Antonia das Haar dieser Frau mit sich nahm.

Nur Marita schaute aus der Tiefe des Zimmers recht teilnahmslos drein und verband mit dieser Szene die Vorstellung, dass das Leben im Haus nun etwas erträglicher werden wird.

Im Handelscenter Kersik entstand so viel Unruhe, dass die Arbeit zum Erliegen kam. Harry hatte sich seine Zeitung, ohne ein Blick darauf zu werfen, eingesteckt und wurde so von den Ereignissen überrascht, die ihn in der Firma erwarteten. Ihm fiel augenblicklich auf, dass alle Kollegen um eine Zeitung standen und sofort verstummten, als er den Raum betrat.

Von Weitem erkannte er das Großfoto von Marita. Bevor er nähertreten konnte, öffnete sich die Tür des Chefs. Er sah ihn kurz an und sagte scharf: „Keller, sofort zu mir!"

Harry befürchtete Schlimmstes, wenn nicht einmal die Zeit für ein ‚Herr Keller' war.

Der Chef saß schon wieder, als Harry eintrat. Er deutete auf den Stuhl vor ihm, und warf die Zeitung vor ihn hin.

„Erklären Sie mir das!"

Harry überflog die Zeitung und musste nicht lange suchen, um den Stein des Anstoßes zu finden. Dieses Schwein von Reporter hatte ganze Arbeit geleistet. Jetzt konnte Harry wieder nachempfinden, wie groß seine dumme Angst wirklich gewesen war, auch wenn er sie im Nachhinein herunterzuspielen versuchte.

„Ich kann dazu...."

Es klopfte und die Tür wurde aufgerissen.

„Jetzt nicht!", schrie Herr Kersik.

„Aber es sind zwei Herren von der Presse!"

„Etwa von diesem Schmierblatt?"

„Nein es sind zwei andere Zeitungen."

Das fehlte ihm noch, dass seine Firma ins Gerede kommt. Er ahnte, dass dies der Anfang einer großen Welle sein würde, und war froh, Herrn Keller abgefangen zu haben, bevor dieses Getier sich ihn vornimmt.

„Sie sollen warten! Ich spreche gleich mit ihnen."

„Sie wollen aber nur Herrn Keller sprechen."

Er atmete tief durch, sah Harry sorgenvoll an und gab ein Zeichen, sie allein zu lassen.

„Also Herr Keller, ich höre."

„Es täuscht, was Sie auf den Fotos sehen. Es war gar nicht so."

„Wie war es dann? Sie sind kein Mann, der an diesen Hokuspokus glaubt, oder? Also was war es, das Sie wie einen Irren aussehen lässt? Haben Sie versucht, sich an sie ranzumachen?"

„Nein, nein Chef, Sie glauben doch nicht .... ich würde niemals ...."

„Mir ist nicht entgangen Keller, wo Ihre Augen überall umherhetzen. Bis heute dachte ich, dass Sie sich in der Gewalt haben. Ist dem nicht so?"

Harry schossen Varianten einer Geschichte durch den Kopf, die er sich schon zurechtgelegt hatte, falls die Kümmel irgendwelchen Mist erzählt. Doch er war noch nicht durch damit. Schließlich wurde Marita erst am Montag erwartet. Die Gefahr, sich in Lügen zu verstricken war zu groß. Er entschloss sich zur Wahrheit, die er nur stockend herausbrachte. Die skeptischen Blicke des Chefs veranlassten ihn, immer wieder Beteuerungen einfließen zu lassen, dass es tatsächlich so war. Er selbst sei entsetzt gewesen und wusste nicht, wie er sich verhalten sollte.

Man sah Harry an, wie fertig er nach dem Bericht war und Kersik legte eine lange Pause ein, die allein der Prüfung des Wahrheitsgehaltes diente, indem er Harry fixierte. Nach anfänglichem Senken des Kopfes stellte er sich dem Blick.

„Egal, was war, Keller", bei dieser Eröffnung, schien die Achtung dahin „Sie werden der Presse diesen Quatsch nicht erzählen. Wir würden uns damit lächerlich machen. Außerdem werden Sie erst mal eine Woche Urlaub nehmen. Wir können es uns nicht leisten, dass hier die Presse Dauergast wird. Es wird ihr Privatkram bleiben."

„Was soll ich denen denn erzählen?", wisperte Harry kleinlaut.

„Nehmen Sie die Anregung des Reporters auf. Ich meine die Katze, über die sie fast gestolpert wären. Und da Sie vorher von dieser, wie hieß sie doch gleich, Jaffel scharfgemacht wurden, scheint das erklärlich."

„Und was ist mit Frau Kümmel?", wagte er zaghaft nachzuhaken.

„Die Kümmel wird Montag wie geplant zur Arbeit kommen. Wenn ich sie beide freistelle, riecht das nach Angst vor dieser Frau. Wir können uns noch weniger leisten, irgendeinem Aberglauben nachzuhängen. Gehen Sie jetzt und verquatschen sich nicht."

Harry war froh, als er das Interview hinter sich hatte. Es war einfach, von der Jaffel, ihren Spinnweben aus Hexenhaar und den Abwehrmitteln, die sie bereit hielt, zu erzählen, und auch die Katzengeschichte bekam er ganz gut hin. Doch als man den Ablauf des Krankenbesuches im Detail hören wollte, stotterte er sich einiges zurecht, das seine Unsicherheit erkennen ließ. Alles war ganz normal, Glückwünsche, ein Kaffee und Abgang mit Katze.

Er spürte, dass sie ihm das nicht abkauften, aber das war ihm egal, Hauptsache nachhause.

Marcus Wispa stieg die Zornesröte ins Gesicht, als er die Zeitung las. Er hatte zu lange gezögert, sich von der kleinen Göre einschüchtern lassen. Nun galt es, schnell zu handeln und selbst wenn er wieder abgewiesen würde, so feige, wegen ein paar Peinlichkeiten, würde er nicht mehr sein. Er schnitt sich fein säuberlich die Fotos von Marita heraus und zerknüllte dann die Zeitung, die er gleich mit hinaus in den Papiersammelbehälter nahm.

Voller Elan stieg er ins Auto und parkte in einer Seitengasse der Ahornstraße. Er pirschte sich langsam an, um nichts zu übersehen. Den Wagen des Reporters sah er sofort. Der gab sich nicht mal mehr die Mühe, sich zu verstecken. Im Wagen war er nicht, also Vorsicht. Aber diese Kleine, die sich an Marita herangemacht hatte, schlich um das Auto. Sie bemerkte nicht, dass er näher kam. Als sie versuchte, die Türen des Wagens zu öffnen, indem sie, mitten am Tag, mit einem langen Draht an der Scheibe herumstocherte, wer weiß, wer ihr das gezeigt hatte, sprach er sie an.

Sie fuhr herum und hatte diesmal nicht die große Klappe. Vermutlich war ihr bewusst, dass er sie bei einer kriminellen Handlung erwischt hatte.

„Was veranstaltest du da?"

„Gar nichts", sagte sie leise.

„Warum hast du versucht, da einzubrechen?"

„Ich wollte nicht einbrechen. Ich habe in dem Auto was vergessen."

„Das Auto gehört dem Reporter, der über deine Freundin geschrieben hat. Was könntest du wohl darin vergessen haben? Eine Bombe?" Marcus freute es, wie klein sie jetzt wirkte.

„Woher weißt du, dass es sein Auto ist?"

„Schon vergessen, dass ich Deiner Freundin helfen wollte, was du verhindert hast? Nur darum konnte er den Artikel schreiben."

„Ich glaub dir nicht. Wenn du ihr helfen willst, hilf mir, in das Auto zu kommen."

„Was suchst du da drin?"

„Das geht dich nichts an."

Die Wut kam wieder hoch, doch wenn er es sich genauer überlegte, war es besser, wenn er nicht weiß, was sie vor hat. Sonst käme er in den Ruf, ein Mittäter zu sein.

„Also gut. Ich helfe dir. Aber einbrechen werde ich nicht. Komm, wir verstecken uns, bis er kommt."

Sie zog ihren kleinen Stoffbeutel an sich und folgte ihm widerwillig. Hatte sie wirklich eine Bombe da drin? Zutrauen würde er es ihr. Falls es so wäre, gäbe es einen Scheißkerl weniger, der vermutlich, ohne eine Straftat zu begehen, schon einige Leute auf dem Gewissen hatte. Ihn träfe ja keine Schuld.

Sie warteten fast eine Stunde, bis Kilian erschien. Es sah so aus, als ob er vom Einkauf zurückkam. Er verstaute die gefüllten Taschen im Auto. Als er einstieg, sprach ihn Marcus an. Bereitwillig stieg er aus. Obwohl er Marcus schon im Artikel verbraten hatte, war er für ihn noch ein heißes Eisen.

„Ich möchte mit Ihnen über Ihren Artikel reden. Sie haben mich als Trottel hingestellt."

Wie ungewollt, schlenderte er langsam weiter, wobei er erfreut feststellte, dass Kilian die Tür offenließ. Er wandte sich vom Auto ab, während er weitersprach, so dass Kilian ihm folgen musste, wenn er genug Wissensdurst besaß.

„Es ist nicht so, dass ich Ihnen das übel nehme. Aber ich möchte Sie bitten, mit mir zu reden, bevor sie etwas über mich veröffentlichen."

Er beobachtete, wie sich Antonia hinter den Vordersitz klemmte und kurz darauf verschwunden war.

„Ich hätte ohnehin mit Ihnen nochmal geredet. Die Anzeichen verdichten sich, dass ihre Freundin doch nicht ganz so unbescholten ist. Falls Sie mir da helfen könnten, wäre ich Ihnen dankbar."

„Mal sehen. Aber tun Sie ihr nicht weh. Können Sie mir vorher zeigen, was Sie einreichen?"

„Is doch selbstverständlich. Ich muss jetzt los. Wir sehen uns, garantiert."

Ein letztes Schulterklopfen und die Tür von Kilians Wagen knallte zu und nahm ein weiteres Hindernis auf seinem Weg zu Marita mit sich.

Herr Jaffel trauerte um die verschrobene Alte, die seine Frau war. Er hatte von dem Schabernack gehört, den Antonia seiner Frau gespielt hatte. Das darf man einfach, bei einem so alten Menschen, nicht machen. Noch dazu, wo sie um die Ängste seiner Frau wusste. Das Mädchen ist alt genug, um etwas mehr nachzudenken. Doch er zweifelte inzwischen auch an Marita, die sich kurz vor dem Ereignis demonstrativ mit Antonia gezeigt hatte. Hatte sie das gut geheißen, was das Mädchen anrichtete? Seine Frau lag immer noch auf der Intensivstation und er wusste nicht, ob sie es ohne Dauerschaden überstehen wird. Er hatte ihr Gesicht nicht aus den Augen gelassen, bis sich die Tür des Rettungswagens schloss. Es arbeitete darin unaufhörlich und sie murmelte unverständliche Worte, ohne dass man eine Bewegung der Lippen erkannte.

Nun saß er zu Hause. Die Zeitung lag noch auf dem Boden und Maritas Bild hatte nur noch leichte Ränder von den Speichelspuren seiner Frau. Er war bisher nicht dazu gekommen, den Artikel zu lesen, und holte es jetzt nach. Wenn es nicht um seine Frau gegangen wäre und Marita nicht die Schuld am Zustand seiner Frau trüge, hätte er über den albernen Artikel den Kopf geschüttelt und wäre zur Tagesordnung übergegangen.

Jetzt konnte er es nicht mehr. Ihm hatte Frau Kümmel immer leidgetan, da sie nicht im Stande war, sich gegen die ungerechtfertigten Anschuldigungen zu wehren. Aber musste sie ein kleines Kind aufhetzen, das quasi aus Dummheit fast einen Mord begeht? Wohin wird das noch führen.

Auch wenn er seine Frau oft verflucht hatte, jetzt spürte er, dass noch ein beachtlicher Rest von Liebe da war.

Und diese Liebe suchte einen Schuldigen. Er, der sonst Kinder mochte, fand ihn in einem Kind, in Antonia. Er wusste nicht, wie er ihr gegenübertreten soll, falls sie ihm über den Weg liefe.

Auch im Kommissariat hatten sie die Zeitung gelesen. Da man den Fahrer des Unfallautos immer noch nicht gefunden hatte und sich die Ereignisse mit diesem Artikel zuspitzten, herrschte dicke Luft im Kommissariat. Da auch ihre Abteilung angegriffen worden war, warteten die Mitarbeiter gespannt auf das Erscheinen von Kommissar Fint. Sie befürchteten, dass der ganze angestaute Frust aus Fint herausbrechen würde, um sich über ihren Köpfen zu entladen. Es war nicht zu übersehen, dass sein Herz an diesem Fall hing. Er litt darunter, dass man ihn auf einen Weg drängte, den er nicht für richtig hielt. Nach den neuesten Offenbarungen über die Vergangenheit der

Marita Kümmel, sahen auch die Kollegen den Fall in einem anderen Licht. Die psychische Labilität der Verdächtigten war Erklärung für vieles. Und dennoch gab es auch hier Zweifler, die ihr zumindest eine gewisse Mitschuld aufladen wollten. Wo war die Grenze zwischen dieser Labilität und psychischer Unberechenbarkeit. Auch ein in die Enge getriebenes Wild ist ein Opfer und entwickelt in seiner Ausweglosigkeit unvorstellbare Kräfte. Ist jedoch das Opfer, in seiner Verzweiflung, immer fähig, seine Jäger zu erkennen? Kann es die Auswirkungen seiner Verzweiflungstaten abschätzen? Will es das überhaupt oder sind die zu erwartenden Folgen zweitrangig, wenn auch nur eine minimale Chance auf Freiheit, auf ein Ende der Belästigungen besteht?

Endlich erschien Fint, der von Ermittlungen zu einem anderen Fall zurückkam. Er war gut gelaunt. Ein sicheres Zeichen, dass er die Zeitung noch nicht gelesen hatte.

Ein paar kurze Begrüßungsfloskeln und er verschwand in seinem Büro.

Die Kollegen kannten ihn so weit, dass er erst recht ausflippen würde, wenn sie ihm Informationen vorenthielten. Es fand sich ein Mutiger, der die Zeitung zu Fint brachte und sie ohne Kommentar auf seinem Schreibtisch ablegte.

Sie verstanden sich wortlos. Ein fragender Blick Fints, ein kurzes Nicken mit zusammengepressten Lippen in Richtung Zeitung, und ein zügiger Abgang, als sich Fints Augen in Zeitlupe zu schließen begannen. Die linke Hand stützte den schweren Kopf an der Stirn. Die Augen schlossen sich, für längere Zeit, vollständig. Die Fotos, die ihn sofort in Kenntnis setzten, ohne auch nur eine Zeile gelesen zu haben, wurden innerlich lebendig. Er sah Marita am Fenster stehen, die Ruhe, die wenigen

177

Augenblicke der Einsamkeit an frischer Luft genießend. Und dann stürmte er hinein, riss sie aus ihrer heilen Welt und stürzte sie in eine Hölle, in ihre Vergangenheit. Und nun wird diese Vergangenheit plötzlich wieder zur Gegenwart. Ein Rufmord, der hinter ihr lag und niemals aufgeklärt wurde und nun eine Neuauflage mit unabsehbaren Folgen. Frau Kümmel hatte sich damals mit einer Schuld arrangiert, die man ihr auflud, ohne dass sie sie verstand. Diese Schuld schleppte sie bis zum heutigen Tage, wie ein Esel, mit sich herum, nur weil sie direkten Kontakt damit hatte. Diese neuen Anschuldigungen müssen ihr wie ein riesiger Heuschreckenschwarm vorgekommen sein, der im Begriff war, sie aufzufressen. Und wieder weiß sie nicht, warum.

Nur weil sie zufällig in der Nähe eines Unfalls war, weil sie, aus welchen Gründen auch immer, gelächelt hatte, und weil ihre abergläubische Umwelt ihre Einsamkeit nicht verstand, wurde sie in den Augen der Menschen zur Mörderin.

Wie gedankenlos die Menschen geworden waren. Kam ihnen nicht in den Sinn, dass sie selbst zu Mördern werden könnten? Allein durch ihr Verhalten? Wer wird die Verantwortung übernehmen, wenn sich Frau Kümmel zu einer Verzweiflungstat getrieben sähe.

Wenn sie selbst aus dem Leben schiede, hätte niemand da draußen, mit einer Strafe zu rechnen. Schadet sie jedoch, in Notwehr, einem anderen Menschen, würde ihr kein Gesetz Straffreiheit zugestehen. Bestenfalls gäbe es mildernde Umstände.

Fint vertrat das Gesetz und musste dennoch hilflos zusehen. Die Gesetze für rein moralische Straftaten, waren noch nicht geschrieben. Sie werden auch nie geschrieben, solange sich die Gesellschaft der Masse anpasst, um an deren Geld heranzukommen. Dieser Schmierfink von Reporter hat das ausgezeichnet verstanden.

Fint fehlte die Zeit, um sich Frau Kümmel intensiv zu widmen. Er verlangte es aber von sich und das so schnell wie möglich, um das Schlimmste zu verhindern.

Erst jetzt las er den Artikel, der ihm weitere Rätsel aufgab. Er war innerlich ruhig. Leichte Depressionen stellten sich ein. Eine ganz neue Erfahrung.

Frau Pohl kochte unterdessen vor Wut. Nicht genug damit, dass ihre Tochter mit dieser Hokus-Pokus-Tante herumhing, nun gab es auch noch Beschwerden, weil sie der Schule fernblieb. Eine Aussprache, wahlweise in der Schule oder im Elternhaus, wurde gewünscht. Als wenn sie nicht schon genug Sorgen hatte. Mit den Kerlen gab es ständig Probleme. Nicht zuletzt verdankte sie die, diesem kleinen Biest von Tochter, die nicht zu würdigen weiß, was sie alles für sie tut. Und nun frisst sie ihr auch noch den letzten Rest Geborgenheit weg. Was hatte sie denn schon vom Leben? Stress auf Arbeit, ständig Stunk zu Hause, da Antonia keinen ihrer Männer akzeptierte, und nun auch noch Ärger mit der Schule. Sofort spürte sie wieder dieses Stechen im Kopf und die Unruhe in der Magengegend, als ob ein ganzes Ameisenvolk den Aufstand probt. Eine hilflose, quirlige Wut zerrte an ihr und verwandelte ihre leicht zitternden Hände in kleine Fäuste, die voll angestauter Energie waren. Einen Moment verharrten sie in diesem Zustand. Doch dann stürzte sie sich auf die Tischplatte, die den wuchtigen Schlag abfing. Dessen Kraft übertrug sich auf die Glasschale, die vollkommen überrascht zu Boden fiel und nun bestenfalls als dreidimensionales Puzzle dienen konnte.

Entgeistert starrte Frau Pohl auf die Scherben. Sie war ein riesiger Staudamm, der es verlernt hatte, sein aufgestautes Wasser freizugeben. Es drückte nur stärker auf den Damm und erhöhte ihre Wut.

Sie stierte auf den Scherbenhaufen und sah darin ihr Leben. Sie erkannte die Ursache. Es war dieses Kind, das die Schale und ihr Leben Stück für Stück zerstörte. Alle wollten immer nur, dass sie für sie da wäre. Da war Antonia nicht anders als Klaus und Jürgen. Wenn sie hatten, was sie wollten, und es musste immer nach ihnen gehen, waren sie auch wieder verschwunden.

War sie denn ein Mülleimer, wo jeder seine Sorgen ablädt, den aber niemand danach säubern will? Hatte sie nicht auch das Recht auf ein bisschen Wärme, Zuneigung und Pflege?

Was konnte sie dafür, dass für Antonia wenig Zeit blieb? Ohne Geld gäbe es noch mehr Probleme.

Sie verstand auch die Eifersucht Antonias nicht. Mit ihren fast 13 Jahren war sie ohnehin zum Rumschmusen zu groß. Es war nervig, wenn sie wie eine Klette an ihr hing und ihr die Luft zum Atmen nahm. Sie hatte sie immer zur Selbstständigkeit erzogen und hin und wider eine kleine Aufmerksamkeit mitgebracht. Sie sollte doch spüren, dass sie geliebt wird. Sie war alt genug, um ihrer Mutter das Recht auf etwas Liebe zuzugestehen, die sie logischerweise bei Männern suchte. Es kam immer seltener vor, dass sie entspannt und gern an Antonia dachte. Dieser Name bedeutete Arbeit, Gemeinheit, Egoismus und Unverschämtheit. Wenn sie gezwungen war, den Namen ‚Antonia' auszusprechen, war es, als würde sie diese gefürchtete Frage aussprechen: Ist mein Leben schon zu Ende?

Wie lange werde ich das noch aushalten? Wie lange wird es dauern, bis es mir, wie dieser Schale ergeht. Unkonzentriert räumte sie die Scherben weg und empfand es schon als selbstverständlich, dass sie sich daran schnitt. Ein kurzer Fluch und das brodelnde Wasser hinter dem Damm wurde gefährlich ruhig.

Sie würde keine weiteren Probleme in ihre Wohnung lassen. Lieber nahm sie die Mühsal des zeitaufwändigen Weges in die Schule auf sich.

Sie fragte sich, wo Antonia steckt. Wenn sie nicht in der Schule war, wo war sie dann?

Als sie jedoch die Bilder, von dieser dummen Gans aus ihrem Haus, in der Zeitung sah, erkannte sie deutlich, womit Antonias Fehlverhalten zusammenhing.

Marcus hatte sich inzwischen zur Tür von Maritas Wohnung vorgekämpft. Der Druck auf diese arme Frau, muss unerträglich geworden sein. Ohne die kleine Zicke würde er sicher einen Zugang zu Marita finden. Warum erkennt sie nicht, dass er es ehrlich mit ihr meint?

Die Kühle des Hausflures ließ ihn ausgeglichener werden. Sie besänftigte die große Hitze, die ihm zu schaffen machte. Es gab nichts Bedrohliches. Er zwang sich stehen zubleiben, um ein paar Worte zurechtzulegen. Nur einzelne Satzfetzen fügten sich aneinander, die es nicht wagen durften, ausgesprochen zu werden. Sie hätten ihn wieder als Idioten dastehen lassen.

Das Schachbrettmuster der Bodenfliesen ordnete seine Gedanken. Die Zeit hatte sich an ihm gewetzt und ihm doch nichts ernstlich anhaben können. Das Muster strahlte, auch mit seinen Narben, noch Sicherheit und Ordnung aus. Marcus ertappte sich dabei, wie er in Manier der Schachfiguren über die Felder ging. Dabei war er in die Rolle eines Bauern geschlüpft, der sich immer nur einen Schritt vorwärts bewegt, in der Gewissheit, dass es keinen Schritt rückwärts geben darf.

Und endlich stand er vor dem Tor ins ersehnte Reich. Der handgeschriebene Zettel mit dem Namen der Bewohnerin zeigte ihm Menschlichkeit und Schwäche an. Dieser Name wirkte nicht so kalt, wie die vielen Varianten maschinell gefertigter Namen. Hier stand ein Charakter an der Tür. Etwas Einmaliges, das ihm sagte, hier wohne ich, Marita Kümmel und kein uniformiertes Wesen, das sich hinter einer Maske versteckt.

Man sollte es zum Gesetz machen, dass nur noch handgeschriebene Namensschilder angebracht werden dürfen.

Die Schriftzüge zeigten einen flüchtig hingeschmierten Namen, der sagen wollte: Was ist schon mein Name, auf mich kommt es an. Überzeugt euch selbst davon.

Wüsste Marcus nur vom Erzählen, dass ihn hier ein handgeschriebenes Namensschild erwartet, hätte er vermutlich eine Schrift voller Grazie erwartet.

Der Türspion warf ein friedliches Licht in den Flur. Es waren keinerlei Geräusche zu hören, keine Musik, keine Schritte, keine Zeichen von Leben.

Marcus klingelte trotzdem. Er hatte gehört, dass Marita fast nie aus dem Haus geht.

Es blieb ruhig. Lediglich der Schatten, der sich von innen auf den Spion legte, verriet die Anwesenheit seiner Bewohnerin. Der Schatten entfernte sich wieder. Kein Schritt war zu hören.

Es gab nicht die geringsten Anzeichen, dass sich in nächster Zeit die Tür öffnen wird. Er klingelte erneut. Der Schatten zeigte sich nicht mehr.

Nach einigen erfolglosen Versuchen klopfte er und rief: „Frau Kümmel, öffnen sie bitte. Ich weiß, dass sie da sind. Ich möchte doch nur mit ihnen reden. Verurteilen sie nicht alle Menschen. Es gibt auch Ausnahmen."
Nichts geschah. Es blieb totenstill.
Sein Ohr drückte sich an das kalte Holz. Es wollte ein winzig kleines Zeichen von ihr erhaschen. Er wollte nur hören, dass alles in Ordnung ist.
„Marita, es ist nicht gut für Sie, wenn sie sich eingraben. Sie brauchen andere Menschen."
Wieder suchte sein Ohr etwas Glück an der Tür. Und wäre es nur leise Musik, die bezeugt, dass sie sich wohlfühlt, oder ein lauter Fluch, der ihn davon überzeugt, dass sie sich nicht aufgegeben hat. Er hätte sich damit zufriedengegeben.
Aber so malte er sich aus, was sie in ihrer Verzweiflung alles anstellt. Die Überlegung, dass er die Tür eindrücken könnte, starb sehr jung, als er die massive Bauart betrachtete und sah, dass sie sich nach außen öffnet, was ungewöhnlich war. Vielleicht war es früher keine Wohnung.
Ein Telefon besaß Marita nicht und nachdem er mehr als eine viertel Stunde vergeblich versucht hatte, den Kontakt zu ihr herzustellen, gab er auf.
Antonia hatte offensichtlich seine Marita so stark im Griff, dass sie ihr absolut hörig war und nur sie selbst als Kontaktperson zur Außenwelt zuließ.
Wie war es möglich, dass ein kleines, dummes Kind diese Macht über einen erwachsenen Menschen erringen kann? Er wünschte sich, dass sich dieser Reporter die Kleine vornehmen würde. Selbst eine Entgleisung hätte er ihm verziehen, wenn es sie von ihrem unheilvollen Weg abbringt. Wer sollte sonst dieses Mädchen stoppen? Ein

skrupelloser Skandalreporter, hätte das Zeug dazu. Vielleicht sollte er ihn gegen Antonia aufhetzen.

Ihr Herz hatte Übermenschliches zu leisten. Es gab kaum eine Minute in ihrem Leben, die nicht mit Ängsten und Aufregungen verbunden war. Marita erkannte die Gefahr, die Ungewissheit, als dieser UPS-Bote an der Tür klopfte. Was interessierte den ihr Leben? Er war nur einer dieser schleimigen Kerle, die sich an Frauen ranmachen wollen. Klar, dass er ihre mutmaßliche Schwäche ausnutzen will, um sie mit dem Gewäsch von Zuneigung und Geborgenheit einzulullen. Nur um seinen widerlichen Schwanz in sie reinzustoßen. Sie kannte diese Typen zur Genüge. Sie hatte sich in ihrem ersten Leben dieser Kerle immer erwehren können, bis auf dieses eine Mal, das sie das Leben kostete.

Ihr neues Leben hatte solche Kontakte generell gemieden. Was hatte sie an sich, dass diese Ratten sie selbst in ihrer abgeschiedenen Welt aufspürten. Sie presste sich die Hände so stark an die Ohren, dass ihr Schädel zu beben begann.

Tief und gleichmäßig atmete sie durch, als sie den Kerl am Fenster vorbeigehen sah. Es war eine Erleichterung, als er mit hängendem Kopf abzog. Sogar jetzt zog er noch seine Show ab.

Sie legte sich etwas hin. Schon vor dem UPS-Heini hatten Reporter versucht, zu ihr vorzudringen. Sie waren auf die gleiche Art gescheitert. Etwas Schlaf wird ihr guttun.

Bereits zwei Stunden später riss sie die Klingel aus ihren unheilvollen Träumen.

Sie schleppte sich zur Tür, um zu sehen, ob es Antonia sei.

Es war der Kommissar. Sie würde wieder so tun, als sei sie nicht zu Hause. Eine uneinnehmbare Festung, wie sich gezeigt hatte. Doch die Hoffnung trog.

„Öffnen Sie Frau Kümmel, sonst muss ich Sie vorladen lassen. Ich glaube, das wäre Ihnen nicht so angenehm."

Kein weiteres Wort. Nur Warten.

Schnell wog sie ab, was sie für eine Wahl hätte. Der Kommissar hatte Recht. Die Prozedur eines Verhörs auf dem Revier zu erleben, war die Hölle.

Leise öffnete sie und schlurfte ins Wohnzimmer voran, um sich kraftlos aufs Sofa fallenzulassen.

Kommissar Fint schlich ihr behutsam nach und nahm auf dem Sessel Platz.

Frau Kümmels Haare waren etwas zerzaust und der Schlaf hing noch in ihrem Gesicht. Sie schaute auf den Tisch und wirkte wie ein Schulkind, das bockig eine Strafe erwartet.

„Tut mir leid, dass ich Sie geweckt habe". Er ließ kein Auge von ihr, damit ihm keine Regung entginge.

Nachdem sich ihre Haltung nicht änderte, fuhr er fort.

„Ich bedaure, was die Presse für einen Rummel um Sie veranstaltet. Sie sollen wissen, dass ich das missbillige."

Es schien ihr egal zu sein. Nicht eine Spur von Bereitschaft, zu kooperieren.

„Zunächst zum Stand der Ermittlungen. Den flüchtigen Fahrer haben wir bisher nicht gefunden."

Betreten schaute Fint auf seine Hände, die nichts vorzuweisen hatten.

„Es ist wie verhext. Kein Zeuge kann nähere Angaben machen."

Bei dem Wort ‚verhext' war sie leicht zusammengezuckt.

„Verzeihen Sie. Mit verhext wollte ich keine Wertung treffen. Ich glaube nicht an diesen Schwachsinn. Mein Chef hatte allerdings vorgeschlagen, Sie untersuchen zu lassen, um die öffentliche Meinung zu beruhigen."

„Ach, als Versuchskaninchen?" Sie sah ihn offen an. Ohne Zorn, eher ironisch.

„Ich habe abgelehnt!" , fuhr Fint fort.

Dieses kleine Aufbäumen, zeigte ihm, dass er diesmal nicht umsonst käme, obwohl sie den Blick gleich wieder senkte.

„Ich habe etwas nachgeforscht und bin über ihre Vergangenheit im Bilde."

„Was hat meine Vergangenheit damit zu tun? Geben Sie's zu. Sie glauben auch an den bösen Blick und halten mich für eine Mörderin, die sich rächen will."

Sie wirkte erregt. Der Kampfgeist kehrte zurück. Das war gut für sie. Fint freute sich insgeheim, als er das Feuer in ihren Augen sah. Sie wird es brauchen können.

„Nur ganz kurz und dann reden wir nicht mehr darüber. Natürlich habe ich überprüft, ob es eine Verbindung, egal welcher Art, zwischen Ihnen und dem Opfer gab. Negativ. Für mich sind Sie nicht der Fall und unser Hauptaugenmerk gilt der Fahrerflucht. Allerdings zwingt uns die Berichterstattung in den Zeitungen, zumindest zu Nachforschungen, auch in Ihre Richtung. Ich weiß, dass man Ihnen übel mitgespielt hat, selbst von Seiten meiner Kollegen, die für mich Verbrecher sind, was ich jedoch nie öffentlich äußern darf. Natürlich könnte irgendwann auch die Presse von Ihrer Vergangenheit erfahren, was mit Sicherheit erneutes Schlammwerfen auslösen wird. Ich bin nur hier, um Ihnen eine psychologische Betreuerin anzubieten. Ich krieg das schon irgendwie durch. Falls Sie es wünschen, kann ich Sie auch in Schutzhaft überweisen. Die Menschen haben vor lauter langer Weile soviel Dummheit gefressen, dass ich tätliche Angriffe nicht ausschließen kann, zumal Frau Jaffel auf der Intensivstation liegt."

Das war Marita neu. Die Bestürzung war ihr anzusehen.

„Was hat Sie!"

„Was weiß ich. Herzinfarkt oder Schlaganfall. Irgendwas in der Richtung. Ich denke, der Auslöser war Ihre kleine Freundin mit ihrem großen Auftritt vor dem Haus. In der Presse wird wahrscheinlich wieder was von Hexerei stehen. Das verkauft sich besser. Ja, deswegen bin ich auch gekommen. Pfeifen Sie die Kleine zurück. Das geht auf Dauer nicht gut. Man könnte versuchen, Ihnen die Anstiftung zur fahrlässigen Tötung anzuhängen."

Marita schluckte. Der Kommissar war anders, als die aus ihrem früheren Leben. Nicht so feindselig und aggressiv. Wahrscheinlich aber auch nur eine Masche, um sie aus der Reserve zu locken und im entscheidenden Moment zuzuschlagen. Aber in einem hatte er Recht. Antonia ging zu weit. Schon nach dem Ereignis mit Frau Griesbach wollte sie mit ihr reden. Sie benahm sich schon, wie das Böse, wie die Menschen. Hatte sie sich blenden lassen, weil sie ihr gegenüber so unverdorben wirkte? War sie denn besser als die anderen Menschen, wenn sie so etwas zuließ?

„Was ist nun, Frau Kümmel. Darf ich die Psychologin vorbeischicken? Werden sie mit dem Mädchen reden?"

Sie musste ihre Gedanken sortieren. Das würde mehr Zeit erfordern. Jetzt, wo sie auf der Siegerstraße war, tauchte plötzlich eine Umleitung auf, von der sie nicht wusste, wo sie hinführen wird.

„Ich komme gut allein zurecht. Eine Psychologin brauche ich nicht, die mich, unter einem fadenscheinigen Vorwand, für verrückt erklären kann."

„Sie verstehen das falsch, ... ich ..."

„... und was Antonia angeht", schnitt sie ihm das Wort ab „ so werde ich mit ihr reden."

Fint war sprachlos. So entschlossen und scharf denkend hatte er sie noch nicht erlebt. Die verträumte, ängstliche, undurchschaubare Frau war verschwunden.

Ihr Tonfall ließ keinen Widerspruch zu. Sinnlos, sich zu rechtfertigen. Die Vergangenheit wog zu schwer. Irgendwie verstand er ihr Misstrauen. Er erhob sich.

„Also gut, Frau Kümmel. Falls Sie es sich anders überlegen: Mein Angebot steht."

Marita war überrascht. Wollte der Kommissar sie schon verlassen? Keine Fragen zu ihren hexerischen Fähigkeiten, keine Beschuldigungen - gegen sie wurde gar nicht mehr ermittelt?

Wie im Traum brachte sie die Verabschiedung des Kommissars hinter sich. Sie fühlte sich befreit, als sie die Tür schloss. Sie war auf der Siegerstraße, das Umleitungsschild verschwunden.

Sie war stolz auf sich, in die Falle mit der Psychologin nicht hineingetappt zu sein.

Vielleicht war der Kommissar doch ein guter Mensch. Doch das hatte sie von ihren Freunden im ersten Leben auch geglaubt?

„Alles Hühnerkacke", schimpfte sie vor sich hin. Der Feind war weg und die Freundin musste auf den Prüfstand. Fragen zerrten an ihrer noch jungen Freundschaft. Sie hoffte, dass diese Fragen eine Antwort finden, die der Freundschaft Bestand verleiht.

Sie schaute auf die Uhr. Wo blieb sie nur. Es war schon sehr spät für ein kleines Mädchen.

Es war geschafft. Der bescheuerte Reporter war verschwunden. Er hatte einfach das Auto zugeschlossen und Antonia war wieder allein. Sie öffnete von innen die Sperre und stieg aus.

Den halben Tag war sie mit ihm herumgefahren. Sie hatte die Tür geöffnet, war ihm gefolgt. Er schoss ein paar Fotos und sie mit seinem Apparat auch. Manchmal observierte er auch ein paar Leute. Sie musste sich beeilen, um vor ihm am Auto zu sein, stieg ein, sicherte die Tür und wiederholte das an drei Stationen, wobei sie einmal fast erwischt worden wäre.

Sie betrachtete stolz den Fotoapparat und legte den Zettel, den sie schon während einer Wartephase vorbereitet hatte, in dessen lederne Hülle.

„Sieh dich vor, wir finden dich überall", hatte sie darauf gekritzelt und hätte gern beobachtet, wenn er die Fotos, die ihn in verschiedenen Situationen zeigen, betrachten wird.

Sie legte alles auf den Fahrersitz und schloss die Tür.

Nun stand sie erleichtert, allerdings fern von zu Hause auf der menschenleeren Straße. Es war bereits sehr spät. Wichtig war jedoch nur, dass ihr Plan perfekt funktioniert hat. Sie war glücklich und der frische Abendwind belohnte sie mit kleinen Streicheleinheiten.

Marita wird stolz auf sie sein und keiner wird es mehr wagen, sich mit ihnen anzulegen, wenn sie mit all ihren Vorhaben fertig wäre.

Sie lief die Straße nicht entlang, sie schritt wie eine Königin, schaute die Reihe der Fenster ab und wenn sich ihr ein Gesicht zeigte, winkte sie ihm zu. Winkten die zurück, war es, als würde dieses Winken von Beifallsstürmen begleitet. Antonia kehrte heim, erfolgreich von einem großen, gefährlichen Feldzug, gegen die Feinde ihrer besten und einzigen Freundin.

Der Marsch wurde anstrengend und die Königin verlor sehr bald die stolze Haltung, so dass sie beim Erreichen des heimatlichen Viertels eher wie ein armer, ausgemergelter Pilger aussah.

Erst als sie in die Ahornstraße einbog, kam der Stolz zurück und das Licht, das von Maritas Fenster auf die Straße drang, kam ihr wie eine Festbeleuchtung vor.

Sie sah schon das leuchtende Gesicht Maritas und deren sanfte Hand, die über ihre Haare streicht, während sie von ihren Heldentaten berichtet.

Es war sonnenklar. Einen weiteren Fehltritt, der eigentlich gar nicht seiner war, konnte sich Harry nicht leisten. Das Risiko war ihm zu groß, die Kümmel zur Rede zu stellen. Sie hatte gewonnen und das wurmte ihn am meisten. Dieses heimtückische Weib hatte es in ihrer übermäßigen Dummheit geschafft, ihn beim Chef zu diskreditieren. Jeder Vorstoß in Maritas Richtung würde ihm weitere Minuspunkte einbringen. Wenn er sich rächen will, ginge das nur über diese kleine Komplizin von ihr.

Die alte Frau Jaffel hatte ihn ausführlich aufgeklärt.

Ärger, den das Mädchen bekommt, wäre automatisch auch Maritas Ärger. Das Mädchen kannte ihn nicht und könnte seine Beziehung zu Marita nie aufdecken, selbst wenn sie ihn, bei seinen Aktionen, entdecken würde. Ja - das ginge.

Es müsste allerdings gut durchdacht sein. Eine lohnende Aufgabe für die nächsten Tage. Es kribbelte förmlich in ihm vor Aufregung, als er in sich den Tatendrang eines

Schuljungen entdeckte. Und genau dieses lausbübische Lächeln trug er im Gesicht, als er zu Hause eintraf.

„Du bist ja so prächtig gelaunt", empfing ihn seine Frau, wobei ein unangenehmer Unterton in der Stimme nicht zu überhören war.

„Stört's dich?", reagierte Harry gereizt.

„Hängt wohl mit deiner neuen Herzdame zusammen, die dich abblitzen lassen hat?"

„Hast du eine deiner Wahnvorstellungen? Was erzählst du bloß wieder für Scheiße?"

Sie knallte die Zeitung auf den Tisch und sah ihn provozierend an.

Er starrte das Bild an. Der Ärger des ganzen Tages verdrängte seinen Elan und hinterließ nur hilflose Wut. Ihm war eigentlich klar, dass seine Frau, die dumme Kuh, das breit treten würde. Warum konnten Frauen nicht so ein normales Hirn, wie Männer, haben?

„Diese Schlampe ist einfach nur irre. Du kannst gern meinen Chef fragen. Ich musste da zum Krankenbesuch hin. Und wenn du über eine kleine Spur Verstand verfügen würdest, hättest du die Möglichkeit, auch die Schrift in der Zeitung zu entziffern und wärst im Bilde. Aber das ist wohl etwas zu viel verlangt. Du kannst sie ja mal besuchen, wenn du Lust hast und mit deiner Gesundheit spielen."

Harry war laut geworden, doch das schien seine Frau eher herauszufordern.

„Tu' nicht so scheinheilig. Ich kenne meine Schweine am Gang. Du bist der Letzte, der an diesen Hokuspokus glaubt und deswegen panisch aus dem Haus rennt. Du bist ihr an die Wäsche gegangen und hast was zwischen die Hörner gekriegt. Gib es doch zu, wenn du ein Kerl bist."

Frau Keller hatte fast gebrüllt, so dass ihre Tochter vorsichtig den Kopf durch die Tür steckte.

„Verschwinde, du neugierige Krähe", fuhr er seine Tochter an „hast du nichts zu tun?"

Sofort schloss sich die Tür und Harry war sich sicher, dass sie an der Tür lauschen wird.

„Schrei unser Kind nicht an. Sie kann nichts dafür, dass du mit deinen Huren nicht klar kommst!"

Harry holte kurz aus und schlug ihr mit der flachen Hand ins Gesicht. Dann stürzte er zur Tür und riss sie kräftig auf. Ein dumpfer Knall zeigte an, dass die Tür gegen den Kopf seiner Tochter geknallt war. Der Schwung war so groß, dass er sie umwarf und sie sich heulend auf dem Boden wand, während sie die Hände an den Kopf presste.

„Das hast du dir selbst zuzuschreiben", brüllte Harry, ohne ein Zeichen von Reue zu zeigen.

„Das nächste Mal hängst du deine Nase besser nicht in Sachen, die dich nichts angehen."

Seine Frau schob ihn beiseite, zog das Kind hoch und besah sich den Kopf, den eine kleine Platzwunde verschandelte.

„Ich sage dir, wer irre ist. Du allein bist es. Du bist eine Bestie, die nicht mal vor dem eigenen Kind halt macht. Ein brutales, fieses Schwein bist du und nichts anderes."

Dabei drückte sie ihre Tochter an sich, die hemmungslos jaulte und ihre Wunde bejammerte.

Sie nahm ihre Sachen von der Garderobe und zog sich und das Kind an. Während sie die Wohnung verließ, rief sie ihm zu, dass sie ihn anzeigen werde.

Die anschließende Ruhe war unheimlich. Als ob mit einem Schlag das Leben aus den Räumen verschwunden war. Nur das Ticken der Uhr zeigte an, dass die Zeit weiter lief. Harry war, wie versteinert, stehengeblieben. Er konnte es nicht fassen, dass er nur von Idioten umgeben war, die es alle auf ihn abgesehen hatten.

Nur langsam zogen die Ereignisse der letzten Minuten durch seine Gehirnwindungen, während er sich an den Tisch setzte und die Hände den Kopf stützen mussten. Er hörte schon die knarrende Stimme des Chefs, der ihm auch das vorhalten würde, wenn es ihm zu Ohren käme. Was den Affen sein Privatleben anging, war ihm ohnehin rätselhaft. Soll der sich mal ein paar Wochen mit diesen Dragonerweibern einschließen lassen. Der hätte schon längst den Schwanz eingezogen. Aber nicht mit Harry Keller. So weit kommt es noch, dass er sich von störrischen Weibern einschüchtern lässt.

Er wusste, dass sie ihn nicht anzeigen wird, da sie ihm keine vorsätzliche Tat nachweisen kann und die Wunde lächerlich war. Aber der Ärger, den er in den nächsten Tagen ertragen muss, stank ihn jetzt schon an. Dazu die blöden Gesichter, die er ständig vor Augen haben wird und die unerträgliche Kampfstimmung, die ihn auf lange Zeit empfangen wird. All das wird sein ohnehin schon beschissenes Leben noch unerträglicher machen. Nirgendwo fand er eine Oase der Ruhe, der Gemütlichkeit, nirgendwo einen Menschen, den er als Freund bezeichnen könnte. Dafür hatte seine Frau gesorgt. In jahrelanger Kleinarbeit hatte sie alle sich anbahnenden Freundschaften im Keim erstickt, indem sie sie als eine Zumutung und nicht tragbar definierte und es die Gäste auch spüren ließ. Er könnte sich heute noch ohrfeigen, dass er sie nicht schon damals an die Kandare genommen hat. Doch damals war sie jung und schön und er verliebt. Kaum vorstellbar, wenn er sich heute das körperlich und seelisch deformierte Wesen ansah, das sich seine Frau nennt.

Was hatte er noch für Freuden? Sie waren ihm alle verwehrt. Es war nur logisch, dass er sich einen neuen Quell der Freude schaffen muss. Er wird die, die ihm das Leben zur Hölle machen, strafen, indem er ihnen ihre eigene Hölle schafft.

Bei seiner Frau wird er das Ziel ohne große Mühe erreichen, allein durch seine Anwesenheit. Aber für die Kümmel und ihre Kröte brauchte er einen raffinierten Plan. Das Schuljungenlächeln war wieder da und die Welt sah schon etwas besser aus.

Dass sie, aufgrund des späten Erscheinens, eine Standpauke bei der Mutter zu erwarten hatte, war Antonia klar. Das eilte nicht so und konnte warten. Der Besuch bei Marita war wichtiger. Schon während sie klingelte, lächelte Antonia.

Ihr Lächeln erstarb, als sie Marita sah, die sie vorwurfsvoll fixierte, sich umdrehte und voranging.

„Was ist los?", fragte Antonia besorgt.

„Du fragst, was los ist?" Marita atmete schwer, was Antonia noch mehr beunruhigte.

„Du verängstigst Frau Griesbach, indem du ihr eine tote Maus in die Tasche steckst, obwohl sie es wirklich nicht verdient hat. Du erschreckst Frau Jaffel so stark, dass sie auf die Intensivstation muss und fragst mich, was los ist? Was hast du noch alles angestellt?"

„Frau Jaffel ist selbst dran schuld. Wenn sie sich nicht über jeden Mist aufregen würde, läge sie nicht im Krankenhaus. Außerdem hat sie selbst angefangen. Ich habe uns nur verteidigt."

„Du kannst uns auch anders verteidigen, nicht so ... so aggressiv."

„Aber erst seit dem lassen sie dich in Ruhe."

194

„Ich will aber nicht, dass mich die anderen für bösartig halten."

„Du hast selbst gesagt, dass die Menschen böse sind. Da kann dir doch egal sein, was sie denken. Sie werden immer böse über uns reden."

„Egal. Ich will das nicht mehr. Wo kommst du eigentlich so spät her?", fragte sie schon etwas versöhnlicher.

Die Begeisterung trieb Antonia nun vorwärts. Die Worte sprudelten nur so heraus und glühten vor Freude.

Marita hörte fassungslos zu. Die Augen weiteten sich und fanden wieder mal einen Fixpunkt in der Unendlichkeit. Ihre Sinne schwebten davon, als verlören sie den Boden unter den Füßen und nur noch jedes zweite Wort von Antonia drang zu ihr durch. Immer leiser wurden sie, bis sie sich schließlich mit dem eigenen Echo zu einem Gemisch vereinigten und in einem beunruhigenden Rauschen ihren Höhepunkt fanden. Sie hatte nur eines registriert: Dieser fiese Reporter war nun im Besitz der peinlichen Fotos, die ihr die Schamesröte ins Gesicht treiben würde, sollte er sie veröffentlichen und er wird sie veröffentlichen.

Und mit dieser Erkenntnis fiel das Rauschen von ihr ab. Sie tauchte in eine unheilvolle Stille ein und stellte fest, dass Antonia schon längst ihren Bericht beendet hatte. Ihr Herz raste. Ihr schlaffes, fahles Gesicht richtete sich auf Antonia, die sie immer noch freudestrahlend ansah. Sie bemerkte erst jetzt, dass in Marita seltsame Dinge vorgingen.

Dieses unschuldige Lachen Antonias war der Gipfel. Es machte sich lustig über ihr Leid, über ihre Verzweiflung. Es versprach ihr zugleich, dass sie auf einige Überraschungen mehr gespannt sein könne, wenn in diesem teuflischen Kinderkopf neue Ideen keimen. Das

Kindergesicht wurde zur drohenden Fratze. Hinweg war die Unschuld, die sie einst in ihm zu finden gehofft hatte.

All ihre aufgestaute Hilflosigkeit, ihr zielloser Hass entlud sich in ihre Hand, die wie ein gewaltiger Orkan in Antonias Gesicht fuhr, so dass sie davonwirbelte.

Sie sah nicht, wie das Mädchen stürzte, während sich die Reste ihrer Energie in einem Schrei entluden, der Antonia verdammte und für immer aus ihrem Leben wünschte.

Marita hatte ihren Platz am Fenster eingenommen, der sie mit Licht überströmte und es doch nicht an sie heranließ, da sie sich fernab von jeder Welt in einer undurchdringlichen Wolke befand.

Wie viel Zeit vergangen war, wusste sie nicht, als sie in die alte Welt zurückfand. Antonia war fort.

Kilian arbeitete bereits seit Stunden hart an seinem neuen Artikel. Diese Story war offenbar der Renner. Seine Redaktion hatte, aufgrund der Rekordauflage, schnellstens Nachschub angefordert. Überstunden wurden angeordnet. Bis Mitternacht musste der zweite Artikel stehen.

Zu dumm. Er hatte seinen Notizblock im Auto liegenlassen und hetzte hinunter. Sofort sah er, dass die hintere Wagentür nicht verriegelt war. Bei der Zentralverriegelung fast unmöglich, wenn kein Defekt vorlag. Seine anfängliche Wut wechselte abrupt zu kindischer Freude, als er seinen Fotoapparat sah. Mit zitternden Fingern öffnete er die Lederhülle, um zu überprüfen, ob die Speicherkarte noch im Gerät wäre. Als ihm Antonias Zettel entgegen fiel, er die Kinderschrift las, sein nächster Blick die Speicherkarte im Apparat fand, juchzte er laut los. Er hatte schon oft von der Dummheit anderer profitiert, aber dies stellte alles in den Schatten. Doch die Zeit war knapp. Allein würde er es nicht mehr schaffen. Der Artikel war umzuschreiben und die Fotos mussten gesichtet und bearbeitet werden. In frühestens drei Stunden würde er alles erledigt haben. Zu wenig Zeit, um eine Arbeit in gewohnter Qualität abzuliefern. Ricardo müsste ihm helfen. Es war zwar etwas riskant, da Ricardo nicht seine Erfahrungen hatte, aber nach seinen Anweisungen müsste es klappen. Er griff zum Handy. Ricardo nahm nicht sofort ab. Quälend langsam verstrichen die Sekunden. Sicher hätte der Stoff, den er bisher aufbereitet hatte, die Gemüter auch bewegt, aber er gab sich nie mit Zweitklassigkeit zufrieden. Wenn mehr herauszuholen war, musste mehr herausgeholt werden.

Endlich meldete sich Ricardo. Er versuchte sich mit Ausflüchten der Aufgabe zu entziehen. Was war schon so eine langweilige Bildbearbeitung gegen eine super Party.

Frank Kilian musste energisch werden. Sie hatten eine Abmachung. Ricardo hatte, bis zum Abschluss der Geschichte, stets verfügbar zu sein. Ohne Einsatz keine Kohle. Ein magisches Wort, das selbst eine Party verderben konnte.

Er stimmte zu und wenig später saß er an Kilians Computer. Er hörte im Nebenzimmer das emsige Tippen seines Geschäftsfreundes. Der arbeitete am zweiten Computer und ließ nicht die kleinste Pause bei seiner Arbeit erkennen. Die Gedanken feierten ein Fest und spielten unzählige Varianten seiner Geschichte durch. Er hatte vorher, im Schnelldurchlauf, die Fotos gesichtet, die sein Herz vor Freude hüpfen ließen. Die Geschichte schrie danach, seinen Kopf zu verlassen. Dort hatte er sie schon geschrieben, doch er musste noch an den Feinheiten feilen. Die Fotos gaben der Story ein königliches Gewand. Ricardo enttäuschte ihn nicht. Er verstand sein Fach. Die Bilder, die Kilian bei seiner Arbeit darstellten, entlockten ihm ein müdes Lächeln. Wen wollte die Göre damit erschrecken? In größeren Abständen musste Ricardo über den Fortgang seiner Arbeit berichten. Kilian gab Tipps, worauf es ihm bei der Bearbeitung ankam und warf ab und zu einen Blick darauf. Es nahm Gestalt an. Beschwingt haute er in die Tastatur um mit den letzten Korrekturen, die Vollkommenheit herzustellen.

Der Morgen des nächsten Tages steckte voller Erwartungen, Ängsten, Hoffnungen. Die Geschichte um Marita hatte inzwischen so breite Kreise gezogen, dass viele ihrer Bekannten direkt betroffen waren. Viele Leben stand nun ebenfalls in der Öffentlichkeit. Der Blick in die Zeitung war begleitet von schlimmsten Befürchtungen. Die Gewissheit ihres Erscheinens hatte einigen Menschen den Schlaf geraubt. Es war noch Zeit, bis die Zusteller die Briefkästen damit füllen und die Kioskbesitzer ihre täglich steigenden Umsätze einfahren würden.
Marita verschwendete keinen Gedanken an die Tagespresse. Sie hatte sich schon lange abgewöhnt, Zeitung zu lesen.
Dennoch war ihre Nacht alles andere als erholsam. Antonia schwirrte durch ihr Hirn und immer wieder fuhr Maritas Hand auf sie nieder. Der kurze Kampf mit dem Reporter drängte sich dazwischen, der von den Blitzen seiner Kamera begleitet worden war und sie dachte an den ersten Artikel, der aus belanglosen Fotos eine reißerische Geschichte fabriziert hatte. Sein skrupelloses Auftreten gab ihr die Sicherheit, dass sie erneut zur Sexbestie erniedrigt werden würde, wie es bereits in ihrem ersten Leben geschehen war. Sollte sie ewig das Opfer bleiben? Und immer wieder kroch die Frage an ihr hoch: Wäre ihr all das, ohne Antonias Eingreifen, erspart

geblieben? Hätte sie ihr selbst gebautes Schneckenhaus schützen können, wenn sie darin ausgeharrt hätte?

Warum sah sie gerade jetzt wieder, Antonias befreiendes Lachen, das sie auszulachen schien. Warum war sie nur so dumm, wieder einem Menschen vertraut zu haben? Ein unschuldiges Kind, so vertraueneinflößend es auch war, so sehr sie auch dessen lang entbehrte Liebe brauchte, es war ein Trugschluss. Er hatte ihr eine Weile gutgetan, um dann das Böse zu entfesseln. Sie wird diesem Kind keine Träne nachweinen, sie wird ihm nicht mehr folgen. Sie wird nachhause zurückkehren, in ihr Schneckenhaus.

Vielleicht war es ein gutes Zeichen, dass wieder mal ein Regentag anbrach. Wird er alles hinwegspülen, was sie quält. Sie setzte sich an ihren Lieblingsplatz, das Fenster und starrte auf das nasse, glänzende Straßenpflaster, das noch nicht die Menschen ertragen musste und nur mit ihr die Einsamkeit teilte. Marita wanderte zurück auf die Fensterscheibe, wo ihre Freunde, die Regentropfen ihr unermüdliches Spiel begonnen hatten. Sie hatte den Moment gut abgepasst, da die Sonne gerade durch die Wolken brach und die Tropfen mit ihrem Licht überschüttete. Die Strahlen brachen sich an den kleinen Linsen und stachen unerbittlich in Maritas Auge. Ihre Lider verengten sich zu Schlitzen, um dem zu erwartenden Geschehen folgen zu können. Da der Wind den Regen nicht auf das Fenster drückte, hatten die feinen Tropfen Zeit, sich zu formieren. Langsam wuchsen sie an und machten sich auf ihren ungewissen Weg entlang der Scheibe. Ein Tropfen näherte sich scheinbar harmlos dem anderen, um dann plötzlich seinen Weg, ohne ersichtlichen Grund, zu ändern, da ihm der Tropfen linker Hand besser gefiel. Und plötzlich stürzte er sich auf seinen Gefährten und fraß ihn auf, um nun mit vollem Bauch seinen Weg noch schneller fortzusetzen. Er war auf den Geschmack gekommen und hatte offenbar nur ein Ziel im Auge: sich so viele Kameraden einzuverleiben, wie ihm möglich war. Gnadenlos riss er alle Opfer mit sich in die Tiefe und verharrte nur kurz, wenn er nach neuer Nahrung Ausschau hielt. Und immer war dieses aggressive Glitzern im Spiel, das warnend die Augen quälte. Marita wandte sich ab. Das fantastisch, spielerische Miteinander der Regentropfen hatte sich in ein Horrorszenario verwandelt. Die vergnüglichen Stunden an der Fensterscheibe, gehörten nun auch der Vergangenheit an. Wo waren sie hin, ihre Freunde aus vergangenen Tagen?

Enttäuscht, aber nicht überrascht zog sie sich zurück.

Das Leben brauchte sie nicht. Waren es zunächst die Menschen, so hatte sich nun die Natur gegen sie verschworen. Es war kein Platz für sie, in dieser Welt, kein Platz, um auszuruhen, kein Platz um Freude zu empfangen oder zu verteilen. Es war Folter, Qual und Hoffnungslosigkeit. Lag alles nur an ihr? Die Menschen hatten es schon immer gesagt. Was wenn sie Recht hatten?

Ihre Klingel beendete den Gedankenfluss. Wer konnte das schon sein? Mit Sicherheit eine neue Qual - egal ob sie Reporter, Polizei oder anders hieß.

Selbst wenn es Antonia wäre, gäbe es genau so wenig Gründe zu öffnen. Das Mädchen hatte, ihr ohnehin schon verkorkstes Leben, in eine Hölle verwandelt. Sie war es zwar nicht allein, doch sie war die Versuchung. Sie war das Böse in Person, verpackt in einem unschuldig wirkenden Kind. Und sie war darauf hereingefallen.

Es klingelte erneut. Egal, wer es war. Niemals würde Marita die Tür aufmachen. Der ungebetene Besucher klopfte inzwischen massiv an der Tür. Sie konnte sich vorstellen, wie es in dem geräumigen Haus widerhallte. Es würde niemanden geben, der dabei schlafen könnte. Sie sah auf die Uhr. Es war kurz nach vier. Kein normaler Mensch klingelt zu dieser Zeit Leute aus dem Bett. Langsam schlenderte sie zur Tür, um durch den Spion zu sehen. Es war Antonias Mutter, die sehr aufgewühlt wirkte und mit zerzausten Haaren hin und her wippte.

Wieder setzte sie zu Schlägen an die Tür an. Die Frau machte den Eindruck, als ob sie die ganze Nacht an ihre Tür klopfen würde, falls sie kein Gehör fände.

Marita öffnete. Frau Pohl wirkte unsicher. Sie hatte keine Ahnung, wie sie dieser Frau gegenüber, auftreten sollte. Der Frau, die sie immer gemieden hatte, deren Einfluss ihr ihre Tochter entfremdet hatte. Der Blick irrte umher, als sie sprach. Sie schaffte es nicht, in Maritas Augen zu sehen, denen man nachsagte, dass sie verhexen können.

„Antonia ist nicht nachhause gekommen."

Die Worte kamen schnell, die Sätze waren abgehackt, als müssten sie schnell hinaus, um nicht in ihr hängenzubleiben. Alles in ihr widersetzte sich, mit dieser Frau zu reden. Sie wusste nicht, was daraus werden würde.

„Das hat sie noch nie getan. ... Ich wollte Sie fragen, ob sie zufällig bei Ihnen ist. ...Bei der Polizei war ich schon."

Sie hob den Blick und sah Marita das erste Mal an. Wollte sie sehen, welche Wirkung der letzte Satz auf sie hatte? Sie wusste es selbst nicht. Sie sah in gerötete Augen und ein blasses Gesicht. Vielleicht Ausdruck des schlechten Gewissens? Es war keine menschliche Regung in Frau Kümmels Gesicht erkennbar. Frau Pohl fröstelte. Am liebsten würde sie davonlaufen, aber es ging um ihre Tochter. Die Sorgen brachten sie fast um. Auf der

Polizeistation hatte man sie zu beschwichtigen versucht. Das Protokoll wurde vermutlich nur aufgesetzt, um sie loszuwerden. In einem hatten die ja Recht. Alle Möglichkeiten, wo sie sein könnte, hatte sie nicht überprüft. Nun stand sie hier. Die Bitte stand in ihrem Gesicht geschrieben, dass Marita ihre Tochter herausgeben möge. Sie hatte sich so an die Hoffnung geklammert, dass sie Antonia hier finden würde, dass es einfach so sein musste. Die Lippen formten bereits den nächsten Satz, doch er kam noch nicht heraus. Es waren noch nicht die richtigen Worte. Es würden nie die richtigen Worte sein.

„Und was wollen Sie von mir?", hörte sie diese Frau sagen, deren Teilnahmslosigkeit ihr das Blut gefrieren ließ. Es war nicht zu fassen. Die schlimmsten Vorstellungen wurden wahr. Sie musste hier sein und diese Frau besaß die Frechheit, das abzustreiten. Was hatte sie vor. Betrachtete sie Antonia bereits als ihr Kind?

„Man hat Antonia zu Ihnen hineingehen sehen!" , sagte sie etwas schärfer, während ihre Lippen weiter unausgesprochene Sätze formten, ihr Körper den Aufstand probte, ihren Blutdruck in die Höhe trieb und ihre Gedanken zertrümmerte, bevor sie sich neu formierten.

„Man hat sie sicher auch wieder hinausgehen sehen." Monoton drang dieser grausame Satz in ihr Ohr.

„Nein!", brüllte es aus ihr heraus und endlich konnte sie auch wieder schluchzen.

Marita berührte dies wenig. Wenn sie sich mal früher so um ihre Tochter gesorgt hätte, wäre ihr das erspart geblieben. Sie dachte an ihren Streit, an die Ohrfeige, an den Sturz ... mehr war nicht da. Sie wird vermutlich in die Nacht gelaufen sein, um sich irgendwo auszuheulen. Von dieser Mutter hatte das Kind ohnehin nichts erwartet.

Vielleicht tut ihr das Gefühl ganz gut, etwas zu verlieren. Marita hatte man dauernd etwas weggenommen: ein Leben, Eltern, Freunde, die Selbstachtung und eine Menge mehr. Und sie werden ihr weiterhin etwas nehmen. Diese Frau war da keine Ausnahme. Marita wusste von Antonia, was diese Frau über sie dachte.

Sie konnte dieses verlogene Geheule nicht mehr ertragen. Sie wollte sie so schnell wie möglich, loswerden. Sie hoffte nebenbei, dass Antonia nicht zu schnell zurückkommen würde, um diese Frau zu strafen. Vielleicht lernt sie dann etwas über menschliche Wärme. Dann, wenn sie ganz ausgekühlt ist. Warum bedarf es nur immer eines Unglücks, um zu erkennen, wen man liebt? Doch wie lange wird diese Liebe anhalten, wenn sich der Alltag wieder eingestellt hat. Alles Heuchelei. Diese Frau ist genauso böse wie der Rest der Welt.

Marita schüttelte sich. Diese Frau wird erneut in ihre Eigenliebe verfallen, wenn sie ihr Möbelstück Antonia zurück hat.

„Kommen Sie rein und schauen selbst nach und dann verschwinden Sie wieder!“

Frau Pohl zögerte kurz und rannte dann in die Wohnung. Sie nahm nicht wahr, welche Möbel, welche Bilder Marita besaß. Alles was nicht Antonia war, schob sie instinktiv in die Bedeutungslosigkeit. Sie hetzte von einem Zimmer ins andere - nichts. Sogar im Bad und in der Besenkammer sah sie nach.

„Sie haben vergessen, im Herd nachzusehen. Sie wissen doch, wie das mit den Hexen ist. Oder soll ich Ihnen ...“

„Seien Sie still! Haben Sie denn gar kein Herz? Wissen Sie überhaupt, wie das ist, wenn man sein Liebstes verliert? Kennen Sie die schreckliche Ungewissheit, wenn alles möglich ist, wenn ihnen dieses Gefühl die Luft zum Atmen nimmt?"

„Ich kenne Sachen, von denen Sie nicht mal träumen würden. Was zerfließen Sie in Selbstmitleid? Sie haben wenigstens die Hoffnung. Es gibt unzählige Menschen, die nicht mal die haben. Sie haben durch Zufall ihr Herz wieder entdeckt, aber nur weil Ihnen etwas weggekommen ist. Etwas was Ihnen eigentlich nie richtig gehört hat. Haben Sie sich mal gefragt, was sie Antonia gestohlen haben? Vielleicht sucht sie es da draußen? Sie hätte nicht weggehen müssen, wenn Sie es ihr gegeben hätten."

„Sie ist da draußen? Wo? Sagen Sie mir, wo sie ist?"

Marita schob sie das letzte Stück sanft auf den Hausflur zurück. Auch sie sah traurig aus, jedoch aus anderen Gründen.

„Sie haben nichts verstanden. Überhaupt nichts." Und dann schloss sie die Tür.

Das erwartete Geschrei von Frau Pohl blieb aus.

Es war die erste Nacht, die Frau Jaffel wieder zu Hause schlief. Sie hatte sich über alle Vorgänge im Haus informieren lassen, obwohl ihr der Arzt Aufregung verboten hatte. Heute gab es einen besonderen Grund, sich zu freuen. Ihr Freund, der Reporter, hatte in der letzten Ausgabe für heute seinen zweiten Teil der Geschichte um die Ahornstraße 13 angekündigt. Endlich hatte sich ein mutiger Mensch gefunden, der mit dieser schwarzen Kröte abrechnet und das, obwohl er sogar körperlich von diesen dunklen Mächten angegriffen wurde. Sie bewunderte diesen Mann und sah der Zukunft wieder optimistisch entgegen. Bald hätte alles ein Ende. Davon war sie überzeugt. Ungeduldig lauerte sie auf den

Briefträger, der die kostbare Fracht in Kürze in den Briefkasten werfen wird.

Sie schaute auf den regenschweren Platz hinaus, der vor dem Haus sein glänzendes Licht zu ihr schickte. So wie der Regen diesen Platz gereinigt hatte, wird vielleicht auch der heutige Tag eine gründliche Reinigung einleiten, eine des Hauses. Sie lächelte. Kaum jemand hatte sie je lächeln sehen. Es gab wahrlich keinen Grund dafür. Doch die Hoffnung auf einen großen Erfolg, an dem sie mitgewirkt hatte, gab ihr ein neues Lebensgefühl.

Eine Tür klapperte hinter ihr und sie hörte das Schlurfen ihres Mannes.

„Was machst du denn schon so früh hier? Warum schläfst du nicht? Der Arzt hat dir doch gesagt, dass du dich ausruhen sollst."

Er bekam keine Antwort.

„Wie lange bist du denn schon wach?"

„Geh wieder schlafen, ich fühle mich bestens", sagte sie, ohne sich umzudrehen.

Herr Jaffel spürte eine große Ruhe in ihrer Stimme, die sonst immer gehetzt klang, sich ständig im Kampf befand und er wanderte schlaftrunken in sein Bett zurück.

Es dauerte fast eine Stunde, die sie reglos am Fenster verbrachte, bis sie endlich den Wagen des Postboten hörte. Sie wurde bereits wieder nervös und schimpfte innerlich über den unzuverlässigen Kerl, der sie so lange auf ihre Zeitung warten ließ. Und als sie ihn dann sah, wirkte er wie ein Engel. Mit kindlicher Freude rannte sie auf den Hausflur, spähte kurz zu Maritas Tür, was ihre Freude noch eine Stufe höher schob und riss die Haustür auf.

„Meine Zeitung können sie mir gleich geben, junger Mann." Sie legte so viel Freundlichkeit in den Satz, dass ihrem Gegenüber verdutzt der Mund offenblieb. Ein schnelles ‚schönen Tag noch' und schon war sie wieder verschwunden. Hastig legte sie sich die Zeitung auf dem Küchentisch zurecht und registrierte zufrieden, dass sich der Artikel gleich auf der Titelseite befand. Schon die Fotos waren ein Erlebnis.

Die blödsinnige Antonia und die Schlampe Kümmel waren gut ins Bild gesetzt. Nur das Foto von ihr, wie sie mit Entsetzen im Auge vor diesem kleinen Kind steht, sah nicht sehr vorteilhaft aus. Aber der Text, der Text würde sie für diesen kleinen Formfehler entschädigen.

Das Horrorhaus „Ahornstraße 13"

Ja das kam gut. Frau Jaffel rückte ihr Hinterteil auf dem Stuhl zurecht.

Die Ereignisse in der Ahornstraße spitzen sich zu. Wir berichteten bereits darüber, als wir den Tod eines Fußgängers vor diesem Haus untersuchten. Letztendlich war es dann die Geschichte einer Frau, die angeblich die schwarze Magie praktizierte und als bemitleidenswertes Opfer einer Rufmordkampagne erschien. Doch nach Analyse der letzten schrecklichen Ereignisse, kann auch ich mich dieser Theorie nicht länger entziehen, dass übersinnliches, mystisches, todbringendes in diesem Hause wohnt.

Die gefürchtete Marita K. hat sich offensichtlich ihren Nachwuchs herangezüchtet.

Kilian hatte an dieser Stelle eine Kette von kleinen Bildern eingearbeitet, die nur Antonia mit verschiedensten

Gesichtsausdrücken zeigten und den Artikel wie ein Band zerschnitten.

Sie schaute böse, albern lachend, schmollend, Grimassen schneidend auf den Betrachter und wirkte total durchgedreht. Da diese Bildfolge Antonia immer vor gleichem Hintergrund und mit gleicher Kleidung zeigte, musste jedem klar sein, dass diese Bilder innerhalb weniger Minuten entstanden waren. Und für die Leser, die dies nicht erkennen, hatte Kilian diese Erkenntnis nochmal in der Bildunterschrift hervorgehoben.

Dieses Mädchen scheint die neue Nummer eins im Hexenhaus zu sein. Die Mitbewohner sind sich einig, dass Frau Kümmel das Mädchen in ihren Bann gezogen hat. Doch ist die Ausbildung nun abgeschlossen und hatte einen Machtwechsel zur Folge?

Das Foto, wie Antonia aus der Tür tritt und im Schatten des Hausflures schemenhaft Marita erkennen lässt, bildete den Rahmen für den weiteren Tex. Gekoppelt mit dem Foto, wo Antonia das Haar der Frau Jaffel an sich nimmt (im Hintergrund die große Menschenansammlung), rundete es die Sache ab.

Viele hundert Menschen waren vermutlich Zeuge eines fast perfekten Mordversuches, dem eine alte Frau um ein Haar zum Opfer gefallen ist. Sie liegt noch heute im Krankenhaus und die Ärzte wissen nicht, ob sie durchkommt. Ein schwerer Herzanfall - den sie wie durch ein Wunder überlebte. Und dennoch wird es keine Anklage geben. Schließlich ist es nicht verboten, einem Menschen ein Haar zu nehmen. Und Kinder genießen ohnehin den Schutz des Gesetzes. Vermutlich wird die Frau selbst schuld sein, werden einige sagen - Todesursache: Aberglaube. Wollen wir uns das so einfach machen?

Yvonne war fassungslos, was heutzutage ein Skandalreporter ablassen darf. Und obwohl sie verabscheute, was sie dort las, kämpfte sie sich weiter durch den Artikel. Bei jedem neuen Angriff sah sie Maritas Bild vor sich, jedoch nicht das aus der Zeitung, sondern das Bild der verschüchterten Kollegin Marita, die mit gesenktem Kopf auf ihrem Arbeitsplatz ausharrte und jedem menschlichen Kontakt mit panischer Angst entgegensah. Eine Marita, die schon damals gewusst hatte, warum sie es tat.

Welche Machenschaften das weibliche Duo der Ahornstraße 13 noch zu verantworten hat, wird wohl immer ein Rätsel bleiben. Das Foto des Kollegen, den Sie in der letzten Ausgabe unserer Zeitschrift sahen, erscheint nun auch in einem anderen Licht und die herumstreunende Katze nehmen wir ihm sicher nicht mehr ab. Auch folgende Fotos sprechen ihre eigene Sprache. Sie sehen eine Marita K., die in diesem Aufzug die Tür öffnete, als ich mich bei ihr erkundigen wollte, was ihren Kollegen so verstört hatte. Meine harmlose Frage endete in einem tätlichen Angriff, der mich fast meine Kamera gekostet hätte.

Die Fotos von Marita hätten unglücklicher nicht ausfallen können. Das scheckig, weiße Gesicht, mit geröteten Augen und fett eingecremter Haut betont ihren wütenden Gesichtsausdruck, als sie sich zur Wehr setzt. Durch die raschen Bewegungen hatte sich der

Bademantel gelockert und gab sowohl die halbe Brust als auch das ausschreitende Bein frei.

Eine Mischung aus Erotik und Kampfeslust. Hatte das der Kollege vom Handelscenter Kersik bei ihr gesucht, als er den Krankenbesuch antrat? Hatten sie eine Grenze überschritten, in deren Folge die Flucht als einziger Ausweg erschien? Was spielt sich in diesem Hause ab?

Frau Griesbach hatte schon immer geahnt, was sich an diesem fragwürdigen Tag ereignet haben könnte. Jetzt, da sie die verweinten Augen Maritas sah und ihr Aufzug darauf schließen ließ, dass sie sich nach dem Besuch Kellers gründlich reinigen musste, wurde ihr alles klar. Harry Keller hatte versucht, sie zu vergewaltigen. Und dann kommt, nach dieser Situation, der aufdringliche Reporter und macht das Maß voll. Das Blut kochte in ihr, als sich Absatz für Absatz die dummen Bemerkungen des Reporters häuften. Und dann sah sie sich selbst, wie sie angewidert die aufgeschlitzte Maus aus der Tasche zog, wie sie davonfliegt, mit einem Cocktail aus Ekel, Wut und Angst im Magen.

Sie las intensiv die Kommentare, die hierzu die Schuldfrage aufwarfen und immer wieder zum Gangsterduo Marita und Antonia führten.

Frau Griesbach stimmte es mild, wenn sie von der kleinen Antonia als Mittäterin las und dennoch lastete man auch diese Schuld, die Verführung eines Kindes, Marita an. Der Hass auf Antonia lebte auf. Sie konnte nicht mehr weiter lesen. Die verzweifelte Marita mit den verweinten Augen zog ihren Blick wieder an und sie weinte mit ihr. Während das Bild im Tränenfluss verschwamm, zerknüllte sie die

Zeitung, als könne sie damit die Probleme aus der Welt schaffen.

Kommissar Fint brütete angewidert über der Zeitung. Beide Hände stützten den Kopf. Er hatte Mühe, so viel Müll zu verarbeiten. Wieder einmal wurde ihm bewusst, dass das, was man Pressefreiheit nannte, eine unheilvolle Grenze hatte und mehr Schaden als Nutzen brachte. Wer wollte das Leid aufwiegen, das sie manchmal erzeugte, gegen die Illusion gut informiert zu sein, über all die unwichtigen Dinge, die uns ein Gefühl der Überlegenheit geben.
Wen würde schon eine Statistik interessieren, wie viel Leben durch die so genannte Pressefreiheit zerstört worden sind?
Diese junge Frau wird daran zerbrechen, wenn sie nicht endlich Hilfe annimmt. Er hatte sie ihr angeboten, doch sie verweigerte sich, unfähig, jemandem zu vertrauen.
Und wenn er die letzten Sätze dieses scheinheiligen und widerwärtigen Reporters Kilian las, so hätte auch er seine Schwierigkeiten mit dem Vertrauen.

Diese lange tragische Geschichte lässt immer noch viele Fragen offen. Tatsächlich ist die Versuchung groß, an geheimnisvolle, dunkle Kräfte zu glauben und auch ich ergebe mich manchmal dieser Schwäche. Doch sollten wir uns nicht auch die Frage stellen - wie ist diesen beiden Verirrten zu helfen? Es ist einfach, ein Urteil zu fällen, doch hat vermutlich eine andere Tragödie die Frau hart gemacht, über die sie nicht sprechen will. Doch gibt ihr dies das Recht, selbst Unrecht zu tun?

Deshalb rufen wir Frau K. auf: Kehren sie um! Es ist der falsche Weg. Nutzen sie kostenlos einen unserer Spezialisten.

Fint's Faust sauste auf den Tisch. Seine Kollegen hatten sich an solche Unmutsreaktionen gewöhnt und nahmen sie nicht mehr zur Kenntnis.

Dieses Angebot war die gemeinste Verhöhnung eines selbstgeschaffenen Opfers, das Fint je gelesen hatte. Er würde mit der Redaktion dieses Schmierblattes reden - nein, besser nicht - damit würde er seine Befugnisse überschreiten. Aber den Kilian wollte er sich ohnehin vornehmen, da er inzwischen aktiv am Fall beteiligt war, wie er es in seinem Artikel betonte.

Sein großes Problem war, dass es keinen offiziellen Fall gab und die Ermittlungen zur Fahrerflucht zwar noch auf kleiner Flamme liefen, aber weitere Befragungen nicht rechtfertigen. Die Geschichte war nur als Untersuchung deklariert worden. Er hatte inzwischen andere Fälle. Wenn er seine Befragungen jedoch in seinen Feierabend verlegte, dürfte er kaum mit Schwierigkeiten rechnen.

Aus irgendeinem Grund fühlte er sich, Frau Kümmel gegenüber, verpflichtet. Das ‚Warum?', hatte er sich schon oft beantwortet, jedoch ständig neue Antworten gefunden, wobei die eine so plausibel wie die andere war. Heute neigte er wieder dazu, sich als Teil des Staates, des Rechts zu sehen. Ein gesundes Rechtssystem, sollte nicht auf eine Anklage warten müssen.

Er hatte seine Entscheidung getroffen und widmete sich wieder beschwingt seinen staatlich angeordneten Aufgaben.

Gegen Abend holte ihn der Fall wieder ein. Antonias Mutter sprach erneut vor.

Er hatte es als übereilt empfunden, ein Mädchen als vermisst zu melden, obwohl die Mutter eine intensive Nachforschung vermissen ließ. Sie verlangte, ihn zu sprechen, mit dem Zusatz, dass sie nicht eher gehen werde.

Schon als er sie sah, war ihm überdeutlich klar, dass Antonia immer noch nicht aufgetaucht war. Frau Pohl hatte verquollene Augen, wirre Haare und einen fleckigen Mantel, als hätte sie sich tagelang an den unmöglichsten Orten herumgetrieben.

Sie flehte ihn an, dass er ihr helfen solle, ihre Tochter zu finden, wobei er kaum ein Wort verstand, da es in hemmungslosem Schluchzen unterging.

„Beruhigen Sie sich erst mal. Was haben Sie denn inzwischen herausbekommen, Frau Pohl?"

„Sie war zuletzt bei dieser Hexe, der Kümmel. Danach ist sie wie vom Erdboden verschluckt. Ich habe sie überall gesucht."

„Haben Sie mit Frau Kümmel gesprochen?"

„Selbstverständlich. Sie sagt, Antonia sei irgendwo da draußen, will mir aber nicht sagen wo."

Sie zog ein Taschentuch hervor, das schon quatschnass war, und schnäuzte erneut hinein.

„Frau Kümmel hat gesehen, wie sie nach draußen gegangen ist?"

„Woher soll ich das wissen? Die lügt doch, wenn sie den Mund aufmacht. Wer weiß, was sie mit meiner Tochter angestellt hat. Die ganze Stadt redet ja davon."

„Und wann wurde ihre Tochter zum letzten Mal gesehen?"

„Als sie zur Kümmel in die Wohnung ging, am späten Abend. Wir hatten schon lange Abendbrot gegessen."

„Ist es normal, dass Antonia nicht pünktlich zum Abendbrot kommt?"

„Seit sie mit der Kümmel rumhängt, war sie hin und wieder unpünktlich."

„Was meinen Sie, warum sie so oft bei Frau Kümmel war?"

„Das Geheimnisvolle, vielleicht wollte sie mehr im Mittelpunkt stehen - anfangs - und dann hat die Kümmel sie belabert. Wer weiß, was sie ihr erzählt hat. Jedes zweite Wort war Marita".

Die ursprüngliche Trauer war offenbar dem Hass gewichen, der sogar die Tränen verdrängte.

„Hat Antonia Frau Kümmel als Mutter gesehen? Bei einer meiner Befragungen hatte sie sie als ihre Mutter bezeichnet."

„Ich bin ihre Mutter. Sie hat nichts entbehrt. Warum sollte sie sie als ihre Mutter ausgeben?"

„Das frage ich Sie!"

„Meine Tochter ist verschwunden und Sie erzählen mir irgendeinen Mist von einer anderen Mutter. Was soll das? Dadurch kriege ich sie nicht wieder. Suchen Sie sie lieber!"

„Wenn wir wissen, warum sie weggelaufen ist, könnten wir die Orte einschränken, an denen eine Suche Sinn hat."

Frau Pohl schwieg. Fint wertete das als Zustimmung.

„Hatte Antonia Schulfreunde?"

„Nicht dass ich wüsste."

„Hat sie etwas erzählt? Ihre Lieblingsorte, weitere Personen, die sie erwähnte, Ereignisse, auf die sie sich gefreut hat?"

„Nein."

„Haben Sie ein Foto von ihr mit?"

„Nein."

„Passen Sie auf, Frau Pohl. Ich werde heute Abend zu Ihnen reinschauen und Sie suchen mir bis dahin ein Bild von Antonia raus, bitte ein aktuelles und möglichst großes."

„Das letzte Foto ist zwei bis drei Jahre alt. Reicht das?"

„Es muss reichen."

Sie verabschiedeten sich emotionslos und Fint versenkte sein Gesicht wieder in seine flachen Hände. Er verstand, dass eine Mutter in dieser Situation recht kopflos werden kann, aber es verwunderte ihn schon, wie wenig Bezug Antonia zu ihrer Mutter zu haben schien.

Wenn es auch kein erfreulicher Anlass war, so gab es doch wieder einen Fall, der sein Handeln erforderte. Kurz und knapp verfasste er einen Bericht und hinterlegte ihn im Postfach seines Chefs.

Er eröffnete eine neue Akte „Antonia Pohl" und stellte den Ordner in seine Regalwand. Abwesend starrte er darauf und in seinem Inneren lauschte er auf Stimmen, die zu ihm sprechen könnten. Ein Gedanke, der ihm Hilfe anbietet oder ein Bild, das ihn aufschrecken lässt, vielleicht sogar eine Spur, die ihm noch nicht aufgefallen ist. Schon oft hatten ihn Momente, wie dieser, zur Lösung geführt. Doch der Ordner warf nur tiefes Schweigen zurück. Fint war sich nicht sicher, ob es einen Fall Antonia geben würde. Die Statistik hatte viele ausbrechende Kinder aufzuweisen, die nach Tagen reumütig zurückkehrten. Bei Antonia war selbst für einen Blinden ein Motiv erkennbar, die Mutter zu verlassen. Sicher wollte sie nur ein Achtungszeichen setzen: Schau her! Ich bin auch noch da! Zeige mir, dass ich dir nicht gleichgültig bin.

Die Flucht zu Frau Kümmel hatte sie im Haus und in der Öffentlichkeit noch mehr ins Abseits gestellt. Vielleicht hat das Mädchen das nicht verkraftet. All seine Überlegungen

hatten keine erforschte Basis. Ihm wurde klar, dass er tief graben muss, um auf Wasser zu stoßen.
Für diesen Abend nahm er sich drei Termine vor. Kilian, Kümmel, Pohl. Ach ja das Foto musste noch zur Pressestelle, also Termin Nummer 4.

Bei Kilian klingelte er eine halbe Ewigkeit, bis er sich damit zufriedengab, dass er ihn nicht mehr antreffen würde. Vermutlich war er schon wieder auf der Jagd nach neuen Schicksalen, die er dramatisieren konnte. Es würde ihn verwundern, wenn Kilian nicht schon von Antonias Verschwinden erfahren hätte. Es bestand folglich eine kleine Chance, ihn in der Nähe der Ahornstraße anzutreffen. Er sah ihn jedoch weder vor, noch in dem Haus.
Sein Herz wurde ihm schwer, als er die wuchtige Eingangstür betrachtete. Links, hinter den Fenstern der Frau Kümmel regte sich genau so wenig, wie rechts, bei ihrer ärgsten Widersacherin Frau Jaffel, die, wie er wusste, wieder zu Hause war. Dennoch würde er sie heute nicht besuchen. Sie genoss noch ihre Schonzeit, nach dem Krankenhausaufenthalt.
Langsam schob er die Tür auf, die ihn in den düsteren Flur vorließ. Sofort fühlte er sich wieder von dem Schachbrettmuster der Fliesen gefangen. Schon bei seinem ersten Besuch kam ihm der Vergleich zu einer Partie Schach, wenn er seinen Fall betrachtete. Wie passte das Verschwinden Antonias da hinein?
War eine Dame geopfert worden, um das Spiel zu gewinnen? Doch geopfert von wem? Man könnte sich theoretisch, gegen Ende des Spiels die Dame zurückholen, indem man einen einfachen Bauern durchmarschieren ließe. Es würde jedoch ausgeklügelte

Spielzüge erfordern, die zudem ein nicht zu unterschätzendes Risiko heraufbeschwören könnten. Selbst wenn er dieses Schachspiel, das er sich gerade zusammengereimt hat, als real ansieht, welche der beteiligten Figuren wäre dazu fähig? Die Gedanken fanden ein schnelles Angebot: Kilian.

Keinem anderen der Beteiligten traute er diese Intelligenz zu, so ein Spiel durchzuziehen. Seine Skrupellosigkeit wird ihn viele Grenzen überschreiten lassen, was weitere Fragen aufwirft.

Frau Jaffel, blind vor Wut, gelähmt vor Angst, könnte schon in einer spontanen Aktion kriminelle Ambitionen entwickeln. Ebenso Frau Pohl, die die Zuneigung Antonias zu Frau Kümmel vermutlich als Betrug oder sogar Diebstahl ansieht. Es wäre nicht die erste Mutter, die mit überzeugenden Krokodilstränen ihre Unschuld zu beweisen sucht.

Herr Jaffel war die Gutmütigkeit in Person, wenn auch der plötzliche Anfall seiner Frau einen Stimmungswandel herbeigeführt haben könnte. Für ihn war eine Schuldfrage zu klären, die er, wenn überhaupt, ebenfalls nur in einer spontanen, unbedachten Aktion zum Abschluss gebracht hätte.

Die restlichen Hausbewohner waren nie so stark in die Geschichte integriert, dass sie für sich eine akute Bedrohung sahen, die außergewöhnliche Maßnahmen erfordert. Dennoch würde er auch sie überprüfen lassen.

Vielleicht gab es Liebhaber von Frau Pohl, die den Störfaktor Antonia nicht ertrugen. Aber selbst hier, würde nur spontanes Handeln infrage kommen.

Aufgrund der Verflechtung von Frau Kümmel und Antonia müssten auch die, von der Presse als Opfer dargestellten, Personen betrachtet werden. Diese Frau Griesbach hatte

Marita verteidigt. Nach Zeugenaussagen kommentierte sie den Vorfall mit der angefressenen Maus: „Die Sache hat nicht das Geringste mit Marita zu tun". Es lag auf der Hand, dass sie Antonia dafür verantwortlich machte.

Und dieser Harry Keller - Maritas Kollege? Was war wirklich an jenem Tag geschehen. Die Antwort wussten nur die beiden - oder war Antonia dabei? Freiwillig würde keiner der beiden mit der Sprache herausrücken. Er müsste es vorsichtig herauslocken. Dennoch fraglich, ob es weiter helfen würde und immer noch fraglich, ob es einen Fall „Antonia" überhaupt gab.

Zu guter Letzt blieben noch die restlichen Kollegen Maritas, die ebenfalls eine Verbindung zu diesem Haus haben könnten.

Bei allen Betrachtungen, die er in der Kühle des Hausflures angestellt hatte, verfestigte sich die Theorie einer Affekthandlung, wenn Antonia etwas zugestoßen sein sollte. In diesem Fall hätte er schlechte Karten, da Logik hier nicht der entscheidende Falllöser sein kann. Ein Tatort wäre wesentlich hilfreicher.

Selbst wenn er den Reporter Kilian unter die Lupe nimmt, fehlte ihm das Motiv, das einen so aufwändigen Plan rechtfertigt. Nun gut, die Affekthandlung wäre auch ihm zuzutrauen, zumal Antonia als unerschrockene Verteidigerin Antonias in Erscheinung getreten war. Bei den aufdringlichen Ermittlungen Kilians hätte sie ihm schon empfindlich in die Quere kommen können, so dass er die Beherrschung verlor.

Im Moment hatte er eine schwarze Schachtel, in die er, nach belieben, greifen konnte. Bei jedem Griff hatte er einen möglichen Täter und gleichzeitig einen Unschuldigen am Wickel.

Im Laufe seiner vielen Dienstjahre hatte er Menschen kennengelernt, die aus den nichtigsten Gründen heraus gemordet, gequält, gestohlen oder betrogen hatten. Alle hatten ein psychisches Problem, dass manchmal innerhalb von Sekunden geboren wurde. Ein Problem, das für sie nur ein unlösbares Problem war, weil es eines zu viel war. Eines, das zur falschen Zeit am falschen Ort auf sie zusprang. Und diese eine Sekunde konnte aus einem normalen Menschen einen psychisch gestörten machen. Die Ursache wühlte vielleicht Jahre im Untergrund und hatte eine dicke Schicht von Schutzeinrichtungen angelegt und doch genügte eine kleine Verletzung, um wie bei einem Vulkan, an genau dieser Stelle, ungehemmt hervorzubrechen.

Wer will sagen, in welchem der vielen Menschen, die wir treffen, dieser Vulkan aktiv ist? Wer sieht schon den Menschen, der wirklich vor uns steht. Wir erblicken nur ein Abbild, wie wir es sehen wollen.

Bei Frau Kümmel ist es anders. Sie trägt eine derart dünne Schicht über ihrem Vulkan, dass jedermann die Glut und die Asche darunter sehen kann. Sie ist die typische Täterin. Ihre Tarnvorrichtung hat versagt, sie muss verrückt sein. Sie ist der Mensch, dem man alles zutraut.

Fint konnte auch Marita nicht als Täterin ausschließen, bei diesem Fall ohne Opfer. Obwohl er mit ihr fühlte, da er die Ursache ihrer Glut und ihrer Asche kannte. Es würde ihn nicht einmal überraschen, wenn sie ein Leben auslöscht. Doch was er ihr nicht zutraute, war das überlegte Handeln danach.

Die dünne Schicht über dem Vulkan könnte sich nicht so schnell schließen, ohne Spuren zu hinterlassen.

Marita Kümmel las er auf dem provisorischen Namensschild. Er hatte keine Knoblauchzehen bei sich und er fühlte keine bedrohlichen Schwingungen. Nur ein schwerer Druck lastete auf seiner Brust. Er hatte Angst - Angst, dieser Frau wehzutun, ohne es zu wollen - Angst, nicht die richtigen Worte zu finden. Er hatte Angst, ein Gesicht vorzufinden, das grässlichen Spuren aufweist, die von einem herzlosen, aggressiven Umfeld, erzeugt wurden. Sein Arm fühlte sich an, wie Blei, als er sich dem Klingelknopf näherte. Es verwunderte ihn nicht, dass er mehrmals klingeln musste. Er verstand es, dass er vorher durch den Türspion begutachtet wurde und er verstand auch das Zögern danach. Endlich öffnete sich die Tür.

Frau Kümmel schlich mit hängenden Armen voran, in ihr Wohnzimmer. Ihr Gesicht hatte Fint noch nicht gesehen. Sie verließ sich darauf, dass er die Tür schließen würde. Fint gab sich nicht der Illusion hin, dass dies ein Ausdruck von Vertrauen wäre - es gab nur keinen anderen Weg aus einer verhassten Situation.

Frau Kümmel war schon im Zimmer verschwunden, als er noch ratlos im Flur stand. Es war alles ordentlich. Keine Nachlässigkeiten, die auf Desorientierung oder Gleichgültigkeit hinwiesen. Diese Frau legte immer noch auf eine gepflegte heimische Burg wert, die letzte Bastion, die die Menschen nicht nehmen können. Fint wertete das positiv, für diese Frau. Wenn er auch kein Psychologe war, so hätte ihn eine grobe Unordnung stutzig gemacht. Wie erwartet, bot auch das Wohnzimmer keine Überraschung. Er fand eine in sich gekehrte Frau vor, die ihre Haltung aus alten Tagen wieder eingenommen hatte. Die Hände im Schoß, miteinander spielend, erwartete sie, mit demutsvoll gesenktem Blick, die Fragen ihres Peinigers. Fint hatte anfangs gehofft, einen Zugang in diese Festung zu finden.

Die Zeit mit Antonia hatte Frau Kümmel etwas geöffnet. Mit deren Verschwinden war auch ihr aufkeimender Lebensmut gegangen. Dies war ein Punkt, der ihn zweifeln ließ. Aus Frau Kümmels Sicht, dürfte Antonia nichts zugestoßen sein. Sie hatte zwar von Antonias Verschwinden, durch Frau Pohl, gehört, wird aber über keine weiteren Informationen verfügen, da sie zu keinem Menschen Kontakt hat. Warum dann dieser Rückfall. Bedeutete das den bewussten Verlust Antonias? Wusste Frau Kümmel, dass das Mädchen nie wieder kommen wird? Wusste sie dies, weil ihr Antonia etwas erzählt hatte oder weil sie die Ursache war.

Fint sah sie nur an, nachdem er sich in den Sessel gesetzt hatte. Viele Minuten saß er, ohne dass Frau Kümmel ihre Haltung geändert, oder ein Wort gesagt hätte. Sie würden am nächsten Tag noch so sitzen, wenn er das Gespräch nicht begänne.

„Frau Kümmel". Er legte eine Pause ein, bei der nur das Spiel ihrer Hände intensiver wurde.

„Sie wissen sicher schon, dass Antonia vermisst wird." Nichts. Falsches Mitleid war hier fehl am Platze. Wenn er ihr helfen will, muss er sie zur Aussage zwingen.

„Frau Kümmel. Ich erwarte auf jede Frage und wenn Sie Ihnen noch so belanglos erscheint, eine deutliche Antwort. Ich würde Sie nur ungern ein paar Tage aufs Revier einladen, um diese Antworten zu bekommen."

Er übertrieb bewusst mit der Androhung, da Verhöre eine Schwachstelle in ihrer Vergangenheit waren.

„Also, Sie wissen, dass Antonia vermisst wird?"

„Ja". Es war ein klägliches ‚Ja'. Sie zog die Stirn dabei in Falten, um ihren Unmut zu zeigen.

„Zeugen sagen, dass sie gestern Abend bei ihnen war. Stimmt das?"

„Ja"

„Was wollte sie bei Ihnen?"

„Quatschen"

„Worüber haben Sie gequatscht?"

„Weiß nicht mehr!"

Fint erhob sich. „Gut, wenn Sie es so wollen. Dann sehen wir uns ..."

„Über das, was sie erlebt hat."

Fint setzte sich wieder.

„Erzählen Sie mir bitte, was sie erlebt hat."

Sie druckste herum, indem sie den Körper leicht wiegte und mit dem Mund zuckte. Fint sah ihr an, dass sie nicht die Wahrheit sagen würde. Der Weg dahin war zu mühsam.

„Ich möchte die Wahrheit und keine Geschichten, Frau Kümmel."

Sie sah ihn überrascht an und senkte den Blick wieder.

„Sie hat Herrn Kilian fotografiert und ihm dann den Fotoapparat ins Auto gelegt."

„Wobei hat sie ihn fotografiert?"

„Weiß ich nicht."

„Frau Kümmel", er hob warnend die Stimme.

Sie sah ihn flehend an. „Ich weiß es wirklich nicht. Hab nicht hingehört."

„Sie hat es mit Kilians Apparat getan, ja?"

„Ja"

„Auf dem Film waren auch die Fotos aus dem heutigen Artikel?"

Fint hatte von dem Kampf mit dem Reporter gehört und aus dem Artikel erfahren, dass er fast seinen Fotoapparat verloren hätte. Die Schlussfolgerung lag nahe.

Marita schreckte hoch. Angst stand in ihren Augen.

„Haben Sie die Zeitung mit?"

Er reichte sie wortlos rüber. Marita las kein Wort. Sie irrte nur über die Fotos und vergrub ihr Gesicht in den Händen, so wie es Fint vor Kurzem im Büro getan hatte, nur mit dem Unterschied, dass Maritas Körper von Weinkrämpfen geschüttelt wurde.

„Sie waren wütend auf Antonia!" Er hob die zu Boden gefallene Zeitung auf.

Diese Feststellung ließ sie hellhörig werden. Allmählich beruhigte sie sich.

„Schauen Sie sich die Fotos an. Wären sie da nicht wütend?"

„Wie wütend waren Sie?"

Nach einer kleinen Verzögerung gestand sie: „ Ich habe sie geohrfeigt".

„Mehr nicht?"

Empört starrte sie ihn an. Da war wieder etwas von ihrem Kampfgeist. Sie hatte nicht total resigniert.

„Mehr nicht!"

„Was passierte dann?"

„Sie rannte raus."

„Wohin?"

„Hat sie mir nicht gesagt!", kam es trotzig herüber.

„Frau Pohl behauptet, Sie hätten gesagt, dass sie irgendwo da draußen wäre."

„Hab ich nicht gesagt."

„Frau Pohl lügt also?"

„Die hört nur, was sie hören will. Sie hat meine Wohnung durchsucht. Vielleicht haben Sie mehr Glück. Suchen Sie ruhig. Antonia ist nicht bei mir."

„Sie haben also nicht gesehen, wie sie das Haus verlassen hat?"

„Nein"

„Was vermuten Sie, wo Antonia sein könnte?"

„Wenn ich meine Mutter lieben würde, liefe ich zu ihr."
Dieser Protest war gleichzeitig Anklage. Der erste offene, feste Blick von ihr.

„Vermissen Sie Antonia?"

„Sie wird schon wieder kommen."

„Zu wem?"

Marita gab keine Antwort und musterte erneut ihren Teppich.

„Darf ich mich etwas umsehen?"

Sie nickte. Fint schlich durch die Wohnung, gelegentlich einen Blick auf Marita werfend. Sie blieb jedoch in ihrer Starre.

Die Wohnung wurde vermutlich täglich sauber gemacht, so dass höchstens die Spurensicherung mögliche Spuren finden könnte. Nichts deutete darauf hin, dass ein Blutfleck entfernt, oder ein Lackschaden retuschiert worden war. Ganz natürliche Abnutzungserscheinungen an den Möbeln, da ein kleiner Kratzer, dort eine gezogene Masche im Stoff, mehr nicht.

In diesem Stadium reichte ihm die Begehung und er verabschiedete sich.

„Bitte verschließen Sie sich nicht Frau Kümmel. Rufen Sie mich an, wenn es uns hilft."

„Was ist mit dem Toten, der angefahren wurde?"

Fint hörte ihren erhöhten Herzschlag in der Stimme.

„Keine Angst. Wir ermitteln nur wegen Fahrerflucht!"

„Danke", hauchte sie und schloss die Tür hinter ihm.

Fint freute sich über Maritas Frage. Wenn sie sich um den alten Fall Sorgen machte, schien ihr Gewissen bei Antonia rein zu sein. Er hoffte inständigst, dass es so wäre. Der Treppenlauf zu Frau Pohl lag vor ihm. Er war auf das Foto gespannt, das sie ihm vorlegen wird. Ein Foto, sagt auch über den Fotografen etwas aus.

Das Licht aus dem Flurfenster nahm etwas die gedrückte Stimmung, während er die Stufen zu Frau Pohl hochstieg. Hier war die Verbindung zur Außenwelt wieder da. Es war ungerecht, dass die düsteren Lichtverhältnisse, gepaart mit der kriechenden Kühle die menschlichen Gefühle in eine unheilvolle Stimmung brachten. Besucher, die den Weg zu Frau Kümmel suchten, waren somit bereits vorprogrammiert. Vielleicht ist auch Frau Jaffel, die ein Leben lang dort unten wohnte, dadurch geprägt worden. Jetzt, auf dem Weg nach oben, umfloss ihn wohlige Wärme, die zentimeterweise seinen Körper eroberte, je näher er dem Sonnenlicht des Flurfensters kam. Das Grün, das sich prahlerisch am Fenster zeigte, bildete einen angenehmen Kontrast zum alten Gemäuer. Fint atmete tief durch. Er fühlte sich plötzlich entspannter, befreiter.

Frau Pohl würde sicher von den Stimmungsschüben ihrer Besucher profitieren.

Diesmal war die Tür verschlossen. Er besah sich das prunkvolle Namensschild, bevor er läutete.

Auch dieses Schild würde Weichen bei den Besuchern stellen, mehr noch, wenn man vorher das der Frau Kümmel begutachtet hatte. Komisch, dass ihm ähnliche Gedanken, wie beim ersten Besuch kamen.

Frau Pohl öffnete. Sie war nicht mehr so aufgelöst, hatte das Rot der Augen überschminkt und nur die schlaffen Gesichtszüge deuteten auf ihre Verzweiflung.

Die Kleidung war nicht mehr so aufreizend, wie bei seinem ersten Besuch, jedoch trug sie wiederum einen extrem kurzen Rock. Vermutlich hatte sie nichts anderes. Eine Frau, die auf Wirkung aus war.

Ihre Wohnung war unaufgeräumt. Seltsam, da sie ihn doch erwartet hatte. Hatte sie, durch den Verlust Antonias, den Halt im Leben verloren, oder waren es andere Ängste?

„Entschuldigen Sie die Unordnung", sagte sie, als sie seinen Blick bemerkte „ich war die ganze Zeit damit beschäftigt, ein Foto von Antonia zu suchen."

Verlegen führte sie ihn ins Zimmer, wo viele Fotos auf dem Tisch ausgebreitet waren. Sie hatte offensichtlich kein Fotoalbum und legte die Fotos so beiseite, wie sie kamen. Eine alte Schachtel stand daneben, die die Schätze des Tisches beherbergt hatte.

„Sind das alle Fotos, die Sie haben?"

„Ja. Ich habe kein Talent zum Fotografieren."

Tatsächlich zeigten die Fotos überwiegend Frau Pohl oder Frau Pohl mit der ganz kleinen Antonia.

Zeugen einer glücklichen Zeit, einer vergangenen Zeit. Nur selten drängte sich ein Mann dazwischen, der Antonias Vater sein könnte. Dann eine zeitliche Pause. Die Entwicklungsstufen Antonias waren nicht dokumentiert. Ein paar Fotos von der Einschulung. Gruppenfotos, aus viel zu großem Abstand fotografiert. Viele unscharfe Fotos halfen, die spärliche Fülle des Bildmaterials aufzustocken. Doch wo waren die aktuellen Fotos? Die Einschulung beendete Antonias Leben, soweit es die Fotos betraf. Waren die Muttergefühle in Frau Pohl, zu diesem Zeitpunkt, bereits gestorben, oder war es Zufall? Hatte sie die Last der Pflicht erdrückt, weil ihre Wünsche an das Leben nicht erfüllt worden waren? Wurde Antonia letztlich zur Last?

Die neue Frau Pohl, die mit dem Leid ihre weiche Seite wiederentdeckt hatte, wirkte schon mütterlich. Ganz im Gegensatz zum letzten Besuch, der von Selbstsicherheit und Dominanz geprägt war. Alles nur Show? Ein Leben an sich selbst vorbei, nur für andere, in der Hoffnung, dass deren Akzeptanz die Erfüllung eigener Träume ersetzen kann?

Was wusste er schon von dieser Frau. Es konnte alles falsch sein. Auch Marita sah er erst mit anderen Augen, seit er in ihre Vergangenheit vorgedrungen war. Vielleicht verhielt es sich mit Frau Pohl ähnlich.

Fint hatte gelernt, Fragen zu stellen, viele Fragen. Er hatte erfahren, dass selbst das keine Garantie für eine richtige Einschätzung ist. Wenn es die falschen Fragen sind, die falschen Leute, die ihre subjektiven Antworten geben. Doch das war heute nicht seine Aufgabe. Erst galt es Fakten zu sammeln, die nützliche Fragen hervorbringen.

„Verzeihen Sie Frau Pohl, ich sehe leider kein Foto, das einer Suchaktion dienlich wäre."

„Die habe ich schon extra gelegt." Verschämt holte sie zwei Fotos unter der Schachtel hervor, sich dessen bewusst, dass sie nicht sehr viel besser sind.

Das erste Foto zeigte Antonia tatsächlich als Porträt, halb von hinten, über die Schulter blickend, mit einem deutlichen Schmollen im Gesicht. Auch dieses Foto konnte nur wenig hinter dem Schulanfang liegen, also ca. 5 - 6 Jahre her. War das Schmollen Anlass für das Foto? Gab es keine Glücksmomente, die einen förmlich dazu drängten, dies festzuhalten?

Und auch das letzte Foto, war ein ernstes. Ein teilnahmsloser Blick in die Kamera, ein Ganzkörperfoto, zurechtgemacht für den Fototermin. Aufgenommen, um das neue Kleid festzuhalten?

Dieses Foto zeigte ebenfalls eine wesentlich jüngere Antonia. Sicher war die Ähnlichkeit erkennbar und würde mit dem Hinweis auf das Alter hilfreich sein können, doch insgesamt setzte sich eine tiefe Trauer in Fint fest. Er konnte verstehen, dass Marita zur Ersatzmutter erkoren wurde.

Nachdem er die beiden Fotos eingesteckt, und die Beschreibung der Kleidung erfragt hatte, die sie bei ihrem Verschwinden trug, bat er, Antonias Zimmer ansehen zu dürfen.

Er forderte, es allein tun zu dürfen, da ihm Frau Pohl auf jeden Schritt folgte.

Stumm verschwand sie.

Hier war es nun, das Reich der Antonia Pohl.

Ein großes Fenster, ein geräumiger Schreibtisch auf der einen und ein schmales Bett auf der anderen Seite. Über dem waren ein Hi-Fi-Turm und ein paar Kopfhörer, nebst einer kleineren CD-Sammlung platziert. Auf dem Bett hatten es sich drei Plüschtiere bequem gemacht, die in trauter Dreisamkeit einen Halbkreis bildeten - eine Maus, ein Hund und ein Maulwurf. Nirgendwo im Zimmer fand sich eine der für Mädchen typischen Puppen, die sie frisieren und bemuttern könnte. An das Bett schloss sich ein wuchtiger Schrank an, in dem ihre gesamte Garderobe, fein säuberlich, eingeräumt war. Der flüchtige Eindruck entstand, dass die Tochter etwas gründlicher in puncto Ordnung war als die Mutter.

Auch der Schreibtisch war akkurat sortiert. Darüber hing ein Plakat der ‚Toten Hosen' und ein einzelnes Foto des Leadsingers der Rockgruppe.

Eine Ecke des Schreibtisches beherbergte den Inhalt unzähliger Überraschungseier, was sich im Setzkasten darüber, fortsetzte. Ein Poster eines schneeweißen Seerobbenbabys vervollständigte die Bilderserie an den Wänden und trug den Stempel von Greenpeace, ergänzt durch einen Spruch, der zum Schutz der Tiere aufrief.

Ansonsten wirkte das Zimmer sehr nüchtern. Keine verspielten Dekorationen, keine aufwändigen Pflanzen, bis auf eine Reihe verschiedener Kakteenarten auf dem Fensterbrett.

Fint setzte sich an den Schreibtisch. Einzelne Schulhefte lagen ausgerichtet darauf, die Schulmappe stand darunter. Er öffnete die Schublade.

Insgeheim hatte er auf einen Abschiedsbrief gehofft, der die beruhigenden Worte enthielt, dass sie sich ein anderes zu Hause sucht, oder Ähnliches. Er wurde enttäuscht.

Das Briefpapier war unberührt. Selbst bei genauerer Betrachtung war keine durchgedrückte Schrift des letzten Briefes erkennbar. Offensichtlich schrieb sie mit Füllfederhalter. Ein paar Naschereien in der vorderen Ecke der Schublade gaben ebenfalls keine Anhaltspunkte.

Da, nach Aussage von Frau Pohl, keine weiteren Bekleidungsstücke fehlten, blieb nur ein überstürzter Aufbruch Antonias in die Nacht, als wahrscheinlichste Variante. Dann würde es kühl für das Mädchen werden, falls sie keine Unterkunft fände. Auf jeden Fall würde er, sämtliche leer stehenden Häuser des Ortes, durchsuchen lassen.

Seltsam kam ihm vor, dass alle Bewohner darüber informiert waren, wann Antonia Maritas Wohnung betreten hatte, doch niemand sah, wie sie diese verließ.

Quelle war, ohne Zweifel, Frau Jaffel, die wieder, trotz der Krankheit, voll im Einsatz zu sein schien. Sie würde mit großer Wahrscheinlichkeit diesen Fakt verschweigen, nur um Marita zu belasten.

Aber auch Marita traute er zu, Informationen zu verschweigen.

Vor dem Haus atmete Kommissar Fint tief durch. Er hatte nicht erwartet, durchschlagende Erkenntnisse zu gewinnen. Doch die Möglichkeit einer Flucht Antonias, schien ihm nun näherliegender, als ein Verbrechen.

Dennoch beeilte er sich, um rechtzeitig bei der Presseabteilung zu erscheinen, damit die Suchanzeige in die Ausgaben des nächsten Tages eingearbeitet werden kann.

Eine kurze Beschreibung des Mädchens zimmerte er vor Ort zurecht und bat die Techniker, aus dem Foto möglichst viel herauszuholen.

Ein innerer Zwang trieb ihn dazu, nochmals an Kilians Wohnung vorbeizufahren. Diesmal hatte er Glück. Die erleuchteten Fenster verrieten seine Anwesenheit.

Seine, ihn befallende Erregung, war vorrangig seiner Wut auf diesen Menschen geschuldet.

Er verschnaufte vor der Wohnungstür, um sich zu sammeln, als er scharfe Stimmen aus der Wohnung dringen hörte.

„Ich habe etwas mehr von dir erwartet. Die Ausbeute an Informationen von deiner Yvonne ist mehr als dürftig. Du solltest weniger mit deinem Schwanz denken, vielleicht kommt dann mehr raus!"

„Sei nicht ungerecht. Ich habe alles versucht, aber sie wird sehr schnell misstrauisch."

„Papperlapapp, alles Ausreden. Vielleicht sollte ich dir deine Prämie etwas kürzen, damit du auf Trab kommst."

„Das ist nicht fair! Es war nie die Rede davon, ein bestimmtes Quantum zu liefern. Wenn du mir so kommst, steige ich aus."

„Bleib' dran Ricardo, wir werden schon klarkommen. Versuche, diesem Marcus Wispa etwas auf den Zahn zu fühlen. So scharf wie der auf die Kümmel ist, könnte da noch was passieren."

„Wie wär`s mit einem kleinen Vorschuss? Ich denke, du hast ganz gut verdient."

Es trat eine Pause ein und Fint zog es vor, sich eine Treppe tiefer zu postieren. Tatsächlich stürmte kurz darauf ein junger Mann die Stufen hinunter, nachdem eine Tür krachend ins Schloss gefallen war.

Kollege Zufall war Fint's beliebtester Mitarbeiter. Er kam zwar nicht häufig, aber diesmal gerade richtig. Diesen Marcus Wispa hätte er doch fast aus dem Auge verloren. Im ersten Artikel Kilians wurde er sogar mit Foto herausgestellt, wie er Marita aus der Entfernung anschmachtete. Die Verflechtung zwischen Marita und Antonia war so stark, dass selbst eine behinderte Liebe Motiv sein könnte. Doch wer war Yvonne? Das Mädchen wird vermutlich etwas jünger als dieser Ricardo sein, wenn er sie, über den Weg einer vorgetäuschten Liebe, aushorchen sollte.

Auch er hatte seine Frau durch einen dieser Blender verloren, der sie dann fallenließ, nachdem er sie erobert hatte. Sie hatten danach nie wieder zueinandergefunden. Das Vertrauen war weg, die Verletzung zu groß. Er fand nie wieder eine Frau. Es gelang ihm nicht, sein Misstrauen, seine Eifersucht vollkommen zu verstecken, obwohl er, vor diesem Bruch, das Wort Eifersucht gar nicht gekannt hatte.

Mit schwerfälligen Tritten versuchte er, sein Kommen bei Kilian anzukündigen. Das belauschte Gespräch würde ihm mehr nützen, wenn er nicht mit der Tür ins Haus fiele.

Kilian und Fint kannten sich schon flüchtig aus vergangenen Tagen. So hyperaktiv, wie dieser Reporter, war keiner seiner Kollegen. Soeben hatte er ein

Geheimnis Kilians gelüftet. Vermutlich unterhielt der eine kleine Armee von Informanten, die er mit Almosen abspeiste und ihnen das Gefühl von Größe gab. Aber selbst Kilian erweckte den Eindruck, als ob er sich teilen könne, da er immer dort erschien, wo etwas nach Story roch.

Widerwillig betätigte er den Klingelknopf. Eine Melodie erklang, besser gesagt ein Kreischen mit musikalischem Hintergrund, das ca. drei Sekunden dauerte. Gleich darauf öffnete Kilian. Er hatte noch Zorn im Gesicht und wie es aussah, die Rückkehr dieses Ricardo erwartet.

„Mein Name ist Fint, ich ...“

„Ich weiß, halten Sie mich für senil? Mir reicht es, wenn ich einen Menschen einmal sehe, und dann ist er gebongt, Herr Kommissar“, dabei tippte er sich auf seinen Schädel.

„Kommen Sie schon rein, Kommissar. Einen Drink?“

„Nein danke.“

„Aber Sie sind doch nicht mehr im Dienst? Oder wurden Überstunden angeordnet? Um welchen Fall handelt es sich? Sie brauchen sicher meine Hilfe?“

Die Arroganz Kilians kotzte Fint an. Wer jedoch seine Beherrschung verliert, büßt Konzentration und taktisches Geschick ein. Die Fehler hatte er als junger Kommissar gemacht, aber nicht mehr heute. Also setzte er sein schönstes Lächeln auf und begann eine ungezwungene Unterhaltung, nachdem er Platz genommen hatte.

„An welchen Fällen sind Sie denn dran, Herr Kilian?“

„Sie lesen doch Zeitung, Herr Kommissar und was Sie noch nicht gelesen haben, werden Sie zu gegebener Zeit erfahren.“

„Soweit ich weiß, haben Sie in letzter Zeit von keinem Fall berichtet?“

„Der eine sieht es so, der andere so. Meine Fälle beginnen schon, wenn sie noch darauf warten, dass man sie Ihnen vorlegt." Sein Grinsen wurde breiter.

„Meinen Sie die, die Sie verursachen oder heraufbeschwören?"

Sein Lachen verschwand.

„Überlegen Sie, was Sie behaupten! Gibt es etwa eine Anklage gegen mich?"

„Es war keine Behauptung, nur eine Frage", entgegnete Fint, jetzt selbst grinsend, da er ihm seine Selbstherrlichkeit genommen hatte.

„Es dreht sich um einen Fall, den sie vermutlich schon kennen, da er mir erst heute vorgelegt wurde."

Fint legte eine Pause ein und beobachtete ihn.

„Machen Sie es nicht so spannend. Was möchten Sie wissen?"

„Es geht um den Fall Antonia Pohl".

„Sie meinen den Fall Kümmel."

„Ich bin enttäuscht. Sie sind schlecht informiert. Es gibt keinen Fall Kümmel. Es gibt nur Ihren persönlichen Krieg mit Frau Kümmel."

Kilian lächelte schwach.

„Aber der Fall ‚Antonia Pohl' ist eng mit Ihren Aktionen in der Ahornstraße 13 verknüpft. Ich suche sie nicht auf, um Rat zu erbitten, sondern um sie als verdächtigen Zeugen zu vernehmen. Wo waren Sie in den Abendstunden des gestrigen Tages?"

„Sie haben die Leiche dieser kleinen Göre gefunden? Wenn Sie mich fragen, so wundert mich das nicht. Die ging so ziemlich jedem auf den Wecker. Aber ich gratuliere, dass Sie doch mal schneller waren, als ich. Der Mord passt gut in meine Geschichte. Aber ich muss Sie enttäuschen. Ich war es nicht, wenn ich ihr auch keine Träne nachweine."

Kilian hatte begonnen auf und ab zu gehen. Formulierte er schon die neuen Schlagzeilen im Hinterkopf?

„Wie steht es mit Ihrem Alibi? Sie weichen aus!", hakte Fint nach.

„Ich habe an meinem Artikel gearbeitet."

„Zeugen?"

„Ein Freund war bei mir und hat etwas geholfen."

„Name, Telefonnummer?"

Fint notierte die Daten. Gut, dass Kilian die Mordvariante erschaffen hatte, sonst hätte er sicher keine Informationen rausgerückt. Er stand auf und verabschiedete sich in der Tür.

„Und was das Mädchen betrifft, so hoffe ich nicht, dass sie ermordet wurde, oder wissen Sie da mehr? Für uns ist sie erst mal nur verschwunden. ...Hätte nicht auch Diebstahl der Grund meines Besuches sein können?"

Fint sah, wie Kilian kochte. Als er die Treppe hinunterlief, konnte er sich nicht verkneifen, ein kleines Liedchen zu pfeifen.

Er hatte eine unruhige Nacht. Obwohl er früh schlafen gegangen und hundemüde war, fand er nicht in den Schlaf. Gedanken, Varianten, Reaktionen der Beteiligten schwirrten durch seinen Kopf und ließen ihn nicht zur Ruhe kommen. Als ihn der Wecker mit seinem unangenehmen, scheppernden Geräusch wach schrie, fühlte er sich wie gerädert. Wenn der Gedankensalat wenigstens was gebracht hätte, aber nein, Fint wusste nicht mehr, als dass ein Mädchen verschwunden war und tausend Verdächtige für ein Verbrechen zur Verfügung standen, das vielleicht gar nicht geschehen war.

Heute wird er sich im Kommissariat melden und die Erlaubnis einholen, dass er den Fall ‚Antonia' zu seinem Hauptfall erheben darf. Er wird ein paar Fälle an seine Kollegen übergeben und sich dann die windige Gestalt Ricardo und das Handelcenter vornehmen, wo Frau Kümmel arbeitet.

Er kam nur langsam in Tritt und hatte am Ende zu tun, rechtzeitig auf seiner Arbeitsstelle zu erscheinen.

Anfänglich hatte er große Schwierigkeiten, seinen Chef davon zu überzeugen, Antonias Verschwinden als Fall zu akzeptieren. Es gab zu viel belanglose Fälle dieser Art, die sich nach kurzer Zeit ins Nichts auflösten. Erst als Fint in sein Zimmer rannte und den Stapel Zeitungen auf den Tisch warf, die genau diesen Fall ausschlachten, lenkte er ein. Dass Antonia hier schon Hauptdarsteller war, gab vermutlich den Ausschlag. Fint malte ihm in den schönsten Farben aus, wie die Presse, bei dieser offensichtlichen Brisanz des Falles, über die Untätigkeit der Polizei herziehen würde.

Mit „Ist ja schon gut, Fint", würgte er das Gespräch ab und verbat sich weitere Ausführungen. Er solle die Angelegenheit zügig zum Abschluss bringen, und dann seine eigentlichen Aufgaben wahrnehmen.

Fint war froh, diese Hürde so schnell genommen zu haben. Die Übergabe seiner anderen Fälle an die Kollegen fiel kurz aus, da sie ohnehin ständig im Gespräch waren.

Seine Entscheidung, das Handelscenter Kersik ganz oben auf seine Liste zu setzen, war etwas mit Egoismus verbunden. Er hatte sich in den kleinen Park verliebt, der, mit seiner Pflanzenwelt und Gestaltung, Entspannung garantierte. Durch die ruhige Lage war er selbst von Tieren gut besucht, die man sonst selten sah, wie z.B. Eichhörnchen, diverse Singvögel und allerlei Wassergetier. Er schlenderte durch den Park und sog genussvoll die aromatische Luft der Bäume, Büsche und Blumen ein, die mit einer kleinen Brise See gewürzt war, die vom Großen Teich herüberwehte.

Fint setzte sich auf eine bequeme Parkbank, die ihm einen Blick auf das Bürogebäude ermöglichte.

Mit Sicherheit würde er heute keine Marita Kümmel im Fenster entdecken, die sich zurücklehnt, um die gleiche Luft zu genießen, die auch ihn so in ihren Bann gezogen hatte. Doch er wusste, welche Fenster zu Maritas Arbeitsbereich gehörten. Hin und wieder sah er Kollegen auftauchen, die ihrer Beschäftigung nachgingen und den Weg am Fenster entlang suchten, um immer auch einen Blick in den Park zu werfen, um Energie zu tanken. Es waren keine suchenden Blicke, es war nur die Sehnsucht nach Natur. Frau Griesbach erkannte er und Herrn Keller, der jedoch als Einziger nicht hinaussah und nervlich angespannt wirkte. Die junge Dame in weißer, straff sitzender Bluse, mit blonder Haarpracht kannte er nicht, und auch den älteren Herrn nicht, der im Nebenzimmer ein eigenes Büro hatte, vermutlich der Abteilungsleiter oder sogar Firmenchef.

Und endlich, als er schon glaubte, Frau Kümmel wäre der Arbeit fern geblieben, erschien sie am Fenster. Er sah auf die Uhr. Es war Mittagszeit. Die Kollegen waren, kurz zuvor, in einen anderen, vermutlich den Pausenraum gegangen. Hatte er wirklich so viel Zeit verloren?

Egal - er hatte nun alle beisammen, die er zu sprechen wünschte und das allein war wichtig. Trotzdem blieb er zunächst sitzen. Marita sollte nicht vorzeitig auf ihn aufmerksam werden. Sie war allein im Raum, konnte also etwas länger stehenbleiben. Da sie tief atmete, war zu vermuten, dass sie sich erst an das Arbeitsklima gewöhnen musste. Enorme Anspannungen lasteten auf dieser Frau. Fint hätte es nicht überrascht, wenn sie einem Nervenanfall erlegen wäre. Sie trug ihr Bündel tapfer und niemand sah ihr die Probleme an, die ihre Seele durcheinander rührten. Doch gerade dies machte Fint Angst. Wie reagiert man in einer solchen Situation? Wo ist das Ventil der Marita Kümmel, wohin ließ sie den Überdruck ab? War sie eines Verbrechens fähig?

Auch diesmal hatte Marita, während ihres Aufenthalts am Fenster, die Augen geschlossen. Sie hatte offenbar alle Schotten dicht. Nur die Luft, die Wärme, das Holz des Fensterrahmens in den Händen und das Streicheln des Windes waren bei ihr. Genügte ihr diese Kleinigkeit als Ventil?

Hatte sie die Gabe, aus schönen Belanglosigkeiten, diese enorme Kraft zu tanken? Fint kannte nur wenige Menschen, die nicht dieser unendlichen Spirale, immer neuer Wünsche folgten. Er konnte gut nachvollziehen, dass es für Marita schon ein unendliches Glück wäre, endlich Ruhe zu finden. Dieser kleine Augenblick am Fenster, war er das Ventil, das Fint bei ihr suchte? Es wäre bewundernswert und zugleich traurig. Sie stand schon eine viertel Stunde am Fenster, ohne ihre Haltung zu verändern.

Als Bewegung im Pausenraum erkennbar wurde, durchzuckte es Marita und sie wand sich abrupt vom Fenster ab, um ihren Platz am Schreibtisch einzunehmen. Das war Fint's Einsatzsignal.

Jede neue Befragung war für ihn ein Abenteuer. Menschen, die bis in den letzten Winkel undurchsichtig waren, galt es zu durchleuchten und er war immer überrascht, wie sehr sich äußere Eindrücke, ins Gegenteil verkehren konnten. Er hatte von einigen Menschen ein vorgefertigtes Bild, geprägt durch Pressemitteilungen, Aussagen, optische Ausstrahlung, Beobachtungen ihres Gebärdens. Doch er ging mit dem Bewusstsein in diese Befragungen, dass es Trugbilder sein könnten.

In jedem Teil dieses Puzzles kann eine Lüge stecken. Eine einzige davon würde ausreichen, um sein Haus einstürzen zu lassen, wenn es ihm nicht gelänge, sie zu enttarnen.

Es herrschte ein emsiges Treiben in allen Räumen. Das Geschäft lief offenbar gut.

Kaum jemand schien Notiz von ihm zu nehmen, als er sich durch die Flure arbeitete. Und wieder schlug sein Herz etwas schneller, als er sich dem Einsatzort näherte. Ihn befiel immer noch eine Art Lampenfieber, wenn er Menschen zu analysieren versuchte. Würde er seiner Aufgabe gerecht werden, sich ein neutrales Bild erarbeiten können? Wird er hinter den Worten, in den Gesichtern zu lesen imstande sein?

Er war sich nie sicher und nicht nur einmal, musste er seine Meinung korrigieren.

Die Tür zum Büro war offen. Fint trat ein und blieb im Türrahmen stehen. Wie auf Kommando hoben sich sämtliche Köpfe und sahen ihn an, als sei er ein böses Omen. Dieselben Köpfe flogen dann in Maritas Richtung, die sofort ihren Panzer ausgefahren hatte und emsig ihre Unterlagen attackierte. Kurz darauf ließen die Kollegen ihre Blicke ermattet auf die Schreibtische fallen, um zu demonstrieren, dass der Besuch mit ihnen nichts zu tun hat. Doch Fint sah mehr darin.

Es war für ihn Angst vor Konfrontation, das schlechte Gewissen, das Gefühl, als Kollegen versagt zu haben.

237

Und es war die Gewissheit, Schuld auf sich geladen zu haben, eine Schuld die noch keinen Namen hatte und im Dunkeln bleiben wollte.

Niemand, außer Marita, dürfte ihn kennen, oder sah man ihm den Schnüffler an? Sein Auftreten entsprach nicht dem eines Kunden, der gern schnell zu seinem Ziel strebt. Das sagte ihnen die Ruhe, die er ausstrahlte, sein forschender Blick, der schon die ersten Antworten suchte. Das verriet ihn, machte ihn zu einem Lehrer, der eine Prüfung überwachte, in der man gut abschneiden möchte. So etwas gehörte hier nicht her, konnte nichts Gutes bedeuten.

„Herr Keller?", sagte Fint, worauf dieser erschreckt hochfuhr und ihn fassungslos anstarrte.

Alle Blicke, sogar der Maritas, waren jetzt auf Harry Keller gerichtet, was ihm sichtlich peinlich war.

„Ja, ... kennen wir uns?", stammelte er.

Bei Frau Griesbach bemerkte Fint einen erleichterten, ja fast freudigen Blick, während die anderen eher Fragen darin versteckt hielten.

„Ich kenne Sie schon, doch Sie hatten noch nicht das Vergnügen", sagte Fint, während er in sich hinein schmunzelte.

„Ich suche das Zimmer Ihres Chefs, Herrn Kersik. Falls es notwendig ist, mich anzumelden, möchte ich Sie bitten, dies zu tun. Mein Name ist Fint, vom Kommissariat."

„Ja ... ja natürlich. Warten Sie einen Moment."

Herr Keller klopfte an eine Tür, schlich sich durch einen Spalt hinein, warf noch einen unsicheren Blick auf Fint und schloss dann die Tür.

Fint empfand die Zeit, die Herr Keller für seine Anmeldung brauchte unangemessen lang. Es wäre jedoch auch verwunderlich, wenn Herr Kersik nicht vorab nähere

Angaben verlangt hätte. Als Chef war er vor Überraschungsmomenten zu schützen.

Endlich kam Keller zurück, ließ die Tür einen Spalt auf, deutete darauf und sagte nur: „Bitte."

Dann beeilte er sich, auf seinen Platz zu kommen, ohne einen weiteren Blick auf Fint zu verschwenden.

Herr Kersik sprang auf, als Fint hereintrat und begrüßte ihn mit aufgesetzter Freundlichkeit. Er führte ihn in die bequeme Besucherecke, wo sich Fint in einen weichen Ledersessel fallenließ und den aufwändig gestalteten Glastisch musterte, der eine Stütze aus Messing mit kostspieligen, filigranen Arbeiten ins Blickfeld lockte. Trotz des imposanten Büros, das Herr Kersik sein Eigen nannte, war Fint bei der Begrüßung nicht entgangen, dass er über eine kleine, frisch verschorfte Wunde an der linken Hand verfügte, die zu einem Mann von seinem Rang nicht passen wollte. Solche Leute hatten keine Zeit, zu Hause rumzuwerkeln oder sich anderweitig im Haushalt nützlich zu machen.

„Beim Rasieren verletzt?" Fint verharmloste seine Frage durch ein offenes Grinsen, das sie als Scherz erscheinen ließ.

„Wie?" Kersik, der die linke Hand mit der Rechten abgedeckt hatte, folgte Fint's Blick und gab die sie dann frei.

„Nein, Nein, sagte er lachend. Ein kleines Missgeschick beim Entrümpeln meiner Garage. ...Aber ich hoffe, das ist nicht der Grund Ihres Besuches, oder habe ich mich damit strafbar gemacht?"

Sie lachten gemeinsam und Fint, der ohne es zu wollen an eine Kratzwunde gedacht hatte, schob die Wunde in den Hinterkopf, wo er sie bei Bedarf hervorholen würde. Der Gedanke, dass Kersik ein kleines Mädchen beseitigt haben sollte, war nun doch etwas weit hergeholt, zumal es nicht den geringsten Berührungspunkt zu Antonia gab.

„Ich vermute, es geht immer noch um unsere Kollegin Frau Kümmel, die zur Zeit einer Schlammschlacht in der Presse zum Opfer fällt?"

„Es ist schön, dass Sie das so sehen. Es handelt sich jedoch nicht ausschließlich um Frau Kümmel. Sie ist, wie auch einige andere Kollegen ihrer Firma, nur ein hilfreicher Baustein, um einen echten Fall zu lösen. Kurz - das kleine Mädchen ist verschwunden, für die Frau Kümmel eine enge Kontaktperson war. Aber auch zu Herrn Keller und Frau Griesbach gab es Kontakte."

„Wollen Sie mir erzählen, lieber Herr Fint, dass das Verschwinden des Mädchens, mit meiner Firma zu tun hat?"

„Nicht mit Ihrer Firma, Herr Kersik, mit einigen Ihrer Kollegen. Mit wem hatte Frau Kümmel eigentlich die intensivsten Kontakte?"

„Ich würde behaupten, mit niemandem. Ach verzeihen Sie, möchten Sie einen Kaffee?"

„Ja, gern."

„Ach, Yvonne, bringen Sie uns bitte einen Kaffee ins Büro." Kersik ließ den Knopf der Sprechanlage wieder los und kehrte zum Tisch zurück.

„Sie ist eine Außenseiterin. Sehr scheu, psychisch etwas labil, aber sehr zuverlässig. Sie wechselt nur wenige Worte mit den Kollegen. Lässt keinen an sich ran."

„Herr Keller hatte sie besucht und Frau Griesbach auch, wie ich aus der Presse erfuhr."

„Herr Keller hatte einen Krankenbesuch, im Auftrage der Firma, abgestattet. Aus seinem übertriebenen, schreckhaften Verhalten, weil er über eine schwarze Katze stolperte, hat man eine reißerische Geschichte gesponnen. Ein Reporter weiß eben, was die Leute brauchen. Und Frau Griesbach begab sich aus eigenem Antrieb zu Frau Kümmel, da sie sich, wegen des ganzen Rummels, um sie sorgt.

Sie hat eben so eine mütterliche Ader. Dass sie sich, wegen dieses albernen Kinderstreichs, rächen will, werden Sie ihr doch nicht zutrauen, oder? Die Frau tut keiner Fliege was zu Leide."

„Es ist uninteressant, was ich denke, da haben sich schon andere verdacht. Ich habe Fakten zu sammeln. Und einige Fakten bekomme ich nur über ihre Kollegen heraus. Verzeihen Sie mir, wenn ich den Vorteil nutze, sie hier zu befragen. Ich denke, es macht weniger Aufsehen, als wenn ich sie alle vorladen lasse."

„Da haben Sie zweifelsfrei Recht. Sie dürfen dafür gern mein Büro nutzen, ich muss ohnehin noch kurz zur Bank."

Es klopfte kurz und Yvonne trat mit zwei Tassen Kaffee ein.

„Danke, Yvonne, Sie können es hier auf den Tisch stellen."

Die Blondine in der weißen Bluse war also Yvonne. Sogar Fint konnte es nicht verhindern, dass sein Blick in ihren Ausschnitt wanderte, als sie sich hinunter beugte, um die Tassen abzustellen. Ärgerlich registrierte Fint, dass dies Kersik nicht entgangen war. Wer weiß, wie viel Geschäftspartner er, bereits durch das Vorführen seiner Mitarbeiterin, milde gestimmt hatte.

„Vielleicht darf ich gleich mit dieser Mitarbeiterin beginnen, wenn sie schon mal da ist?", schlug Fint vor.

Mit einem Lächeln erhob sich Kersik.

„Wie Sie wünschen. Ich verabschiede mich dann. Ach, Frau Yvonne, sie können meinen Kaffee trinken und viel Erfolg Herr Kommissar. Ich werde dafür sorgen, dass Sie nicht gestört werden."

Nachdem sich die Tür geschlossen hatte, stand Yvonne ratlos vor dem Tisch. Fint machte eine angedeutete Handbewegung zum Sessel hin. Sie setzte sich.

Verlegen zupfte sie an ihrem kurzen Rock. Während die massiven Schreibtische ihres Büros Sicherheit vor fremden Blicken gaben, war sie hier einem Glastisch ausgeliefert. Die Peinlichkeit erhöhte sich für sie, als sie bemerkte, dass ihr der weiche Sessel den Halt nahm, so dass die Bemühungen, den Rock zu beherrschen überflüssig wurden. Verkrampft setzte sie sich so schräg in den Sessel, dass es möglichst nicht anstößig wirkte. Dazu musste sie so weit nach vorn rutschen, dass sie nur auf der schmalen Vorderkante saß. Fint genoss es. Die Beine wollten jetzt gar kein Ende nehmen und auch die anderen Aussichten waren angenehm. Er bemühte sich, ihr nur ins Gesicht zu sehen, was ihm nur mäßig gelang. Für die Augenblicke, in denen sie verschämt zu Boden sah, war er insgeheim dankbar und musste sich wiederholt ins Gedächtnis hämmern: ‚Alter Fint, lass dich davon nur nicht beeinflussen'.

„Was halten Sie von Marita?"

„Sie ist etwas sonderbar, aber nett."

„Hat sie Freunde?"

„Nicht, dass ich wüsste. Das kleine Mädchen vielleicht."

„Hat sie davon erzählt?"

„Nein."

„Erzählen Sie mir bitte nur, was sie selbst wissen! Ich brauche keinen Vortrag aus der Zeitung!"

Fint erschrak, wie barsch er es gesagt hatte. Vielleicht versuchte er damit, seine eigene Verlegenheit zu vertuschen. Schön, wenn man sich selbst noch erkennt, dachte er und fuhr versöhnlicher fort.

„Ihr Freund heißt Ricardo?"

Überrascht sah sie auf. „Woher wissen Sie das?"

„Würden Sie Frau Kümmel schaden wollen?"

„Warum sollte ich das?", rief sie empört. „Sie hat mir nichts getan."

„Vielleicht interessiert es Sie, dass ihr Ricardo Informationen über Frau Kümmel an die Zeitung verkauft. Verdienen Sie auch daran? Ich vermute, die betriebsinternen Aussagen kamen von Ihnen?"

Yvonne war ehrlich geschockt. Ihre Augen führten einen wilden Tanz auf. Sie atmete tief und unruhig, was es den Knöpfen ihrer Bluse schwermachte, zu halten. Fint wusste, dass in ihrem Kopf ein Kampf um diesen Ricardo stattfand. Er sah förmlich, wie diese unglückselige Beziehung auseinanderbröckelte und er hatte ein supergutes Gefühl dabei.

„Erzählen Sie mir von diesem Ricardo."

„Was hat er angestellt? Weswegen fragen Sie das alles? Ermitteln Sie noch wegen der Fahrerflucht?"

Sie sah ihn bettelnd an, als wolle sie noch etwas Positives von Ricardo behalten.

„Ich weiß nicht, was er auf dem Kerbholz hat. Und wegen der Fahrerflucht bin ich nicht hier. Antonia wird vermisst."

Wiederum wirkte sie bestürzt.

„Und darin ist Ricardo verwickelt?"

„Im Moment sind viele Varianten möglich. Solange Antonia nicht wieder auftaucht, ist alles denkbar. Und da ihr Freund von allen schrecklichen Ereignissen, um diese Geschichte herum, profitiert, wäre es nicht so abwegig, dass er darin verwickelt ist, oder?"

Sie schwieg. Arbeitete sie jetzt die vergangenen Tage mit Ricardo durch, um Be- oder Entlastungsmomente zu suchen?

„Hat er sie nach Frau Kümmel ausgefragt?", stocherte Fint weiter, um ihre verworrenen Gefühle auszunutzen.

„... Jaaaa, schooon, ... nicht direkt, ... er fragte einiges zu der Geschichte, da es in der Zeitung stand und ich Maritas Kollegin bin, ... ist doch ganz normal, ... dachte ich."

„Sie sehen da etwas falsch, oder wollen es momentan nicht klar sehen. Die Informationen, die Ricardo Ihnen entlockte, standen bereits im ersten Artikel, also als noch niemand Frau Kümmel kannte. Woher könnte er wissen, dass sie ihre Kollegin ist?"

Deutlich zeichnete sich die Zeitmaschine in Yvonnes Gesicht ab, die angelaufen war, um die Fakten zu prüfen. Die Stirn faltete sich und ließ die Frau etwas reifer wirken. Fint hatte jetzt die frauliche Versuchung, die in Yvonne steckte, total verdrängt. Er war nur noch Pfadfinder, um das Geheimnis dieser Frau zu lüften. In ihrem Gesicht und in ihren Händen wird sich die Wahrheit durchkämpfen.

Er kannte inzwischen die Sprachen der Körperteile und hatte in ihnen mehr Antworten gefunden, als in akustischen Aussagen.

Yvonne versuchte, eine große Enttäuschung zu verdrängen. Sie suchte nach einer ehrlichen Antwort und quälte sich sehr damit.

„Vielleicht durch den Klatsch und Tratsch, der schon vorher umging?", kam es zögerlich.

Die Frage ließ schon in der Stimme die Antwort mitschwingen, die sie dann in den geschürzten Lippen und dem verwunderten Blick Fint's bestätigt fand.

Enttäuscht wandte sie sich ab und sie starrte in die abgewandte Ecke des Raumes, um vor Fint die Tränen zu verbergen.

„Tut mir leid für Sie, aber es sieht so aus, als hätte er Sie nur ausgenutzt. Was haben Sie ihm noch erzählt? Ich meine, was bisher nicht in der Zeitung stand?"

Yvonne sprang auf und rannte, als wäre der Teufel hinter ihr her, aus dem Raum. Fint wusste, dass sie im Park Zuflucht suchen würde. Eine wundervolle Ecke, um Trost zu finden. Er würde es jedenfalls.

Die Angelegenheit Yvonne war für ihn klar. Sie ist dumm, naiv, vor Liebe blind in die Falle getappt, ohne den geringsten Anflug von Bösartigkeit im Sinn gehabt zu haben.

Es freute ihn, dieses Mädchen von einem großen Irrtum befreit und Kilian einer Informationsquelle beraubt zu haben. Die Verbindung zu Antonia schien unbedeutend.

Er rief Frau Griesbach zu sich. Eine lähmende Stille beherrschte den Raum, als er hierzu kurz seinen Kopf hineinsteckte. Wieder empfand er, dass ihm hier ein Rudel Schuldiger vor der Nase saß.

Frau Griesbach schien einem Herzanfall nahe, so wühlte sie der Aufruf ihres Namens auf. Ein Zittern lief über ihre Lippen und sie beeilte sich, im Vernehmungszimmer Platz zu nehmen, um den aufdringlichen Blicken der Kollegen zu entgehen. Der Ausbruch von Yvonne, die sich erwartungsgemäß nicht im Büro befand, wird die Nervosität noch angeheizt haben.

Frau Griesbach stand wie ein Schulmädchen im Raum und wartete, bis ihr ein Platz angeboten wurde. Kraftlos ließ sie sich dann in den weichen Sessel fallen und erschrak, als sie durch ihren Schwung ungewollt nach hinten geschleudert wurde. Nachdem sie sich mühevoll aus dieser unbequemen Lage befreit hatte, begrüßte sie Fint mit einem Lächeln.

Die kleine, pummelige Frau wirkte, trotz ihres angeschlagenen Nervenkostüms, sympathisch.

Ihre moderne Kurzhaarfrisur, die weiße Bluse mit rotem Halstuch und passendem roten Rock, nebst roten Hackenschuhen ließ sie fast jugendlich frisch aussehen, obwohl ihr die 50 anzusehen waren.

Ihre Hände schmückten diverse, dezente Goldringe. Nur die Augen verrieten Fint, dass die Fassade im Widerspruch zum Innenleben stand. Das Zeitungsfoto hatte sie einen Moment entblößt. Der Ekel und das Entsetzen hatten ihr Leid herausgelassen und dem Betrachter deutlich gezeigt.

In den Augen war dieses Leid weiter sichtbar. Die Lippen hatten sich beruhigt. Sie hatte sich gefangen. Eine harte Nuss, mit weichem Kern? Fint hatte schon viele weiche Seelen kennengelernt, die aus Schwäche, aus der Überforderung heraus, Verbrechen begangen, sogar getötet hatten. Verzweiflung ist ein unberechenbarer Partner und diese Frau könnte von ihr befallen sein.

„Frau Griesbach. Erzählen Sie mir bitte von Ihrem Besuch bei Marita."

„Wieso, ist ihr etwas passiert?"

Er war es gewohnt, dass viele seiner Fragen mit Gegenfragen beantwortet wurden und auch, sie zu ignorieren. Aus dieser Frau sprach eine große Besorgtheit um Frau Kümmel und diese Besorgnis musste er ihr zunächst nehmen.

„Nein, Frau Kümmel ist in Ordnung. Es geht um das Mädchen."

„Ist sie tot?"

Fint war nur selten zu überraschen, doch nach der Mordvariante Kilians wurde er zum zweiten Mal mit dem Tod des Mädchens konfrontiert. Er bildete sich sogar ein, hier eine Spur Hoffnung herauszuhören, oder war es ängstliche Gewissheit? Hatte sich das Mädchen so viele Feinde geschaffen, dass man ihren Tod in Kauf nahm, ohne das geringste Bedauern?

„Warum sollte Antonia tot sein?"

Frau Griesbach wurde erneut unsicherer.

„Ich dachte ... weil sie von der Kripo sind ... und es passiert doch so viel in letzter Zeit."

Es hörte sich nicht überzeugend an, klang eher nach Ausrede und Fint's Alarmglocken läuteten.

„Ist die Kripo nur mit Morden beschäftigt, Frau Griesbach? Das müssten Sie mir schon näher erläutern."

„Nun ja, es würde mich nicht wundern, wenn sich das .... wenn sich das Mädchen ...", sie suchte nach den passenden Worten „in, für sie gefährliche Situationen, bringt." Der Hass hatte sich auf die Stimme gelegt und presste den letzten Teil des Satzes heraus.

Diese Frau war angestaut mit unverarbeiteten Problemen, die über den Rand des Gefäßes hinaus quollen. Sie war nicht mehr fähig, glaubhaft zu lügen. Er wusste, dass es nur zwei Möglichkeiten gab.

Entweder er wird sie hier und heute knacken oder er müsste sich mit offensichtlichen Lügen und Halbaussagen zufriedengeben und sie in den nächsten Tagen in die Enge treiben. Er zog es vor, wenn er selbst die Lunte ans

Pulverfass legt, als wenn die Explosion ohne Aufsicht erfolgt. Denn dass könnte unabsehbaren Folgen für Frau Griesbach haben. Er wird zwar das Gleiche tun, wie Kilian, einen psychisch hochgradig belasteten Menschen provozieren, doch sein Motiv ist es, diesem Menschen zu helfen. Zudem blieb es eine Sache zwischen ihnen beiden.

„Sie hassen dieses Mädchen?"

Das ‚Ja' ließ lange auf sich warten, doch es kam deutlich. Keine erwarteten Ausflüchte. Der Weg bis zur Antwort, wird ihr die Zwecklosigkeit einer Lüge vor Augen geführt haben.

„Erzählen Sie jetzt bitte von ihrem Besuch bei Marita."

Sie schluckte, als hätte sie trockene Brotkrumen hinunterzuschlucken. Die Ereignisse spiegelten sich in ihrem Gesicht wieder. Eine Vielzahl von Gemütsbewegungen huschten sekundenschnell darüber hin. Sie schien erst die ganze Geschichte zu verarbeiten, bevor sie sich äußerte.

Fint bewies Geduld. Jetzt ein falsches Wort, und die Frau wäre blockiert. Er hatte nicht den Eindruck, als bastele sie an einem Alibi, um sich reinzuwaschen, und erwartete dennoch Halbwahrheiten. Sie würde schon darauf bedacht sein, die Worte abzuwägen, um mögliche Unannehmlichkeiten zu vermeiden.

Frau Griesbach sah ihn nicht an, als sie antwortete. Ihr Blick hatte sich irgendwo in der Vergangenheit angesiedelt und der lag für Fint auf der Tür zum Büro. Langsam und betont kamen die Worte und sie lebten, indem sie auch ihre damaligen Gefühle ausstrahlten.

Sie hatte gespürt, dass Frau Kümmel Hilfe brauchte. Nur darum hatte sie sich zu diesem Besuch entschlossen. Und sie hatte Recht. Schon als sie das Haus betreten hatte, überfiel sie ein bösartiges Weib. Frau Jaffel war es, die nur damit beschäftigt war, Marita schlecht zu reden.

„Es hätte den Menschen nicht geschadet, wenn sie im Krankenhaus gestorben wäre!"

„Frau Griesbach bitte bleiben sie bei den Fakten. Was hat Frau Jaffel erzählt."

„Weiß ich nicht mehr. Es war grauenhaft, genau wie diese Frau selbst. Arme Marita."

Fint nahm ihr sogar ab, dass sie sich nicht mehr an die Worte Frau Jaffel's erinnert. Jeder Angriff auf Marita schien sie blind vor Wut zu machen. Offenbar war ihr nicht mehr bewusst, dass sie sich in einem Verhör befand.

„Erzählen Sie weiter."

„Ich geigte ihr meine Meinung und ließ sie dann stehen, um Marita zu besuchen."

Eine mitreißende Melancholie befiel plötzlich Frau Griesbach, als sie weitersprach, als Suche sie immer noch nach einer Erklärung.

„Marita war total verstört und fremd. Sie bat mich energisch, sofort wieder zu gehen, obwohl sie mich in die Wohnung gezogen hatte, bevor ich klingeln konnte. Sie wirkte hart, als hätte sie Angst um mich, wenn ich bliebe. Und dann klingelte diese Göre. Marita wurde sofort wieder ängstlich und aufgeregt. Und dann redete dieses anmaßende, arrogante Miststück Marita ein, dass sie mich rausschmeißen soll."

„Moment, Frau Griesbach. Sie sagten doch gerade, dass Frau Kümmel Sie schon davor gebeten hatte, zu gehen."

Ihre Augen wanderten unsicher umher.

„Ach ja? Aber ich sagte auch, dass sie es nicht so meinte. Sie mich nur schützen wollte und nachdem das .... Kind ... hereingeplatzt war, wusste ich auch wovor.

Und als ich dann gegangen war, fand ich die blutige, aufgeschlitzte Maus in der Manteltasche, die mir dieser Satansbraten reingesteckt hatte". Sie schüttelte sich erneut, als würde sie es hier erleben. Auch die Tränen hatte sie parat, um ihre Qualen zu beleben.

„Woher wissen Sie, dass es Antonia war, die Ihnen die Maus zusteckte?"

„Denken Sie, ich habe sie selbst mitgebracht? Vielleicht weil ich aufgeschlitzte Mäuse schick finde?"

Es war schon beeindruckend, welche Wandlung Frau Griesbach innerhalb der letzten Minuten durchgemacht hatte. Von der verschüchterten, demütigen Frau war sie zur Wölfin mutiert. Die gleiche Beobachtung, hatte sie kurz zuvor bei Marita geschildert. Mochten sich die Frauen, weil sie seelenverwandt waren? Sah Frau Griesbach in der anderen sich selbst? Wollte sie ihr helfen, um sich selbst zu helfen, sich an Marita beweisen, dass ihr zu helfen wäre?

„Vielleicht hat Ihnen Frau Jaffel die Maus zugesteckt."

Sie wies diese Überlegung erst nach einer kleinen Verzögerung ab.

„Das ist totaler Unsinn. Die Frau hätte ich nie so dicht an mich herangelassen."

„Aber Antonia haben Sie so dicht rangelassen?"

„Wir standen im Flur, ich hatte keine Wahl."

„War es so schlimm, dass das Mädchen dafür den Tod verdient hat?"

Frau Griesbach fiel schlagartig in ihre Anfangsrolle zurück. Ihre Lippen bebten erneut und auch der restliche Körper fand keine Ruhe.

„Ich habe sie nicht umgebracht. Das müssen Sie mir glauben. Ich könnte so etwas gar nicht. Es gibt sicher genug andere, die dafür infrage kämen."

„An wen denken sie dabei?"

Sie schwieg. Fint sah sie unverwandt an. Die gelegentlichen Versuche aufzublicken, brach sie jedes Mal ab, wenn sie auf seinen Blick traf. Endlich erkannte sie, dass sie um die Antwort nicht herumkommt. Der alte Kampf um die passenden Worte tyrannisierte ihr Gesicht. Sie sehnte sich danach, die belastenden Worte auszusprechen und sie fürchtete sich davor, dass sie falsch ankämen.

„Ich kann da nichts Genaues sagen, aber die Geschichte, mit Kollegen Keller, kommt mir recht merkwürdig vor. Es würde mich nicht wundern, wenn er auch auf das Kind gestoßen wäre. Die ist doch immer in der Nähe von Marita ... und sicher wird Frau Jaffel bestätigen, dass ich dann nicht mehr im Haus war ... es sei denn, sie will mir schaden, weil ich sie beschimpft habe."

„Ach, ist Antonia in dem Haus ermordet worden?"

„Das ... wollte ich nicht sagen ... ich meine, ich weiß nicht wo ... ich dachte nur ... falls ... so glauben Sie mir doch. Ich habe damit nichts zu schaffen."

Sie heulte so herzzerreißend, dass es unweigerlich die Kollegen im Nebenzimmer mitbekommen mussten.

„Aber Sie wissen, dass sie getötet wurde? Haben Sie etwas gesehen, oder bemerkt?"

„Sie haben es doch gerade gesagt."

„Ich hatte lediglich gefragt, ob sie den Tod verdient hat, nicht, dass sie tot ist."

„Ach, ist sie gar nicht tot?"

„Ich weiß es nicht Frau Griesbach. Ich weiß es nicht. Ich hatte gehofft, Sie helfen mir, das herauszufinden."

„Nein, kann ich nicht", entgegnete sie kurz und ließ damit erkennen, dass sie das Gespräch für beendet hielt, wobei ihr eine große Erleichterung anzumerken war.

„Darf ich dann wieder an meine Arbeit?"

„Ja, bitte. .... Und halten Sie sich zu unserer Verfügung, falls wir noch Fragen haben", setzte er hinzu, als sie bereits an der Tür war. Die Unsicherheit sollte ihr Begleiter bleiben.

„Und dann schicken Sie mir bitte Herrn Keller rein."

Harry Keller versuchte, besonders gelassen den Raum zu betreten. Seine etwas stuckige Figur ließ ihn dabei tapsig wirken. Er lächelte und es wirkte sogar fast locker, wenn nicht der zu rasante Wechsel zur ernsten Mine gewesen wäre, während er sich setzte. Harry hatte auf keine Aufforderung gewartet. Er war eben dran und er war bereit. Zu spät bemerkte er den Fehler, seine Hände auf die gläserne Tischplatte zu legen, die deren Feuchtigkeit demonstrativ offen legte und sie nur langsam verdampfen ließ, als er sie vom Tisch nahm. Es war ihm peinlich, was die aufsteigende Röte im Gesicht bewies. Er räusperte sich und beschloss, sich doch in die Lehne sinken zu lassen. Dann schlug er die Beine übereinander und wartete.

Fint mochte seine wulstigen Lippen nicht, die vermutlich von jahrelanger Arroganz geprägt wurden. Sie streckten sich etwas vor und fielen leicht ab. Er hatte ein neues Lächeln hervorgekramt und sah Fint provozierend an.

„Sie sind eher ein ängstlicher Typ, Herr Keller?", begann Fint.

Keller ruckelte etwas hin und her, wobei sein Lächeln instabiler wurde. Es war Verlegenheit und etwas

Ungewissheit, worin der Sinn der Frage läge. Hinzu kam Unsicherheit, was seine weitere Taktik betraf.

Er beschloss, arrogant weiterzuspielen.

„In meinem Job würde es mir schlecht zu Gesicht stehen, wenn ich ängstlich wäre. Vielleicht die kleinen Ängste, etwas zu verpassen, aber das haben wohl alle Männer, oder."

Er lachte über seinen Scherz und verstummte erst, als er bemerkte, dass Fint ihn unberührt ansah.

„Mögen Sie Tiere?"

„Was soll denn ...". Endlich dämmerte es bei Harry. „Sie spielen also auf die Katze bei Frau Kümmel an, oder?"

Fint sah ihn weiter an und schwieg.

„Ich habe sonst keine Probleme mit Katzen, doch in dem Haus war es unheimlich. Erst quatscht mich die alte Dame voll, mit irgendwelchen Spukgeschichten und dann trete ich fast auf das Vieh. Es war mir peinlich und ich wollte nur, so schnell wie möglich, verschwinden."

„Hat, außer Ihnen, noch jemand die Katze gesehen?"

„Ja, vielleicht. Eventuell die Frau, die rechts unten wohnt."

„Was heißt vielleicht? Waren Sie allein, als Sie der Katze begegneten?"

„Kann sein, ich habe mich zu sehr erschrocken und nicht darauf geachtet."

„Wenn Sie allein waren, dann muss Ihnen nichts peinlich sein. Da ist doch was faul Herr Keller. Was ist wirklich passiert?"

„Es war so, wie ich sagte. Sie müssen es ja nicht glauben. Werden Sie mich einsperren, weil Ihnen meine Katzengeschichte nicht gefällt? Was sollen überhaupt diese blöden Fragen? Wird die Katze vermisst oder das Mädchen?".

„Sie beraten also schon untereinander. Na, dann können wir Frau Kümmel auch gleich mit hereinrufen."

Keller zupfte an seiner Krawatte, als Fint Marita rief. Sie suchte sich einen Platz weitab von Harry, am anderen Ende der Couch.

„Gibt es Katzen bei Ihnen im Haus, Frau Kümmel?"

„Nein, in all den Jahren ist mir nie eine aufgefallen."

Fint sah ihr an, dass sie sofort durchschaut hatte, worauf die Frage abzielte. Er hielt es für möglich, dass sie lügt, um Herrn Keller bloßzustellen, aber das war ihm recht.

„Was hat das schon zu sagen", brauste Harry auf „sie kann aus dem Nachbarhaus gekommen sein."

„Frau Kümmel, erzählen Sie von dem Krankenbesuch, den Herr Keller bei ihnen absolviert hat."

Keller wurde unverhohlen nervös. Er knetete seine Hände und suchte den Blick Maritas. Auch die sah, für den Bruchteil einer Sekunde, zu ihm und besah sich dann ihre Fingernägel, als müssten sie jetzt unbedingt gereinigt werden. Selbst wenn Fint der Version Kellers geglaubt hätte, spätestens jetzt erkannte er, dass hier etwas Ungewöhnliches passiert war und er wusste sofort, dass keiner von beiden die Wahrheit sagen wird.

„Es war ein ganz normaler Besuch", meldete sich Harry.

„Ich bilde mir ein, ich habe Frau Kümmel gefragt!", sagte Fint scharf, „Sind Sie Frau Kümmel?"

Er krümmte sich wie ein ertappter Schuljunge und schwieg, wobei er wiederum mehrmals zu Marita sah.

„Bitte Frau Kümmel."

Der etwas längeren Pause folgte ein flehender Blick zu Fint, damit aufzuhören. Ein Blick, den nur er verstand. Fint blieb hart, was Marita sofort erfasste.

„Wie Herr Keller schon sagte, es war ein ganz normaler Krankenbesuch."

„Für Sie normal, oder für Herrn Keller normal? Wenn es vielleicht etwas genauer sein darf?"

Wieder zögerte sie und wirkte plötzlich entschlossen. Das Spiel war vorbei.

„Wir tranken Kaffee, aßen Kuchen und tauschten die üblichen Floskeln."

„Was gab es für Kuchen, Herr Keller?"

„Äh, ich glaube, ... es war ... wie heißt das Zeug doch gleich ..."

„Marmorkuchen", half Marita aus.

Fint spürte, dass er seine Gegenspieler falsch eingeschätzt hatte. Seine Psychostrategie ging nicht auf, die auf versteckten Hass, gebaut hatte, ein Hass, der sich freikämpfen und vor allem blinde Schutzbehauptungen Harrys provozieren sollte, die sich widersprechen.

Marita war sehr feinfühlig und hatte schon an Harrys Gestik und Wortwahl erkannt, dass er sie nicht angreifen würde. Es war für beide das Beste eine harmlose Variante zu präsentieren. Beide trugen ihre Scham in jedem Winkel ihres Körpers und suchten sie vor Fint zu verbergen, denn Fint war Öffentlichkeit. Fint bedeutete Schaustellung, er war der Zauberer, der aus ihrer Mücke den Elefanten hervorbringen würde. All das spürte Fint und er zersprang innerlich vor Wut, dass er sich eine Chance vergeben hatte.

„War Antonia bei Ihrem Besuch zugegen?", wagte Fint den nächsten Vorstoß.

Ein zweistimmiges ‚NEIN' schlug ihm entgegen, wobei das Eine das Andere zu überholen versuchte. Diese ‚Neins' wurden von großen Augen und empörten Blicken begleitet.

Es war ein ehrlicher Protest. Es verriet ihm, dass anderes verborgen bleiben soll und der Fall Antonia für die letzten Momente vergessen war. Was es auch war, es sollte ihr Geheimnis bleiben. Es war für seine Ermittlungen unbedeutend. Dieser kleine Teilerfolg gab ihm Auftrieb. Die Unsicherheit hatte sich zurückgemeldet. Sie waren wieder bereit für Fehler. Die unausgesprochenen Anschuldigungen, für das Verschwinden eines kleinen Mädchens verantwortlich zu sein, bedrohten ihr geregeltes Leben.

„Sie hatten jedoch eine unliebsame Begegnung mit Antonia, wie man hört", bluffte Fint und fixierte Harry.

„Das ist eine Unterstellung", empörte sich Harry „Ich hatte nicht das Geringste mit dem Mädchen zu tun. Sie geisterte mehr als Spukgestalt in den Erzählungen herum. Vielleicht hat sie diesen UPS-Heini oder den Reporter fertiggemacht aber nicht ...“

„Was für einen UPS-Heini?“

„Na der, der sich an Frau Kümmel ranmachen wollte. Stand sogar in der Zeitung. Wispa hieß er, glaub ich.“

Ein vernichtender Blick Maritas brachte ihn zum Schweigen.

„Was wissen Sie davon?“

Harry wurde wieder verlegen. Er hatte sich zu weit aus dem Schneckenhaus gelehnt. Er wusste, dass zwei Dinge zu vermeiden waren: Marita zu provozieren und den Kommissar argwöhnisch zu machen.

„Nichts. Es sind nur so Geschichten.“

„Diese Geschichten scheinen Sie stark zu interessieren, Herr Keller. Hegen sie vielleicht selbst ein Interesse an Frau Kümmel? Kam Ihnen dabei Antonia in die Quere, so wie den anderen auch?"

Frau Kümmel schnellte empor.

„Wenn Sie erlauben, verlasse ich Sie jetzt." Es war keine Bitte, sondern eher eine Forderung.

Fint sah sie überrascht an. Sollte er sich eine kleine Entschuldigung abringen? Sie hätte es verdient. Doch noch während seiner Überlegungen ertönte die Melodie seines Handys.

Er nahm ab und Marita setzte sich wieder.

Entsetzen malte sich auf sein Gesicht und übertrug sich auf seine Gesprächspartner. Instinktiv spürten beide, dass es nur Antonia betreffen kann.

„Entschuldigen Sie mich, ich muss sofort los. Die Leiche eines kleinen Mädchens wurde gefunden. Hoffen wir, dass es nicht Antonia ist."

In seiner Stimme schwang eine schwache Welle von Vorwurf mit, die sowohl Marita, als auch Harry erfasste.

Sie merkten kaum, wie er verschwand, und saßen noch Minuten später, wie angenagelt auf ihren Plätzen. Ganz langsam kehrten Sie aus ihren Gedanken zurück. Und erst als Harry Keller den Raum wie ein Schlafwandler verließ, folgte ihm Marita in ähnlicher Weise.

Ihr apathischer Auftritt löste bei den Kollegen einen Schock aus.

Niemand sagte ein Wort. Erst als Harry die ungestellte Frage mit „Sie ist tot" beantwortete, lösten sich die Blicke von ihm, doch das Schweigen blieb.

Fint war aufgewühlt. Sein Herz raste. Er wusste nicht, was ihn mehr ängstigte, der Tod Antonias oder die damit verbundenen Qualen für Marita. Noch nie hatte er in einem Fall so viel Sympathie für einen der Verdächtigen entwickelt, wie hier. Er ertappte sich dabei, Verständnis aufzubringen, falls Marita die Täterin wäre, und schalt sich gleich darauf selbst dafür.

Die Leiche war in unmittelbarer Nähe der Mülldeponie gefunden worden. Keine Stelle, die der ständigen Bewirtschaftung unterlag, eher ein abgelegener Bereich. Fint war vorgewarnt. Er sollte sich innerlich auf einen schrecklichen Anblick gefasst machen.

Schon von Weitem sah er die Absperrung und das hektische Treiben der Kollegen.

Das Bild war schlimmer als erwartet. Ein kleines Mädchen im Sommerkleid. Mehr konnte man nicht sagen. Die Frage, ob es Antonia ist, wird man erst später beantworten. Das Gesicht des Mädchens war total zerfressen. Wenn man genau hinsah, waren freigelegte Schädelknochen erkennbar. Das Gesicht war nur noch rohes Fleisch, wobei an den Händen und Armen, wesentlich weniger Zerstörung stattgefunden hatte. Der erste Gedanke, waren die Ratten. Die gab es hier in Massen. Doch warum hatten sie fast nur das Gesicht zerfressen? War es mit einem Köder, wie z.B. Fett eingeschmiert worden, um Spuren zu verwischen, oder war es eher Zufall, dass die Mahlzeit an dieser Stelle begann?

Fint hatte das Kleid, auf einem Foto von Antonia, schon gesehen, so dass er zunächst davon ausging, einen echten Fall zu haben.

Das Einzige, was die Spurensuche bisher ergeben hatte, war, dass das Mädchen von hinten erschlagen und nicht missbraucht wurde. In der Hand des Mädchens hatte

man einen Knopf gefunden. Wahrscheinlich eine Spur zum Täter, die hoffen ließ, den Fall zügig abzuschließen.
Eine schnelle Hausdurchsuchung bei allen Verdächtigen würde hier den größten Erfolg versprechen.
Fint klinkte sich aus. Er gab die nötigen Anweisungen und zog sich nachhause zurück, forderte jedoch bei jeder neuen Erkenntnis einen sofortigen Anruf.
Er hatte sämtliche Unterlagen bereits in seiner Wohnung, da er nachts daran weiter arbeitete. Dorthin zog es ihn. Er verbrachte eine unruhige Stunde, die er durch das Abschreiten seines Zimmers füllte. Die Ungewissheit quälte ihn und quirlte durch seine Überlegungen.
Dann der erlösende Anruf. Frau Pohl hatte Antonia identifiziert. Kleid, Ring, Größe, alles stimmte. Sie brach nach der Identifizierung zusammen, doch was sagte das schon?
Häufig war er die möglichen Täter durchgegangen und nie zu einem Ergebnis gekommen. Jeder hatte Gründe, das Mädchen zu hassen, jeder hatte Schwächen, die zumindest Affekthandlungen erklären könnten. Doch keinerlei Beweise.
Fint hatte einige Verhöre angesetzt, die nach der neuen Sachlage, neben den Hausdurchsuchungen, anliefen. Sie sollten durch unbelastete Kollegen vorgenommen werden, um eine neue Sichtweise zuzulassen.
Die Autos aller Verdächtigen könnten ebenfalls Spuren liefern. Mit wem wäre Antonia, die weite Strecke bis zur Mülldeponie, gelaufen? Sie musste mit einem Fahrzeug, zumindest in die Nähe des Ortes, gebracht worden sein.

Fint blätterte die Akte nochmals durch und besah sich jedes Foto sehr intensiv. Er versuchte, in jedes Gesicht einzudringen, jede Fassade zu sprengen. Der Kopf schmerzte und er legte sich auf die Couch, ein Kissen im Nacken, die Füße hochgelegt und die Augen geschlossen. Nein, er wollte nicht schlafen. Er tauchte ab in sein Inneres, wollte die Gedanken ungehemmt strömen lassen.

Gesichter besuchten ihn. Nur die. Hing es damit zusammen, dass es Antonia genommen wurde? War es, weil Gesichter, neben den Händen, die größten Verräter der menschlichen Psyche sind? Fint schlief nicht, doch die Gesichter kamen ganz langsam, wie in einer Slideshow und erzählten ihre Geschichte, geprägt durch seine Empfindungen.

Zuerst kam Kilian, Frank Kilian, der kaltschnäuzige, sympathische, berechnende und erbarmungslose Reporter. Ein Schauspieler, wie er im Buche steht. Fähig und überzeugend für jede Rolle. Das Gesicht kam freundlich, mit einem verschmitzten Lächeln. Der beginnende Kahlschlag in seinen Haaren, verschaffte ihm den Eindruck von Seriosität. Ein Mann, der lächeln würde, wenn er wegen des Mordes verhaftet wird, da er noch einige Möglichkeiten sähe.
War ihm der Mord zuzutrauen? Hatte er in ihrem letzten Gespräch den Tod Antonias vermutet, weil er von schlechten Nachrichten lebte, oder hatte er es gewusst? Fakt ist, dass ihm das Mädchen in die Quere gekommen war. Hatte sie vielleicht etwas herausgefunden, was ihm schaden könnte?

Es folgte Harry Keller, ein kleiner Möchtegern-Macho, dem seine Karriere im Wege stand, was seine sexuellen Wünsche betraf. Ein offenes Geheimnis in der

Belegschaft. War er nicht eher ein Theoretiker auf dem Gebiet?

Doch irgendwas war zwischen ihm und Marita. War ihm der Schutzengel Antonia zu nahe gekommen, gefährdete sie seine betriebliche Karriere? Harrys Gesicht wirkte weich und dennoch entschlossen, zugleich auch beleidigt, unverstanden. Ein Mann, der nach oben will, um sich all seine Wünsche zu erfüllen. Der Mittelpunkt der Welt, an dem sich alles zu orientieren hat. Hatte ihn Antonia vielleicht nur aus diesem Mittelpunkt verschieben wollen?

Die sanfte Frau Griesbach schob ihr rundes, freundliches Gesicht dazwischen. Traurige Augen blickten ihn an. Sie hatte das mütterliche Flair. Es gab viele Stimmen, die sie als heimliche Mutter von Marita sahen, wenn diese nur gewollt hätte. Verletzter Stolz oder enttäuschte Liebe? Was brachte diese Traurigkeit in ihre Augen? War es das verunglückte Leben mit ihrem Mann, der ihr alle Träume nahm, bevor sie wachsen konnten? Wog da der Verlust ihres Traumes „Marita" nicht doppelt schwer? Es gab fotodokumentarische Beweise, dass Antonia gegen diese Mutterliebe intrigierte. Und selbst die Aussage Frau Griesbachs, brachte den ganzen Hass gegen Antonia zu Tage, als sie die Tragödie mit der angefressenen Maus neu durchlebte. Es wäre nicht der erste Mord, um die Möglichkeit einer fast unmöglichen Liebe zu bewahren. Und plötzlich kam Kampfgeist in das freundliche Gesicht, bevor es vom Nächsten beiseitegeschoben wurde.

Marcus Wispa, der ergrauende Jüngling, der mit Mitte dreißig seine platonische Liebe gefunden hatte, die in einer Einbahnstraße feststeckte. Er hatte eine gewisse

Ähnlichkeit mit Frau Griesbach, was seine Interessenlage betraf. Sein Gesicht kam heute verträumt, verletzlich auf Fint zu.
Energie steckte trotz allem in ihm. Ein ständiges Aufbegehren gegen sein Schicksal, das nicht so sein durfte, wie es sich ihm zeigte. Und auch hier stand der Wachhund Antonia an der Tempelpforte, um ihm den Weg in die Glückseligkeit zu blockieren. Die blinde Liebe würde den Gedanken ohnehin nicht akzeptieren, dass es Marita war, die ihn als Mann nicht zuließ. Das klassische Motiv schlug auch hier zu. Ein falsches Wort, eine falsche Geste, konnte den Tod in sich tragen.

Eine bösartige Antonia schwebte über allen Gesichtern: schnippisch, fordernd, bestimmend und ebenfalls um Liebe kämpfend. Die Mutter kam auf den Plan. Frau Pohl präsentierte ein Gesicht von Tränen umspült, eingebettet in einem bizarren Lächeln. Unverständnis stand darin und eine Spur von Beleidigtsein gesellte sich hinzu. Als wäre der Tod Antonias der Gipfel von Undankbarkeit ihr gegenüber. Das hatte sie nicht verdient. Sie hatte das Recht auf ihr eigenes Leben. Antonia hatte sich von ihr abgewandt, ihr die Männer missgönnt, die etwas Freude in ihr Leben brachten. In ihren Augen hatte Antonia nicht verstanden, dass sie ihr Kind vor dieser Marita beschützen wollte. Sie sah die Zuwendung zu dieser Frau als Protestaktion. Ein weiterer Stein auf ihrem Weg, den sie barfuß bewältigte.
Antonia hatte schon viele Steinchen gestreut und das Laufen fiel Frau Pohl immer schwerer. Kann es sein, dass sie ausbrechen musste? Weg von diesem Weg, auf dem jeder Schritt schmerzte? Bedeutete dies nicht auch einen Weg ohne Antonia. Ein spontaner Entschluss, den man

hinterher bereuen und wieder vergessen könnte? Vielleicht? Der Zusammenbruch bei der Identifizierung - eine Erkenntnis, dass der verlassene Weg ihr immer nachlaufen wird? War es andererseits echte Reue oder wahre Trauer um etwas Verlorenes, das jetzt erst wertvoll wurde?

Ein neues Gesicht brachte frischen Wind. Ein Sonnenstrahl, der nicht böse sein konnte. Es kann aber selbst etwas so Lebenspendendes, wie ein Sonnenstrahl, töten, wenn er mit falschen Zutaten konfrontiert wird, wie beispielsweise einer Lupe und Trockenheit.
Ein unschuldiges Lächeln tänzelte auf Yvonnes Gesicht. Naivität gepaart mit Lebensfreude. Was passiert mit der Naivität, wenn sie stirbt? Wie berechenbar ist sie dann, wenn sie hart ins Leben gestoßen wird? Ricardo war für sie einer der harten Stöße ins Leben. Sie hatte Stellung bezogen zu Marita und Ricardo. Yvonne war ausgenutzt worden, um ein schmutziges Geschäft abwickeln zu können. Welche Verbindung steckte noch im Verborgenen? Zweifelsfrei wird es auch direkte Verbindungen zu Antonia gegeben haben. Die verletzte Yvonne mit ihrer sterbenden Naivität war sicher um Klärung bemüht. War es nicht denkbar, dass sie in einen Konflikt zwischen Ricardo und Antonia hineingeplatzt war? Eine unglückliche Situation, eine unglückliche Handbewegung, eine unglückliche Folge, ein Unfall? Fint fehlten bei dieser Frau Fakten, die auch nur annähernd eine vorsätzliche Tat denkbar werden ließen. Auch dies könnte Täuschung sein. Eine hübsche Larve verklärt den Blick. Unsere Fantasie hat die Unschuld mit Schönheit gepaart. Seit Generationen huldigte man diesem Trugbild. Was ist jedoch, wenn der Schönheit der gewohnte

Respekt verwehrt wird? Was, wenn jahrelange Erfolgsstrategien, die ein angenehmes Leben beschert haben, plötzlich Schaden anrichten, weil ein kleines, dummes Mädchen da nicht mitspielt?
Was ist, wenn ein Ricardo vom Prinzen zum Schweinehirten mutiert? Hasst man dann den Prinzen oder die Lügenbaronin? Ein ausreichendes Motiv?

Mit Ricardo sieht es da schon anders aus. Seine schmalzigen, mit Gel gepflasterten Haare, umrahmen ein Grinsegesicht, das Erfolg bei Frauen gewohnt ist. Er weiß, was sie wollen, wie man sich benimmt, um Eindruck zu schinden. In diesem Grinsen steckt Hinterhalt, Rücksichtslosigkeit und Gier. Ein Typ, der sicherlich allen Schwierigkeiten aus dem Weg geht. Passt da das abgefressene Gesicht hinein? Eine Sicherheit mehr eingebaut, falls das Mädchen zu früh gefunden wird? Könnte zu einem unreifen Menschen passen, der nur fünf Minuten weiter denkt, in Stresssituationen vielleicht auch nur zwei. Wer weiß in wie vielen krummen Geschäften seine Finger stecken. Hatte die überaktive Antonia, durch Zufall, Dreck in seinem Nest entdeckt? Auch er war ein Feind Maritas und damit auch von Antonia.

Frau Jaffel präsentierte sich, wie nicht anders zu erwarten, mit einem verbissenen Gesicht. Sie war recht hager und unterstrich damit ihre Unversöhnlichkeit. Blanker Hass schoss aus ihren Augen und sie hatte auch nie ein Hehl daraus gemacht. Es war nichts dabei, ein kleines Mädchen zu erschlagen. Doch wie passte der Ort des Verbrechens zu einer, höchstens mal fahrradfahrenden, alten Frau? Hatte sie Helfer, vielleicht Kilian oder ihren Mann? Oder hatte sie sich einfach dort mit dem Mädchen verabredet? Würde Antonia ein solches Treffen wahrgenommen haben? Hängt von der in Aussicht gestellten Belohnung ab. Fint fiel der uralte, banale Spruch ein: Wo ein Wille ist, ist auch ein Weg. Jeder würde ihr diesen Mord zutrauen. Motive gäbe es genug. Sie reichten von Hass über Angst, bis zu Fanatismus. Auch sie lebte jenseits der Normalität, was aus ihrem Blickwinkel jedoch total anders aussähe.

Auch Marita war ein solcher Fall. Sie war die typische Täterfigur mit all ihren Eigenarten. Es war uninteressant, was sie dazu machte. Wichtig allein ist das Ergebnis. Diese Frau ist so zu werten, wie sie momentan ist. Es ist tragisch, wenn andere Menschen die Entwicklung dahin verschuldet haben. Die Gefahr geht dennoch von ihr aus - Marita. Wer entscheidet, ob es wirklich so ist? Potentielle Opfer sollten solche Fehlentwicklungen nicht ausbaden müssen. Sie sind noch unschuldiger. Lieber einen Täter, der das Zeug dazu hat, unschuldig einsperren, als das Risiko neuer Opfer in Kauf nehmen? Fint ist selbst immer wieder im Zweifel, was richtig ist.
Das Gesicht Marita's erinnerte ihn an alte Filme. Sinnliche Gesichtszüge, mit melancholisch verklärtem Blick. In Verbindung mit dem kühlen Grau der Kleidung, dem kalten Schwarz der Haare wirkt sie unnahbar und begehrenswert. So wie ihr Marco Wispa erlegen ist, konnte es auch Harry gegangen sein, ohne dass er es sich eingestand. Ihrer Vergangenheit ist es geschuldet, dass genau diese unheilvolle Reaktionen auslösen konnte. Schnell wird Gutes zur Bedrohung, wenn es aus Unverständnis handelt. Auch Antonia hatte es immer gut mit ihr gemeint. Sie hatte die Hilflosigkeit Marita's erkannt. Die anfängliche Stütze, die sie darstellte, wurde schnell zum Knüppel, der

drohend über Marita schwebte. Und wieder verwandelt die Vergangenheit den Blickwinkel. Aus Freund wird innerhalb von Sekunden Feind, aus Hilfe wird Bedrohung.

Es war sogar denkbar, dass Marita, infolge der sie plagenden geistigen Aussetzer, von ihrem Verbrechen gar nichts wusste. Es wäre vielleicht nur ein Beseitigen des Problems, in ihren Augen. Eine Schutzreaktion, in der Einbildung, dass man ihr den Tod des Mädchens anhängen wolle. Sie ist schon häufig betrogen worden. War sie vielleicht eine Mörderin mit reinem Gewissen?

Ohne Zweifel waren die Psychologen mit ihren Gutachten gefragt. Fint fühlte sich überfordert. Psychologen waren auch nur Menschen, die mit fehlerhaften Bausteinen bestückt sein konnten. War hier überhaupt Vertrauen in derartige Gutachten angebracht? Fint hoffte immer noch auf ihre Unschuld und gönnte ihr eine Chance auf ein neues Leben.

So langsam näherte er sich dem Ende, in der Reihe der Verdächtigen. Herr Jaffel tauchte auf. Er war etwas fülliger und hatte noch volles Haar. Bis zum Zeitpunkt, als seine Frau ins Krankenhaus eingewiesen wurde, war er über jeden Verdacht erhaben. Doch das Spektakel, in dessen Folge die Krankheit seiner Frau ausbrach, verwandelte ihn. Die Grenze des Verständnisses war überschritten. Er, der immer tolerant war, die zerstrittenen Parteien versöhnen wollte, hätte dadurch fast seine Frau verloren. Es war tatsächlich Hass in seinem Gesicht. Fint hatte immer noch die Augen geschlossen, doch er sah diesen Hass ganz deutlich. Es wirkte abgespannt, dieses Gesicht, als wäre alles zu viel, am Rande der Erträglichkeit. Oder war es das Wissen um eine Tat, das ihn verschloss?

Fint hatte viele Menschen im Laufe seiner Dienstjahre kennengelernt, die sich den Luxus von Toleranz und Gutmütigkeit gönnten, solange es hinter ihrer Wohnungstür ablief. Es war eine andere Sache, wenn die Probleme zu nahe kamen. Die Schwelle der Wohnungstür durfte nicht überschritten werden. Es käme der Entweihung eines Heiligtums gleich. Inwieweit hatte Herr Jaffel seinen Hass an der Leine? War sie kurz genug, um vor der Schwelle zum Verbrechen halt zu machen?
Die Menschen waren so vielfältig, dass jeder Fall mit Unmengen von Unbekannten gespickt war. Mathematisch gesehen, eine unlösbare Aufgabe. Er hatte sich dem Unmöglichen verschrieben und ihm das Mögliche abgerungen, immer im Gefolge die Unzufriedenheit. Für diese Unzufriedenheit war Fint dankbar, sie hielt ihn wach und lieferte neue Möglichkeiten.

Genau diese Unzufriedenheit ließ ihn nicht ruhen. Weitere Gesichter marschierten auf. Herr Griesbach, der eigentlich keinerlei Verbindung zu diesem Fall hatte, wenn man seine Funktion als Ehemann einer Verdächtigen außer acht lässt, war nicht uninteressant. Als Alkoholiker, und jähzorniger Mensch, trug er massenweise kriminelle Energie in sich, die weniger Impulse zur Entladung braucht, als beim „normalen" Menschen.
Natürlich belastete das gespannte Verhältnis zwischen Frau Griesbach und Antonia auch ihn. Die Rolle des heldenhaften Retters oder auch das Bedürfnis, die gestörte Ruhe zurückzugewinnen, wären Auslöser genug. Besonders, wenn Freund Alkohol die Hemmschwelle genügend herabgesetzt hatte, ganz besonders bei jähzornigen Menschen.

Was war mit Frau Keller, die ein volles Gesicht zwischen Gemütlichkeit und Reserviertheit bot. Die Karriere ihres Mannes stand auf dem Spiel. Damit verbunden war der Ruf der Familie und nicht zuletzt der Lebensstandard. Mag die Beziehung zwischen ihr und ihrem Mann auch gespannt oder unglücklich sein. Das ist dennoch etwas, was verbindet. Man muss schließlich auch an die Kinder denken. Eine Glucke hat zu kämpfen, so war es schon immer.

Und auch Herr Kersik zeigte sich mit seinem Gesicht, der seine kleine Verletzung an der Hand, zu verbergen gesucht hatte. Der Ruf einer Firma war unter Umständen von existenzieller Bedeutung. Was wäre da einfacher, als den Herd der Unruhe zu beseitigen. Etwas an den Haaren herbeigezogen, doch den Gedanken zu verwerfen, wäre verantwortungslos.

Fint hatte sich die Fähigkeit erhalten, bis zur Lösung eines Falles jeden Verdächtigen als möglichen Schuldigen zu führen. Er wusste, dass die gesellschaftlichen Normen für Krisen sorgen können. Er wusste, dass eine Krähe der anderen kein Auge aushackt und sich eigene Normen schafft, sobald sich die Möglichkeit ergibt. Jeder sucht sich seine eigene Normalität, die er den Bedürfnissen entsprechend, ständig neu abstimmt. Jede Familie schafft für ihre kleine Welt Gesetzte, die da draußen keinen etwas angehen. Jeder Mensch, der sich unverstanden fühlt, entwickelt seine eigenen Wertigkeiten, um sich selbst in die Augen sehen zu können.
Es gibt keine normalen Menschen, wie ihm dieser Fall wieder bewiesen hat. Jeder der Verdächtigen kann der

Mörder sein, jeder ist auf seine Art normal, jeder ist aus anderer Sicht unnormal.

Die Zeit wird bringen, was die Logik nicht hergibt. Der Zufall wird seinen Beitrag leisten und das Glück wird sie zum Mörder führen.

Schon zwei Tage später war es soweit. Die Ermittlungen hatten sehr schnell zum Täter geführt.

Fint war nicht überrascht.

Teilnahmslos sah er zu, wie die überführte Person in das Polizeifahrzeug geschoben wurde. Jede Lösung eines Falles stimmte ihn traurig. Er hatte auch hier keinen Tipp gewagt, wer der Mörder oder die Mörderin sein könnte. War er nun zufrieden? Keineswegs. Der bittere Beigeschmack, dass diese Person die Tat abstritt, machte ihn immer wieder unsicher. Die Indizien waren jedoch erdrückend und der nächste Fall wartete schon auf ihn. Der Knopf, in der Hand des toten Mädchens, war ein überzeugender Ankläger.

Tage später schlenderte Fint durch die Altstadt. Sein Weg führte ihn am alten Bahnhof vorbei.

Wie auch in anderen Städten, tummelten sich hier die Dealer und Straßenkinder und alles, was keinen Ruhepol fand. Sie standen dem Problem machtlos gegenüber, was ihn traurig stimmte. Langsam wanderte er mit dem Blick über die Kinder, die auf dem Boden oder auf Fensterbrettern saßen, rauchten oder sich einfach nur unterhielten. Was mochte es sein, das sie die Geborgenheit eines Zuhauses vergessen ließ und ein Leben in Unsicherheit erstrebenswert machte? Hatten sie hier jemanden, wo sie dazu gehörten? Waren es die ungewollten Kinder, die sich nach Liebe sehnten? Wer will es ihnen übel nehmen, dass sie die Tragweite ihrer Entscheidung noch nicht absehen können?

Eines der Mädchen las eine Zeitung. Sie erinnerte ihn irgendwie an Antonia, hatte die gleiche Haarfarbe. Er blieb stehen und konnte sich nicht von ihr lösen. Hielt ihn der Fall immer noch gefangen? Wann hörte das endlich auf?

Und plötzlich drehte sich das Mädchen um, sah ihn direkt an. Sie war vielleicht 50 Meter von ihm entfernt. Sie hatte ein zufriedenes Grinsen aufgelegt. Fint gab es einen kleinen Stich ins Herz. Sie sah genau so aus, wie Antonia. Er hätte es geschworen. Er wollte auf sie zu gehen, doch eine große Menschentraube, die gerade vom Bahnsteig der Stadt zustrebte, versperrte ihm den Weg. Nervös versuchte er das Mädchen, das er für Antonia hielt, im Auge zu behalten. Es gelang ihm nicht.

Als der Weg wieder frei war, war das Mädchen verschwunden.

An der Stelle, wo er sie gesehen hatte, lag noch die aufgeschlagene Zeitung. Der groß aufgemachte Bericht, über die Verhaftung von Antonia's Mörder, lachte ihn aus.

Fint fragte die anderen Kinder nach dem Mädchen, das hier gesessen hatte, aber niemand wollte sie kennen, oder gar gesehen haben.

Er konnte sich nicht so getäuscht haben. Er würde den Platz überwachen lassen.

Was versprach er sich davon?

Wenn es wahr wäre, was er vermutete, wäre es so ungeheuerlich, dass es niemand glauben würde.

Ein kleines Mädchen sollte ein anderes Kind vorsätzlich ermorden, um ihr eigenes Verschwinden zu tarnen oder um eine gehasste Person zu bestrafen?

Wäre ein Kind dazu fähig, sein Opfer gezielt durch Ratten verstümmeln zu lassen? Die Geschichte mit der angefressenen Maus könnte sie auf die Idee gebracht haben. Es wäre nicht das erste Kind, das sich, allein überlassen, an den verrohten Programmen der Fernsehsender orientiert und in Extremsituationen die Realität zum Fantasyspektakel deklariert. Und dennoch war der Gedanke so absurd, dass er sich von dem Gedanken wieder lösen wollte. Nein, er musste sich getäuscht haben. Dennoch würde er der Sache nachgehen. Ein Unschuldiger könnte sonst sein Gewissen belasten. Er knabberte an einer Frage, die zu zäh war, um sich schnell aufzulösen.

Was geht in einem Menschen vor, der, noch mitten in der Entwicklung, eine Mutter ohne Liebe erleben muss, der sein Herz an einen anderen Menschen hängt, sich fanatisch an ihn klammert und dann auch von ihm abgestoßen wird? Er bleibt zurück, in maßloser Enttäuschung. Das letzte Tau reißt und er wird hinausgeschleudert in eine stürmische Welt, die nirgends ein Halt, eine Stütze anbietet. Und es bleibt die blinde Wut. Die Fantasie lässt ein zurück nicht zu und das Schwert der Erwachsenen schwebt arrogant über einem kleinen Kinderkopf, der nie gelernt hat, für andere Menschen zu denken. Nur diesen einen Versuch gab es und der war eine Katastrophe. Die Gewissheit, ein unschuldiges Opfer zu sein, sucht fieberhaft nach einem Täter. Es ist ein offenes Geheimnis, dass Täter bestraft werden müssen und wenn niemand da ist, der diese Aufgabe übernimmt, so muss man sich selbst helfen. Oft genug in Filmen gesehen, oft genug mit Happy End, nur weil man sich über die Gesetze derer hinweggesetzt hatte, die sie aufgestellt hatten, um andere zu unterdrücken - toll. Und wenn dieser Weg der Erkenntnis so manchen Erwachsenen befallen hatte, warum sollte dies bei einem naivem Kind, das über weitaus weniger Erfahrungen verfügte, nicht möglich sein. Und wäre die Wahrscheinlichkeit auch noch so gering, diese Möglichkeit durfte Fint nicht ignorieren.

Die Überwachung des Bahnhofs hatte keinen Erfolg gebracht. Auch die Ausdehnung der Beobachtungen auf andere Plätze der Straßenkinder, verlief im Sande. Nun half nur noch eine DNA-Analyse und das würde Zeit kosten, bis er die durchbekäme. Doch sie wird absolute Gewissheit bringen. Und all das nur, aufgrund einer flüchtigen Erscheinung, die er für Antonia hielt? Eine schwierige Zeit des Wartens kam auf ihn zu.

Er starrte aus dem Fenster. Es war regnerisch und windig. Die Regentropfen klatschten gegen die Scheibe und verteilten sich über das ganze Fenster. Das gespenstisch flackernde Licht der Straßenlaterne versetzte die glitzernden Tropfen in Unruhe. Einmal gelandet, begannen sie ihre Reise in die untere Ebene, eine glänzende Spur zurücklassend, auf der Suche nach Weggefährten.
Es war nie ein gradliniger Weg. Der Wind schleuderte sie aus der Bahn und schmetterte sie an die Gefährten, die sie meiden wollten. Und weiter ging die rasante Fahrt nach unten, im Gepäck nun ein ungeliebter Partner. Und um das Maß vollzumachen, prallten neue Tropfen auf die Scheibe. Die rissen nun die Gefährten auseinander, die sich gerade gefunden hatten oder durch ein Unglück aneinandergefesselt waren.
Erneut ging es weiter auf dem harten Weg, nur ein Ziel verfolgend: unten anzukommen, um endlich Ruhe zu finden. Und wenn das Glück es wollte, dass man den

richtigen Gefährten getroffen hat, so wünschte man auch, gemeinsam unten einzutreffen. Aber das Leben war unberechenbar. Wer konnte schon sagen, von wo der Wind in der nächsten Sekunde blasen würde? Wer konnte schon vorhersehen, wem man auf seinem Wege begegnen wird und mit wem man es da zu tun hat? Das Leben war eine Lotterie, bei der die beste Strategie nichts half, wenn der Wind ungünstig stand. Und doch waren es nur einige Tropfen, die sich fallenließen und zerplatzten, da sie auf dem langen Weg die Hoffnung verloren hatten. Die meisten setzten den vom ständigen Kampf gezeichneten Weg fort, da sie immer noch das Licht sahen, das ihnen Leben verlieh. Und wenn es auch flackerte, es war da und so lange es flackerte, bestand Hoffnung.

Quellen

auf www.gutzitiert.de Aphorismus:
„Glück macht Freunde, das Unglück prüft sie."

von Karl Simrock